TEMAS DEL MODERNISMO HISPÁNICO
Y OTROS ESTUDIOS

BIBLIOTECA ROMÁNICA HISPÁNICA

DIRIGIDA POR DÁMASO ALONSO

II. ESTUDIOS Y ENSAYOS, 208

ALLEN W. PHILLIPS

TEMAS DEL MODERNISMO HISPÁNICO Y OTROS ESTUDIOS

BIBLIOTECA ROMÁNICA HISPÁNICA
EDITORIAL GREDOS
MADRID

EDITORIAL GREDOS, S. A.

Sánchez Pacheco, 81, Madrid. España.

Depósito Legal: M. 14740 - 1974.

ISBN 84-249-0573-3. Rústica.
ISBN 84-249-0574-1. Tela.

Gráficas Cóndor, S. A., Sánchez Pacheco, 81, Madrid, 1974. — 4212.

A dos amigos y colegas:

LUIS A. AROCENA
y
RICARDO GULLÓN

PALABRAS PRELIMINARES

Son poco menos que evidentes los riesgos a que se expone uno al coleccionar en volumen páginas escritas en distintas épocas y con criterios o propósitos críticos de índole variada. Si lo hago ahora, es con la modesta esperanza de que estos ensayos sean en alguna forma útiles para otros estudiosos de la literatura hispánica que sabrán completarlos y perfeccionarlos. Por lo demás, la presente selección de trabajos fue pensada como complemento o corolario a otro libro mío consagrado a temas exclusivamente hispanoamericanos y que se publicó en México en 1965.

Una breve advertencia sobre los trabajos aquí reunidos. Se los ordena ahora no atendiendo a la cronología de su redacción, sino a sus contenidos temáticos, con lo cual se aspira a dar cierta unidad a lo diverso. Estos ensayos no sólo evidencian mi constante interés por la literatura hispánica, sino que también representan una parte significativa de mis actividades profesionales como profesor universitario dentro y fuera de la cátedra. Con una sola excepción, estas páginas habían sido publicadas ya en distintas revistas especializadas o en otros sitios, y la correspondiente nota bibliográfica se incluye al final del volumen. A pesar de que los presentes trabajos abarcan un período de quince años aproximadamente, pocas modificaciones se han hecho en los textos originales, y el lector verá que tampoco han sido eliminadas algunas inevitables repeticiones debidas a la naturaleza temática de varios ensayos. Sin embargo, además de unos mínimos reajustes estilísticos, en algunos casos me he permitido ahora añadir unos cuantos datos bibliográficos útiles para un estudio más completo de los temas en cuestión.

Finalmente quisiera expresar mi agradecimiento a los amigos y colegas que acogieron con benevolencia estas páginas cuando por primera vez vieron luz pública. Su generosidad me anima a recogerlas ahora. A otros amigos, entre ellos Luis A. Arocena, debo unas atentas lecturas críticas de algunos de los ensayos presentados aquí. Si no fuera por la amable intervención de Ricardo Gullón, no se hubiera publicado el presente volumen. A los dos mis más sinceras gracias. Tengo deuda contraída con Sharon Sloan y Peggy Bynum, del Departamento de Español y Portugués de la Universidad de Tejas, cuya ayuda ha sido indispensable en la preparación definitiva de los textos.

A. W. P.

Austin (Tejas), julio de 1972.

I

TEMAS DEL CENTENARIO DE RUBÉN DARÍO

NUEVA LUZ SOBRE *EMELINA* *

Con la posible excepción de Francisco Contreras [1], la crítica ha condenado con severidad y en forma casi unánime la novela *Emelina*, escrita en 1886 por Rubén Darío y Eduardo Poirier. En este trabajo, no obstante, nos proponemos ofrecer mayores precisiones sobre la composición de la obra, que a nuestro juicio no carece enteramente de interés para la rápida evolución estilística de Darío. Intentamos a la vez un análisis de sus técnicas narrativas, con el propósito de caracterizar, desde una nueva perspectiva, este primer esfuerzo novelístico del joven poeta, recién llegado a Chile en aquel entonces.

HISTORIA EXTERNA DE «EMELINA»

Portador de una carta de presentación para Eduardo Poirier, llegó Darío a Valparaíso el 24 de junio de 1886. Desem-

* Agradezco a Enrique Anderson Imbert, maestro y amigo, ciertos datos bibliográficos que me ha proporcionado sobre esta novela, así como otras valiosas indicaciones que espero haber aprovechado debidamente en la redacción de este estudio.

[1] Francisco Contreras, «Rubén Darío y su primera novela», estudio preliminar a *Emelina* (París, 1927), págs. IX-XXX. Todas las citas textuales que hacemos en el presente trabajo corresponden a esta edición.

barcado del *Uarda*, se puso en contacto inmediato con Poirier, y de esta manera comenzó no sólo la primera sino una de las más firmes y duraderas amistades chilenas del poeta nicaragüense. Y a esta amistad fraternal alude Darío repetidas veces. El eminente dariísta Raúl Silva Castro ha precisado las circunstancias exteriores referidas a la redacción y publicación de *Emelina*[2]. Resumimos brevemente los datos más pertinentes. La novela, escrita en colaboración, fue presentada, no al Certamen Varela[3], sino a uno abierto unos meses antes de la llegada de Darío a Chile por el diario *La Unión* de Valparaíso. En mayo de 1886 se amplió, hasta el 1 de agosto, el plazo para la entrega de los originales. Con fecha del 8 de agosto, se publica en *La Unión* una lista de títulos enviados al certamen. Entre ellos figura *Emelina*, firmada por Orestes y Pílades, seudónimos que corresponden seguramente a Darío y a Poirier. Y merecen tenerse en cuenta esas fechas para calcular aproximadamente cuándo era posible que Darío interviniese en la redacción de la novela. No se hace público el fallo del jurado hasta enero del año siguiente (1887), y *Emelina* no fue premiada en el concurso. Publicados ya los *Abrojos* (Santiago, 1887), un poco después aparece en Valparaíso la primera edición de la obra que nos ocupa.

La edición de 1887 requiere aquí mención especial por varios motivos[4]. En primer lugar, lleva dedicatoria a don

---

[2] Raúl Silva Castro, *Obras desconocidas de Rubén Darío escritas en Chile y no recopiladas en ninguno de sus libros* (Universidad de Chile, 1934), págs. xix-xxi.

[3] A pesar de las rectificaciones hechas hace tiempo por Silva Castro, que corrige a Donoso y a Contreras, sorprende ver cómo se repiten en textos posteriores las mismas inexactitudes. Un ejemplo reciente: Antonio Oliver Belmás, *Este otro Rubén Darío* (Barcelona, 1960), pág. 74.

[4] Una detallada descripción del volumen se halla en Julio Saavedra Molina, *Bibliografía de Rubén Darío* (Santiago, 1945), págs. 26-27.

Agustín R. Edwards, editor de *El Mercurio*, y en ella Poirier
habla de sus propias traducciones de novelas folletinescas
para dicho periódico y de su verdadero gusto por esta clase
de literatura [5]. Recuerda también la ayuda de un «inteligente
colaborador» en la redacción de *Emelina*. De mayor interés,
para la génesis de la obra y otras consideraciones críticas,
es una carta de Rubén Darío que incorpora Poirier al prólogo que él firma. En esas páginas Darío se refiere a la precipitación con que se escribió la novela y a sus defectos.
Explica el origen de la obra y la caracteriza de la siguiente manera:

> Es nuestra novela obra que tiene todos los tropiezos de un
> primer libro. ¡Ah, escrita para un Certamen, en diez días, como
> la suerte ayudaba, sin preparación alguna, hay que confesar que
> ella pudo ser peor! Tal como es, sin pretensiones, sencilla, fran-
> ca, va al público a buscar fortuna. Hemos procurado el esmero
> de la forma y la bondad del fondo, sin seguir para lo primero
> lo que llama Janin *folies du style en délire*, ni para lo segundo
> el *Ramillete de divinas flores* [6].

Inexplicablemente Contreras omitió la dedicatoria (pág. III de la
primera edición) y el prólogo (págs. V-VIII) al reeditar la novela, con
importante estudio, en 1927. Como antes señalamos, ésta es la edición
que utilizamos, por lo cual los fragmentos citados del prólogo de 1887
se reconstruyeron a base de textos recogidos de Silva Castro y otros
críticos que han tenido a la vista la edición original de *Emelina*.

[5] Sobre el particular son interesantes las observaciones de Poirier
mismo, que pertenecen por lo visto a un libro inédito sobre Darío en
Chile. Las recoge Armando Donoso: «En 1888 (sic), dice, publicamos
ambos, en colaboración, nuestra *Emelina*, obra fugaz y de circunstancias cuyos personajes obraban y se movían como los de cien novelas inglesas, francesas, portuguesas que para los folletines de *El Mercurio* había yo por aquellos tiempos traducido. En resumen: una novela ingenua, romántica, cinematográfica y terrorífica que hoy es una
simple curiosidad bibliográfica». Armando Donoso, *Obras de juventud
de Rubén Darío*, con un ensayo sobre Rubén Darío en Chile (Santiago,
1927), pág. 75.

[6] En una de sus más significativas y tempranas prosas teóricas,

Continúa Darío enjuiciando la novela. Llama la atención sobre sus cualidades librescas y los diálogos falsos de los personajes:

> En cuanto a la gran debilidad de esta obra, es aquella misma que Goncourt señala refiriéndose a su bellísimo e incomparable primigenio *En 18...* Nosotros no hemos tenido la visión directa de lo humano, sino recuerdos y reminiscencias de cosas vistas en los libros... Sí, amigo mío, los personajes de *Emelina* hablan a las veces, sin notarlo nosotros, el mismo lenguaje de las novelas que usted tan plausiblemente ha traducido para *El Mercurio*, y el de las que yo he leído, desde que a escondidas y en el colegio, me embebía con Stendhal y Jorge Sand [7].

Y, en fin, merecen tenerse en cuenta esos conceptos autocríticos de Darío, inclusive las explícitas fuentes literarias que él menciona.

CARACTERIZACIÓN GENERAL DE LA OBRA

Preferimos no reseñar ahora las varias opiniones críticas dadas sobre *Emelina*, las cuales insisten sobre todo en las cualidades absurdas y superficiales de la novela, calificada ésta las más veces de frustrada y desacertada [8]. Por el mo-

---

Darío alude al modo de escribir de los Goncourt y dice: «Los hermanos Goncourt fueron de los primeros en caminar por esa hermosa vía. Julio Janin, a la sazón folletinista de *Los Debates*, les atacó sus primigenias tentativas. Hay que recordar aquellas advertencias cuando la publicación del originalísimo *En 18...* Entonces Janin llamaba 'estilo en delirio', al estilo de Julio y Edmundo, y consideraba un absurdo, una locura, pretender pintar el color de un sonido, el perfume de un astro, algo como aprisionar el alma de las cosas», «Catulo Mendez [*sic*]. Parnasianos y decadentes», *Obras desconocidas...*, pág. 169.

[7] Vale la pena notar que en *Emelina* los autores fechan la acción novelesca en la siguiente forma: «Llegó el verano de 18... (20)»; «15 de junio de 18... (58)»; «febrero de 18... (94)»; «mes de diciembre de 18... (100)»; «Por los años de 18... (110)», etcétera.

[8] Los juicios más severos corresponden a Donoso, que califica los

mento, basta decir que es aparentemente una mera novela de tipo folletinesco, cuyos personajes principales se mueven en un falso mundo de exagerados heroísmos o infamias, de igualmente exagerados amores sentimentales o perversos. Además esos personajes son de una sola pieza. Son sencillamente buenos o malos. Y, en cuanto al amor puro e idealizado de los protagonistas, triunfa sobre las circunstancias adversas. La intriga de *Emelina* es, desde luego, inverosímil, y está llena de las más increíbles coincidencias, así como de las espeluznantes truculencias que suelen caracterizar el género. En esta novela de aventuras, dulzona y violenta a la vez, intervienen robos, fraudulentas manipulaciones bancarias, asesinatos brutales. Es decir, crímenes y traiciones de toda clase. ¡Y no han de faltar las galerías subterráneas, los cuartos secretos y todos los elementos necesarios a una misteriosa sociedad de afiliados que se dedican al robo, mediante el juego, y a las supresiones sangrientas de sus víctimas! Es, pues, una novela convencional, sin unidad de estilo, que se organiza en una serie de fáciles paralelismos, acentuados de modo contradictorio: los episodios de heroísmo y villanías se contraponen, los amores ideales e inflamados hacen juego con otros fríos y calculados. No son esos materiales tan manidos, como luego veremos, sino el modo de tratarlos, lo que hace que *Emelina* no sea una obra del todo despreciable.

---

capítulos de *Emelina* de «vulgares y de un refinadísimo mal gusto folletinesco»; se refiere a «esta desgraciada *Emelina*, novela detestable si las hay»; y finalmente escribe el mismo crítico: «Nada había en *Emelina* que fuese digno del arte: todo en sus páginas pertenecía al orden más mezquino del folletín, pero de un folletín que ni siquiera contaba con la amenidad de sus modelos: las novelas de Ouida o de Hugo Conway. Su estilo, si es que se puede hablar de estilo al recordarla, respondía a una ramplonería lastimosa...». Armando Donoso, *ob. cit.*, págs. 74, 79 y 80.

La novela se compone de cuatro partes, a su vez divididas en breves capítulos, y se articulan íntimamente entre sí la primera con la cuarta, la segunda con la tercera. En las páginas iniciales se acentúan las notas de un sobrehumano heroísmo, porque los jóvenes y gallardos protagonistas salvan de un incendio a dos hermosas damas, la dulce Emelina y su fiel amiga Sara. El amor súbito y exaltado no se hace esperar, enamorándose Marcelino Gavidia de Emelina y José María Vergara de Sara. El escenario es chileno, el tiempo presente. La triste y bella Emelina, típica desgraciada heroína romántica, no puede corresponder al teniente Gavidia porque un gran secreto oscurece su pasado. En las partes intermedias (II y III), cuya acción se desarrolla totalmente en Europa, se revelan los infortunios de Emelina, casada con un canalla, el conde Ernesto du Vernier. Aquí, en la parte central de la novela, es donde se acumulan todas las mencionadas truculencias de tan extremada intriga. A veces se rompe la marcha normal de los acontecimientos para referirnos los antecedentes del Conde, figura tenebrosa de la aristocracia parisiense, que martiriza a su abnegada e inocente esposa, y afiliado importante de la sociedad secreta de El Guante Rojo. Oída toda la triste historia de Emelina y de Sara, las cuales ahora viven con el tío de aquélla, un rico comerciante inglés radicado en Valparaíso[9], en la parte final regresamos nuevamente a Chile y al presente. El amor ocupa el centro de la narración, y el feliz desenlace se asegura, porque José María Vergara, fuera del país en una misión oficial, llega a matar en un duelo al esposo de Emelina.

---

[9] Una prueba concreta de la precipitación con que fue escrita la novela: el tío de Emelina se llama Edmundo, pero en una ocasión parecen equivocarse los autores llamándole *Eduardo* (85).

UN INTRINCADO PROBLEMA LITERARIO: LA
INTERVENCIÓN DE DARÍO EN «EMELINA»

En el análisis de *Emelina,* uno de los problemas más incitantes que se plantea al crítico es determinar el papel que tuvo Rubén Darío en su redacción. No se puede rehuir aquí tan delicado asunto, y en las páginas que siguen ofrecemos algunas nuevas aproximaciones a ese interesante aspecto de la obra, sin que se nos oculte la dificultad que hay para precisar con toda exactitud qué páginas o qué imágenes se deben a la mano más diestra del poeta nicaragüense. Los que pudieron haber aclarado la cuestión no lo hicieron nunca [10], aunque Poirier, en su prólogo a la primera edición, dice textualmente al referirse a su colaborador: «mi querido amigo, autor de los más bellos capítulos de *Emelina*» [11].

Varias son las opiniones críticas ya expresadas sobre el problema que ahora nos ocupa. Veamos, pues, en rápido resumen y en orden cronológico algunas de ellas. Armando Donoso piensa que la mayor parte de *Emelina* se debe a Poirier, siendo muy escasa la contribución del poeta, y puntualiza: «No pasan tal vez de dos los capítulos que escribió el poeta... Uno de los capítulos breves le pertenece enteramente al poeta y otro pudo tal vez ser escrito por su pluma...» [12]. Recordando las traducciones que hacia aquellos años hacía Poirier del inglés y del francés, Contreras opina que él debió tomar gran parte en la invención de la trama,

---

[10] Silva Castro, *ob. cit.,* pág. XLII, nota 3.
[11] Saavedra Molina, *ob. cit.,* pág. 26.
[12] Donoso, *ob. cit.,* pág. 74. Del mismo libro ver también pág. 177 y la nota 1, a la misma página.
Merece señalar aquí que Donoso reproduce (págs. 177-178) un breve fragmento del capítulo IX de la segunda parte de *Emelina,* páginas de segura paternidad dariana que evocan a París.

pero a la vez no deja de mostrar, con acierto, que Darío también colaboró en el asunto de la novela [13]. Finalmente llega a afirmar el mismo crítico que «el libro ha de haber sido escrito por Rubén Darío, *casi en su totalidad*» [14]. Silva Castro ofrece otras conclusiones sobre la participación de Darío en la novela. Escribe, por ejemplo, en 1934: «...la mayor parte de sus páginas no revelan que la sensibilidad del poeta nicaragüense interviene en su redacción» [15]. Si bien sigue creyendo que fue pequeña la intervención de Darío, un poco más adelante en el mismo texto Silva Castro ofrece mayores indicaciones sobre su papel activo en la novela [16]. En su excelente libro posterior, siempre de indispensable consulta para la época chilena, *Rubén Darío a los veinte años*, vuelve a abordar el mismo tema. Sin cambiar esencialmente de opinión, cree ahora que Poirier, en su dedicatoria, reduce a papel muy secundario la participación de su amigo [17], y

---

[13] Contreras, Estudio preliminar, págs. XXI-XXII.

[14] *Ibid.*, pág. XXII. Más tarde vuelve a repetirse lo mismo en *Rubén Darío. Su vida y su obra* (Santiago, 1937), págs. 295-296.

[15] Silva Castro, *ob. cit.*, pág. XL.

[16] *Ibid.*, págs. XLI-XLII. Silva Castro niega, creemos que con razón, la colaboración de Darío en la primera parte de la novela y ciertos capítulos de la segunda. Es posible, sin embargo, que la pluma del poeta haya intervenido en la movida descripción del incendio en Valparaíso (I, 1, págs. 1-4). Luego dice el mismo crítico: «...Pero de pronto en el capítulo IX de ésta [la segunda parte], que se titula «Tito Mattei» y que es una descripción espiritual y fantástica de París (como trazada por quien lo soñaba y no lo había visto aún), la mano de Darío aligera el curso de la narración. El centroamericano escribe en un estilo rápido, nervioso, lleno de exabruptos y esmaltado con palabras exóticas. En la tercera parte, si se atiende a las mismas indicaciones, corresponderían a Darío los capítulos I, II, V, VIII y XI, por lo menos. En los demás, la colaboración de ambos autores parece compaginarse estrechamente, y al leerlos se llega a creer que fueron escritos en compañía (págs. XLI-XLII)».

[17] Raúl Silva Castro, *Rubén Darío a los veinte años* (Madrid, 1956), página. 24.

repite lo que dijo antes sobre los posibles capítulos escritos por Darío. Sin embargo, recoge algunas de las indicaciones ya hechas por Contreras, que tienden a comprobar que no fue tan ajena a la novela la pluma de Darío [18]. Ahora bien: es posible que haya exagerado un poco Contreras la contribución de Darío a *Emelina*, pero un análisis detenido de la obra comprueba que mucho en efecto se debía al poeta, no sólo en lo que respecta al asunto sino también al estilo mismo. Y nuestra intención es puntualizar ciertos aspectos de la narración que merecen tenerse en cuenta para llegar a demostrar el papel activo que tuvo Darío en tan curiosa novela. Primero, nos proponemos recordar algunas experiencias reales del poeta que pudieron haber influido en la composición de la obra, y luego ver unos rasgos estilísticos que confirman que la pluma de Darío escribió muchos fragmentos de *Emelina*.

ALGUNAS REMINISCENCIAS REALES DE DARÍO

El título de la novela corresponde con toda seguridad a Darío, porque Rosario Murillo, con quien se casa en segundas nupcias en 1893, se llamaba precisamente Rosario Emelina [19]. La había conocido primero en 1883 y luego, vuelto

---

[18] *Ibid.*, págs. 27-28.

[19] En 1956 Silva Castro recuerda ese dato [*Ibid.*, pág. 26], pero se equivoca al invertir el orden de los dos nombres de la futura esposa de Darío. Este pequeño desliz se comete, porque el crítico chileno toma la noticia de Diego Manuel Sequeira [*Rubén Darío criollo o raíz y médula de su creación poética*, Buenos Aires, 1945, pág. 167], que escribe dos veces su nombre en forma incorrecta, aunque sí figura como Rosario Emelina Murillo en la pág. 271 de la citada obra.

No hace Silva Castro ninguna mención de las varias poesías escritas por Darío en Centroamérica que van dedicadas a Emelina (por

Darío a Nicaragua, se estrechaban más sus relaciones hacia 1885 [20]. Rosario misma confirma que *Emelina* fue inspirada en su persona, y, en un reportaje con Octavio Rivas Ortiz, dice lo siguiente [21].

> ...existe, no sé dónde, una novela delicada suya, llamada *Sara y Emelina*, escrita en Chile. Sara es la respetable señora Sara Rivas de Solórzono... Emelina, ya lo dije, yo.

Así es posible identificar no sólo a la protagonista de la obra, sino también a Sara, la fiel amiga de Emelina. Leamos una temprana descripción de la heroína:

---

ejemplo, «A Emelina» o «La cabeza del rawí»), a las cuales nos referiremos más adelante.

En su magistral estudio, de indispensable consulta sobre la prosa narrativa de Darío, Raimundo Lida [«Los cuentos de Rubén Darío», *Letras hispánicas* (México, 1958), nota 17, pág. 336], al ocuparse de la dedicatoria explícita y luego la interior de «La cabeza del rawí», relaciona el nombre con la «Emmeline» de Alfredo de Musset.

[20] En una entrevista con Rivas Ortiz, recuerda Rosario sus encuentros con el poeta: «...Fue en casa de las señoritas Elizondo, hijas del Ministro de Hacienda don Joaquín Elizondo, año de 1885, siendo Presidente el doctor Cárdenas. La impresión que le causó una canción mía, pues yo gozaba entonces del privilegio de una voz melodiosa, le hizo buscarme. Recuerdo, que me acompañó en el dúo Adelita Elizondo, muy buena cantadora. Antes de serme presentado en esa ocasión, le había visto en casa de don Marcos Bermúdez, contiguo al hoy Palacio Episcopal, en compañía del doctor Modesto Barrios, año de 1883. Se le llamaba por esos tiempos el Poeta-Niño». Ildo Sol, *Rubén Darío y las mujeres* (Managua, 1947), pág. 85.

[21] *Ibid.*, pág. 92.

En lo que respecta a Sara, quisiéramos añadir que Rosario, en la misma entrevista que venimos citando, afirma, al referirse a los muchos poemas que le dedicó Darío, que él se los mandaba «por conducta de una amiga muy querida... que vive y que supo de sus confidencias (*Ibidem*, pág. 91)». ¿Es posible identificar a esta amiga con Sara? Así lo hace y muy plausiblemente Ildo Sol (*Ibid.*, pág. 92, nota 1).

Vemos ahora que Oliver Belmás (*ob. cit.*, pág. 74) recoge también los mismos informes tomados del libro citado de Ildo Sol.

Esto decía una linda joven de porte noble y airoso, en la cual se adunaban la más serena dulzura y la gracia más incomparable. Un traje de riguroso luto aprisionaba sus esbeltas formas y hacía resaltar la blancura de su rostro hermosísimo... Contribuían a dar mayor realce a su hermosura y a individualizarla, por decirlo así, sus ojos de purísimo azul, llenos de una expresión de indefinible ternura empapada en misteriosa melancolía. Sus cabellos, rubios como el oro, sus cejas de color castaño oscuro, sus labios frescos y rojos como dos botones de rosa y el puro óvalo griego de su rostro irreprochable, tan bello en medio de su transparente palidez, completaban el cuadro de la más fascinadora gracia unida a la dulzura más atrayente (13-14).

El retrato físico que aquí transcribimos es indudablemente convencional, pero, a juzgar por su verso y prosa de aquella época, a Darío le atraían de modo especial los ojos femeninos. Existen además amplios testimonios de que los de Rosario, de un verde claro, constituían uno de sus mayores atractivos.

En cuanto a los nombres de otros personajes de *Emelina*, Contreras anota, desde luego, que el apellido del protagonista, *Gavidia*, desconocido en Chile hacia aquel tiempo, trae eco del poeta centroamericano, con quien se relacionó Darío en San Salvador y que tanta influencia ejerció en la temprana orientación literaria del joven nicaragüense [22]. No se le

---

[22] Contreras, Estudio preliminar, pág. xxii. Es aquí, en esa página, donde el crítico atribuye a Poirier las frases en inglés y en francés que aparecen en la novela. Especialmente en cuanto a las palabras francesas, sería muy difícil sostener ese punto de vista ahora, porque ya tenía Darío suficientes conocimientos del francés al llegar a Chile en 1886. No era, pues, tan «precario» su francés, y sin duda empezó a adquirirlo con Gavidia en su primera época salvadoreña.
Quisiéramos mencionar aquí, aunque sea de pasada, que Contreras (pág. xxiii) apunta en *Emelina* algunas expresiones no usuales en escritores chilenos de la época: «tarde a tarde» (por «a veces»), «propio» (por «mismo»), «pulchinela», «muérdago», etc.

olvida tampoco al mismo crítico que en una de las páginas finales se desliza en la narración breve mención del nombre de don Joaquín Ortiz, «secretario de la legación de Nicaragua (183)», que acompañó como padrino a Vergara en su duelo con el conde du Vernier [23]. No sabemos si en este apellido, por cierto común, se encierra un vago recuerdo de su íntimo amigo y escritor centro-americano Pedro Ortiz. Nos parece muy dudosa esta identificación [24].

Precisado el nombre de la mujer que da a la novela su título, hay que resistir la tentación de ver, en la primera y la cuarta parte de la obra, una transposición autobiográfica de los desgraciados amores de Darío con Rosario Emelina Murillo. En realidad no pueden ser negados ciertos claros puntos de contacto entre vida y literatura, pero el peligro está en exagerar la importancia de posibles episodios reales que pudieron o no influir directamente en la creación artística. Recordemos, sin embargo, que Darío, a pesar «de la mayor desilusión que pueda sentir un hombre enamorado» [25], salió de Nicaragua profundamente enamorado de Rosario. Es evidente que antes hubo en sus relaciones alguna sombra, no del todo aclarada por los biógrafos del poeta, que impidió la realización de sus ilusiones amorosas [26]. Tam-

---

[23] *Ibid.*, pág. XXII.

[24] Como mera curiosidad, notamos que en *Emelina* un capítulo (III, 6, págs. 116-122) se titula «Joshua Humbug», en el cual se trata de un cajero estafador. Indudablemente hay una intención satírica en ese apellido inventado, pero dentro del caso recordamos los siguientes versos del poema burlesco «Aviso del porvenir» (marzo de 1887): «Yo, señores, me llamo Peter Humbug / (obsecuente y seguro servidor), / me tienen a sus órdenes, / 30 Franklin Street, en Nueva York». ¿Hemos de ver en esto, pues, una alusión más clara al novelista inglés Dickens?

[25] Rubén Darío, *Autobiografía*, en *Obras Completas*, I (Madrid, 1950), página 50.

[26] Elocuente testimonio para esos detalles autobiográficos es la

poco es difícil percibir en sus poemas escritos antes y después de su viaje (*Abrojos, Rimas* y otros no recogidos en libro) las aparentes huellas de un desengaño amoroso. Y hay suficiente prueba en la obra de Darío para pensar que el recuerdo de Rosario le obsesionaba durante su estancia en Chile[27]. Ahora bien: en la novela existen ciertas misteriosas dificultades que no permiten la felicidad de los enamorados, pero, suprimidos esos obstáculos, se casan Marcelino y Emelina. Al tomar parte en el proyecto novelístico de Poirier, ¿lo soñaba así Rubén Darío? Había escrito ya, en Centroamérica, el poema titulado «A Emelina», del cual copiamos los siguientes versos: «Amada, ¡espera, espera! / Florecerá la luz en los altares, / y al llegar la amorosa Primavera / te hallarás coronada de azahares». ¿Alude Darío a la futura realización de sus deseos? En verdad, difícil es contestar con plena seguridad, pero no debiera de ser rechazada la posibilidad de que haya incorporado a *Emelina* ciertos recuerdos autobiográficos[28].

---

carta de despedida que a Rosario escribió Darío, con fecha del 12 de mayo de 1886. Se reproduce en Ildo Sol, *ob. cit.*, págs. 105-106, y más recientemente en Carmen Conde, *Acompañando a Francisca Sánchez* (Managua, 1964), págs. 164-165.

Durante su segunda estancia en Mallorca, Darío empezó a escribir su novela autobiográfica *El oro de Mallorca*, de la cual se han publicado tan sólo algunos fragmentos. Dentro del caso, son muy interesantes ciertas palabras referidas a los primeros amores y sus desilusiones. Sobre el tema véase Alberto Ghiraldo, *El archivo de Rubén Darío* (Buenos Aires, 1943), págs. 121-123, y más adelante, en este mismo volumen, el trabajo sobre la novela citada de Darío (págs. 43-61).

[27] Sobre el tema de Rosario y sus tempranas relaciones con el poeta, merecen tenerse siempre en cuenta las páginas de la *Autobiografía* [Edición citada, págs. 42-44 y págs. 49-50], y no debiera olvidarse el hermoso cuento «Palomas blancas y garzas morenas» incluido en la primera edición de *Azul...*, cuya parte final se inspira directamente en ella.

[28] Observamos que en su breve comentario sobre *Emelina*, Oliver Belmás [*ob. cit.*, págs. 73-76] se refiere al mismo documento epistolar

Aparecen en la novela muchos personajes históricos y contemporáneos de su acción. Hay, por ejemplo, escritores (Tennyson), científicos (Edison) y políticos (Antonio Guzmán Blanco). En algunos casos intervienen en el desarrollo de la obra, en otros están meramente aludidos. Sobre una de esas figuras quisiéramos llamar la atención ahora. Algunas de las más graciosas páginas de *Emelina* satirizan, de manera despiadada, al Ilustre Americano Antonio Guzmán Blanco, «un museo andante de numismática (46)», a quien el lector conoce por primera vez en el salón de Lord Darington, padre de Emelina, con motivo de las bodas desgraciadas de ésta con du Vernier. Trasladada la acción a París, se asiste luego a una lujosa *soirée* que, en honor del sobrino del Shah de Persia, dará el ex dictador de Venezuela. En esa ocasión se presenta así:

> Pero ¿qué es aquello que viene allá, que al sol roba sus brillos y ciega a las muchedumbres?
>
> ¡Qué ha de ser, sino el Ilustre Americano, don Antonio Guzmán Blanco, lleno de resplandores y entorchados, espejo de los caballeros de hoy, mengua de los de antaño, rico más que el de Monte-Cristo, dadivoso cual monarca, Mecenas de los extraños y *mecomes* de su pobre patria... (74-75).

---

antes citado. Compara ciertos fragmentos de él con las efusiones líricas y sentimentales expresadas por Marcelino en uno de los capítulos finales de la obra (IV, 1, págs. 173-177). Se pregunta el crítico español: «¿Existe algún paralelismo entre el argumento de la novela *Emelina* y la carta que el 12 de mayo de 1886, al partir para Chile, escribe Rubén a Rosario? Si no lo hay, al menos sí existen algunas conexiones que llegan a producir en la imaginación de Darío los episodios de su novela (pág. 75)». Oliver llama la atención sobre lo que él considera una frase «por cierto definitivamente vaticinadora (pág. 76)». En la aludida carta escribe Darío: «Te conocí tal vez por desgracia mía...» y, en la novela, piensa Marcelino: «¡Cuán desgraciado fui en conocerte! (página 174)». En efecto, en otras palabras y frases podría verse, tal vez, otros escorzos autobiográficos.

En una página digna de Darío, de fraseo preciosista, se describe el ambiente aristocrático en que se mueve el Ilustre y a las bellezas hispanoamericanas que acuden a sus fiestas se las evoca con encadenadas frases nominales:

En estos salones, donde pintores y tapiceros han realizado prodigios, donde espejos y tremoes son joyas por lo valiosos; donde en artísticas consolas son encanto de los ojos floreros de Venecia y tibores de Cantón... La colonia americana aparece orgullosa por sus bellezas. Allí una colombiana espiritual y airosa, aquí una peruana resalada con ojos como luceros, gordo brazo, talle de ninfa y piececito de Cenicienta; acullá una chilena, garbosa como una reina; sus pupilas dos negras noches; su andar de antílope africano; brazo hecho a torno para recreo de las musas; labios encendidos y una abundosa cabellera que le cae por el gollete en trenzas de azabache, como lustrosa seda retorcida (76-77).

Entre sus invitados está el engreído y fastuoso ex dictador:

El *ilustre* muestra todas sus garambainas. El pavo real de Venezuela anda por ahí esponjado como una mocetona con perifollos. Ha arrojado el oro a manos llenas para festejar al sobrino de su camarada de Teherán. Se hincha, sonríe satisfecho, y al ser saludado por títulos y grandezas, dice para su coleto: soy feliz (77).

Debiéramos recordar que en la misma fiesta tocará el piano la más aventajada discípula del célebre Mattei. Es la ya conocida Sara, cuya pieza se describe con fórmulas expresivas ampliamente aprovechadas en la novela artística del modernismo[29]. Escuchemos la música de Sara:

---

[29] Pongamos no más dos ejemplos: en la primera novela genuinamente modernista, al menos en sus modos expresivos, *Amistad funesta* (1885), de José Martí, se incluyen unas bellas páginas impresionistas sobre el concierto del músico Keleffy, y, algo más tarde, Manuel Díaz Rodríguez incorpora a su más importante novela, *Sangre patricia*

Las notas se escapaban del instrumento como los pájaros de una jaula, que al salir hicieran gala de su tesoro de trinos y gorjeos. Subían alegres, armónicamente confundidas como en un torbellino, hasta los ruidosos acordes del *crescendo* y bajaban, como traídas a tenue soplo de alas impalpables, tristes como un coro de suspiros, hasta las débiles pulsaciones del *pianissimo*. Primero el rugido del huracán que se desencadena y va por el bosque descuajando troncos y haciendo resonar sobre las cumbres las elevadas ramas de los pinos, arpas de las tormentas; luego el nido que pía en la floresta; el aire que se cuela entre las rosas, galante decidor de cosas dulces; el gemido que se va apagando, la callada queja, y el *trémolo* apacible y como lejano que parece el balbuceo del ritmo o el vagido de los genios recién nacidos de la melodía. ¡Oh, qué poderoso amuleto hay en esas pequeñuelas, blancas manos, en esos diminutos pies, que en el teclado y en el pedal concentran su reinado dichoso de acordes y cadencias! (78-79).

En el capítulo siguiente, «Una imprudencia ilustre», en cuyo título sarcástico el epíteto reservado exclusivamente para Guzmán Blanco pasa a describir su tontería, continúa la sátira. De esas páginas transcribimos el breve fragmento con que se remata tan acerba presentación del político venezolano [30]:

Yo soy Enviado Extraordinario y Ministro Plenipotenciario de mi nación en Europa; y estoy actualmente gestionando para que en Londres se llame una calle Guzmán Blanco-Street. Por

(1902), todo un poema en prosa destinado a describir la música de Martí, un compositor expatriado. Sobre la novela modernista, véase el trabajo incluido en este volumen con título de «El arte y el artista en algunas novelas del modernismo». Además se reproduce allí íntegro el aludido texto de Manuel Díaz Rodríguez y una porción del de José Martí.

[30] Contreras [Estudio preliminar, pág. XXII] opina que Poirier no pudo haber conocido a la figura de Guzmán Blanco, con todos los detalles con que aparece en la novela. En Darío encontramos una mención brevísima del ex dictador venezolano: «La Unión Centro Americana», *Obras desconocidas...*, pág. 35.

supuesto, ello será una muestra de amistad a Venezuela, donde
todo se llama Guzmán Blanco...
    La fiesta no se aguó por esto [el desmayo de Sara al recibir
la noticia del suicidio de su hermano Jacobo]. Guzmán Blanco,
después del suceso, anunció que cantaría Gayarre.
    Con lo cual los convidados gozaron divinos momentos aque-
lla noche, y de las arcas de la pobre Venezuela salieron otros
tantos nacionales y otros bustos del Libertador (80-81, 82).

Este episodio de la novela es significativo, no sólo por la
sátira eficaz, sino también porque a nuestro juicio en ciertos fragmentos copiados se revela la pluma de Darío, que
pronto se adiestrará aún más en la suntuosa evocación de interiores lujosos. También por otra razón nos ha ocupado la
figura del dictador venezolano: ¿por qué no ver en él la caricatura de otro general, ex Presidente de la República de Nicaragua, Pedro Joaquín Chamorro, que le arrastraba el ala
a Rosario Murillo? [31].
    Para finalizar el presente apartado sobre unas experien-
cias reales de Darío, que tal vez hayan contribuido de una
manera u otra a la composición de *Emelina*, quisiéramos
hacer breve mención de otra curiosa coincidencia temática.
La novela abre, como ya advertimos, con la movida escena
de los valientes bomberos chilenos que acuden a cumplir
con su deber (1-4). El asunto de los bomberos parece haberle interesado mucho a Darío, porque no sólo habla de
ellos en una de las crónicas de *La Semana* [32], sino que también los exalta en una composición poética de 1888 titulada
«Himno de los bomberos de Chile». Cuando escribe, unos
años más tarde desde San Salvador, su retrospectivo *A. de
Gilbert* (1890) evoca el poeta su primer encuentro con Pedro
Balmaceda en la redacción de *La Época*. De repente se oye-

---

[31] Diego Manuel Sequeira, *ob. cit.*, pág. 167 y pág. 186.
[32] *Obras desconocidas...*, págs. 149-153.

ron las campanas de los cuarteles que anunciaban otro incendio, y los dos jóvenes, sin interrumpir su animada charla sobre temas literarios, se encaminaron juntos al lugar, porque le tocó a Darío hacer la crónica sobre el suceso. Hay, sin embargo, un pequeño inconveniente para relacionar los dos incendios, el uno de Valparaíso y el otro de Santiago, por la sencilla cuestión de cronología: según Saavedra Molina el aludido encuentro de los dos escritores se efectuó el 19 de diciembre de 1886[33]. Esa fecha es posterior a la redacción de *Emelina*, aunque no se publicó el libro hasta mediados del año siguiente. ¿Sería posible conjeturar que unos pocos años después hubiera fantaseado Darío las circunstancias de su primer encuentro con Balmaceda o que sufrieran alguna modificación postrera las primeras páginas descriptivas de la novela? No lo sabemos, y en verdad no parece muy plausible esa hipótesis.

UN ESTILO EN MARCHA

Aunque es muy posible que la intriga central de *Emelina* deba algo más a Poirier que a Darío, ya hemos visto cómo el poeta nicaragüense pudo haber intervenido hasta en su argumento. Ahora examinemos algunos aspectos estilísticos de esta prosa que en más de una ocasión parece revelar en su elaboración la mano más hábil de Darío. Lo más interesante es notar que en determinados momentos un estilo preciosista y pictórico, a veces irónico, tiende a romper el marco de una novela de aventuras, que por otra parte parece haber acogido muchas convenciones gastadas del género.

---

[33] Silva Castro, *Rubén Darío a los veinte años*, pág. 103.

Poca o ninguna intervención extensa de Darío se percibe en la primera parte (capítulos 1-5) del libro [34]. Los períodos suelen ser amplios y solemnes; los sentimentales diálogos, henchidos; el ritmo de la prosa, lento; parcas las imágenes; los párrafos, en los cuales se abusa del enclítico, largos y pesados. Sin embargo, a medida que se avanza en la segunda parte, en que se cuentan directamente los infortunios de Emelina, empieza a fragmentarse de modo notable la prosa narrativa. Ahora se elabora con períodos de extensión muy variada y de mayor eficacia. Se puede suponer por lo tanto una mayor contribución estilística de Rubén Darío, sobre todo en los instantes cuando la prosa se acerca ya a la *écriture artiste* practicada por los Goncourt, Gautier y otros escritores predilectos de Darío en aquellos años de 1886 y 1888. Esta es, pues, una etapa decisiva en la evolución interior del poeta. Esos procedimientos artísticos, que pronto cuajarán con tan acabada maestría en los cuentos de *Azul...*, llegan en *Emelina* a su más sostenido desarrollo en la nada convencional descripción de París (II, 9, págs. 72-74) y en la ya citada evocación que se hace de la *soirée* en los salones parisienses del Ilustre Americano Guzmán Blanco (II, 10, páginas 76-79). Destaquemos ahora otros significativos fragmentos, cuya redacción parece corresponder a un nuevo ideal de estilo, muy lejos de las páginas iniciales de la novela.

Se han firmado los funestos contratos matrimoniales. Anunciados los distinguidos invitados que han llegado a la ceremonia nupcial, se completa la descripción con estas imágenes decorativas que fácilmente pueden relacionarse con modalidades expresivas que con el tiempo perfeccionará Darío:

---

[34] Silva Castro, *Obras desconocidas...*, pág. XLI, e *Ibid.*, pág. 25.

¡Oh, qué fiesta aquella! ¡Qué confusión de colores, de joyas de preciosa orfebrería! Las gargantas de cisne de las inglesas lucían magníficos collares; aljófar, oro y diamantes estaban resplandecientes en vívidos relámpagos en sus brazos, manos y cabelleras (46-47).

Y un poco más adelante, la misma noche de bodas, el Conde contempla a su joven esposa, y, en trozo escrito con procedimientos estilísticos en que se complacía Darío, se la describe:

Era rubia como una espiga, blanca como la leche, y sus azules ojos parecían dos zafiros medio encerrados en broches de oro. Sus labios frescos y rojos como dos pétalos de clavel, provocaban al beso, y su casi desnudo seno que subía y bajaba a impulsos de la respiración, parecía el nido de pulido mármol de las dos plateadas tórtolas de Citeres (49).

Hacia finales de la novela, se agrupan con clara intención artística las dos figuras femeninas en el fragmento que ahora transcribimos:

Sara reclinó sobre su seno la hermosa cabeza de su amiga, desmelenada y con las señales de un pesar infinito... y he ahí un grupo escultórico, que copiado por hábil cincel, se llamaría en mármol de Carrara, la estatua del consuelo y el dolor (152).

Veamos, en rápida nómina, otras imágenes desparramadas en las páginas de la novela, las cuales presentan innegable parentesco con ciertas fórmulas expresivas de la poesía y de la prosa dariana de aquella época [35].

...cuando tras un canapé, convertido en palacio por las dulces hadas de la infancia (36), ...

---

[35] En su tantas veces citado Estudio preliminar, Contreras (sobre todo en las páginas XXVI-XXVII) advierte algunos de estos ejemplos, otros no.

...se puso a mirar cómo la clara luz de las arañas se quebraba en mil iris sobre los piropos de sus brazaletes (38).

...del Támesis, que deslizaba silenciosamente sus turbios caudales bajo un cielo brumoso y opaco (51).

—¡Ah, linda picaronaza! Conque me atrapaste. ¡A mí, que por tanto tiempo erré a la ventura por los jardines porteños y santiaguinos, ni más ni menos como un regoloso y listo *picaflor*! Tus oscuros cabellos me han aprisionado, tus ojos, negros abismos, me atraen; a tu boca, diminuto pórtico de rubí, se están asomando a la continua los besos y las caricias como geniecillos tentadores, y tu pequeñuela y fina mano, creadora de melodías, precioso manojito de azucenas, me ha hecho pensar en mi diestra muy seriamente, trayéndome a la imaginación al cura que recita la Epístola de San Pablo (173-174) [36].

Envueltas en sus negros mantos van desfilando las lindas porteñas, que muestran apenas el rostro blanco y arrebolado como un fresco botón de rosa: diríase que la aurora ha salido disfrazada con el traje de la noche. No se les mira del cabello sino lo que por la frente les cae en leves madejas; y así es de ver, si el alba tan sólo peina hebras rubias, que las hay negras y lustrosas, y otras que dan indicio de la mejor castaña cabellera (189-190) [37].

---

[36] Este trozo se relaciona íntimamente con una prosa de la misma época: «La historia de un picaflor», el primer cuento de Darío escrito en Chile y publicado el 21 de agosto de 1886. Además es significativa la fecha por su proximidad a la redacción de *Emelina*. Recordemos, sin embargo, que Darío no recogió ese escrito en *Azul*..., ni tampoco «Bouquet», compuesto un poco después y que se publicó el 9 de diciembre de 1886. El cuento novedoso «El pájaro azul», escrito hacia finales del mismo año de 1886, sí formó parte del libro de 1888.

[37] Este tema le interesaba vivamente a Darío si hemos de juzgar por otros textos de la época.

Al poema «El manto» (agosto de 1886), que describe a una santiaguina y que recoge además otra imagen de Emelina («tal parece una escultura / hecha en mármol de Carrara / y con negra vestidura»), pertenecen los siguientes versos: «Con esa faz placentera, / esa negrura enamora; / pues le parece a cualquiera / que la noche apareciera / con la cara de la aurora».

...Ojos azules como los de una heroína de Goethe, ojos negros y avasalladores como sólo se miran en tierras de Arauco; cabellos crespos y rubios como acairelados rayos de aurora; trenzas oscuras como divinas serpientes enroscadas; y bocas de morir al verlas (196) [38].

..Y aquel día de felicidad pasó entre goces apacibles, hasta que el sol poniente bañó con sus postreras llamaradas las blancas crestas de los Andes, y comenzaron a abrir sus ojos de oro en la inmensidad del firmamento las maravillosas constelaciones... (198).

La tercera parte de *Emelina* comienza con unas páginas, cuya sintaxis se adelanta ya a las características modalidades de la prosa narrativa de Darío, y ellas son redactadas

---

De «Al carbón», incorporado a *Azul...*, copiamos el siguiente fragmento:

«De pronto, volví la vista cerca de mí, al lado de un ángulo de sombra. Había una mujer que oraba. Vestida de negro, envuelta en un manto, su rostro se destacaba severo, sublime, teniendo por fondo la vaga oscuridad de un confesionario. Era una bella faz de ángel, con la plegaria en los ojos y en los labios. Había en su frente una palidez de flor de lis, y en la negrura de su manto resaltaban juntas, pequeñas, las manos blancas y adorables. Las luces se iban extinguiendo, y a cada momento aumentaba lo oscuro del fondo, y entonces por un ofuscamiento me parecía ver aquella faz iluminarse con una luz blanca misteriosa, como la que debe de haber en la región de los coros prosternados y de los querubines ardientes; luz alba, polvo de nieve, claridad celeste, onda santa que baña los ramos de lirio de bienaventurados.

Y aquel pálido rostro de virgen, envuelta ella en el manto y en la noche, en aquel rincón de sombra, habría sido un tema admirable para un estudio al carbón».

[38] De *Azul...* transcribimos las siguientes frases: «...él moreno, gallardo, vigoroso, con una barba fina y sedosa, de esas que gustan de tocar las mujeres; ella rubia —¡un verso de Goethe!—, vestida con un traje gris, lustroso, y en el pecho una rosa fresca, como su boca roja que pedía el beso» («Paisaje»).

Para una breve historia del tema alemán en los escritos de Darío, son muy útiles las páginas de Ernesto Mejía Sánchez, *Los primeros cuentos de Rubén Darío*, 2.ª ed. (México, 1961), págs. 47 y sigs.

por una pluma íntimamente emparentada con la que escribió los amargos y desencantados *Abrojos* de 1887, de los cuales se repite aquí una imagen significativa [39]. A pesar de su extensión nos permitimos transcribir el aludido trozo, de casi segura paternidad dariana, y en el cual se funden las características notas de risa y llanto, de alegría y tristeza:

El conde tiene dinero. Lo cual es una felicidad que puede traer hasta la beatitud.

¿No es cierto, hermosas niñas casaderas?

¿Mentimos, perfumados caballeritos, que andáis a caza de una beldad tan perfecta, que la queréis con dote y todo?

Meditemos.

Pues, es el caso que la fiebre de oro nos invade.

Noticia fresca.

Se desea que los niños nazcan, traigan debajo de los bracitos unos cuantos *cheques* para mientras puedan correr en busca de mayor fortuna.

La naturaleza se ha olvidado de colocar en las manitas de los infantes un par de pesetas para el biberón.

Por de pronto, las niñas para ser guapas deben llevar por ojos dos libras esterlinas.

En vez de «buenos días», se saludará: «buenos duros».

El mayor piropo que se puede espetar a una belleza es el de Bartrina: «¡Milloncito de mi alma!...».

Y se puede agregar: «¡En oro americano!»

Pregunta: —¿Y esto es en todas partes?

Respuesta: —En Londres, como en Pekín, en Madrid como en Santiago, y en San Petersburgo como en Río de Janeiro.

—Pero, ¿y el deber?

—Ha bajado, y se cotiza a ínfimo precio.

---

[39] Nos referimos, claro está, a los siguientes versos del número XVI: «y fueron dos esterlinas / los ojos de Satanás». El mismo dato lo recoge Contreras en su Estudio preliminar, pág. XXVII. Es interesante notar aquí que Donoso [*ob. cit.*, pág. 63] y Silva Castro [*Rubén Darío a los veinte años*, pág. 144] cuentan una anécdota ocurrida después en Santiago para explicar el origen de esos mismos versos del *Abrojo* XVI.

—¿Y el amor?
—Como artículo de necesidad, se paga bien; pero no el platónico.
—¿Y la poesía?
—Ya lo dijo Gustavo Bécquer:

...una oda solo es buena
De un billete de banco al dorso escrita.

—¿Y la nobleza, el sentimiento y el ideal?
—En las *chauchas*... (83-85).

No es necesario insistir en la ironía decepcionada y amarga de este pasaje, en el cual alternan frases brevísimas con otras más largas [40]. Las notas cáusticas o escépticas recuerdan muy de cerca los *Abrojos*, cuyo contenido corresponde a las penas personales del poeta, desengañado en el amor y lejos de su patria, que vivía en estrechez económica en aquel entonces. Se ha roto la máscara de seriedad, y a una clara actitud burlesca corresponden los juegos humorísticos. De paso, quisiéramos señalar otros jugueteos verbales tomados de *Emelina*, rasgo de estilo que no escasea en obras posteriores del poeta: «Tiene una esposa linda y buena; y también lindos y buenos millones de francos... (83)»; «desenmas-

---

[40] Para otro ejemplo de la misma alternancia de frases largas y otras breves, véanse en la novela las páginas 60-62. Hacia finales de este pasaje, que describe una escena de juego que termina en el suicidio del hermano de Sara, se escribe: «...Un fragmento de masa cerebral fue a manchar el montón de oro del afortunado ganancioso (62)». Esa misma frase de uso relativamente frecuente en Darío aparece en «El fardo», y tal vez interese transcribir ahora las siguientes palabras referidas a ciertos poetas «terribles»: «Sí, enfermo, muy enfermo [alude a Mauricio Rollinat] de aquel mal incurable que padeció Heine, que sufrió Baudelaire, que mató a Bécquer y a Bartrina; neurosis misteriosa, de la cual están libres los que no tienen más que pura masa cerebral entre las cuatro paredes del cráneo», *Obras desconocidas...*, pág. 69.

carar a un tunante, un tunante de más de la marca, tunantísimo, con *te* gótica y mayúscula (100)»; y finalmente: «...Su sobrina, la divina Emelina, con perdón de los consonantes (172)». Por último vale la pena notar cómo en el fragmento citado se confiesan algunas fuentes literarias [41].

Así es que todos esos recursos expresivos y otros que quedan por ver nos hacen creer que mayor ha sido en efecto la contribución de Darío a la redacción de *Emelina* de lo que se ha indicado antes. Es significativo retener que no sólo a veces irrumpe en la obra un estilo preciosista, sino que también un tono irónico da un matiz especial a ciertas páginas de la narración.

OTROS PROCEDIMIENTOS NARRATIVOS

Bastante variados son los procedimientos novelísticos en *Emelina*, algunos de los cuales dan a la obra cierto aire de modernidad. Por ejemplo, un capítulo (III, 3, págs. 94-99) se compone enteramente de un artículo traducido del *Commercial Review* de Londres y de otro tomado de la *Pall Mall Gazette*, páginas que son una llamada a la realidad, al mismo tiempo que dan al lector noticias sobre las actividades de El Guante Rojo. Técnica, pues, de *collage*. En otra porción de la novela, todo un capítulo (IV, 2, págs. 179-185) recoge dos cartas que proporcionan informes significativos sobre la acción ocurrida en Europa. Sin embargo, de mayor importancia es un extenso fragmento (IV, 1, 171-176), de efusión lírica y sen-

---

[41] No queremos hacer aquí un registro completo de los nombres de autores citados en el texto de *Emelina* (entre ellos, Hugo, Goldsmith, Goethe), pero nos interesa recordar que se dice, con respecto al Conde du Vernier: «Richardson le habría tomado como excelente modelo para su héroe (pág. 86)», y luego, más adelante, se refiere al mismo como un «desenfrenado Lovelace (133)».

timental, en el cual se presenta un «dúo de corazones (173)».
Es decir, la intención es penetrar en el interior de los corazones de los dos enamorados (Marcelino y José María) y
decir lo que *simultáneamente* piensan ambos jóvenes. Es
más: la técnica es netamente teatral. No sólo se levanta un
telón (172), sino que también se describe un reparto de personajes, los ya conocidos, que figurarán en la escena, la cual
a su vez se pormenoriza en detalle y en forma de acotación
(*ibidem*). Los alternados parlamentos de Marcelino y su amigo son diálogos, diálogos falsos, si se quiere, en el sentido
de que hablan para sí en cada caso. Sus íntimas palabras
de amor se ordenan linealmente y en calculadas simetrías
que parecen obedecer a un ritmo estrófico. Hasta se inter-
calan, en letra cursiva, acotaciones que se dirigen al espectador de tan efusivo coloquio interior:

> MARCELINO, *fijo en la faz de su compañera, quien a la sazón
> juega con un ramo de violetas*:...

> JOSÉ MARÍA, *con el abrigo de Sara sobre sus rodillas y fijo en
> ella, que le mira con sus ojos oscuros y brillantes*:... (173).

Y en las amorosas palabras de los enamorados no es difícil que el oído perciba ritmos de verso:

> —¡Oh, mi vida, mi amor, mi bella Emelina! Te adoro. Mí-
> rame: en tus ojos húmedos y azules encuentro mi felicidad;
> tus miradas me suspenden; cuando en mí estás fija, yo no sé lo
> que siento: la sangre me circula con más fuerza y el corazón
> me late con más precipitación... —Sonríeme, quiero ver la auro-
> ra. A cada hebra de tu rubia cabellera soy deudor de un beso:
> ¿cuándo podré pagar tanto como debo? ¡Oh! ¡Mi bello alcá-
> zar de flores, déjame saludar a la estrella que habita dentro
> de ti! (*Ibidem*).

Otro procedimiento narrativo en el cual debiéramos de
detenernos son los insistentes y variados llamados al lector,
porque éstos dan a *Emelina* un insospechado matiz irónico.
Es como si los autores levantaran la cabeza para dialogar
en forma maliciosa con el lector sobre sus modos de componer la novela. Escriben con frecuencia autocriticándose, y
ciertas frases intercaladas en la marcha del libro revelan que
de modo sofisticado renuncian a ilusionar al lector. Dos
ejemplos: «Allí [a París] nos dirigiremos con la lámpara
maravillosa del novelista, sin ser molestados por los tran-
seúntes; sin que se nos cuelgue del brazo alguna cocotte...
(73-74)» y «Por el ensalmo del novelista, henos aquí en Santiago de Chile... (172)». Inmediatamente después de las páginas ya citadas sobre «la fiebre de oro» y otros temas sardó-
nicos, se intercala el siguiente diálogo malicioso, en el que
el lector mismo pregunta a los autores por la marcha de la
acción novelesca, momentáneamente desviada:

> Los autores a dúo: ¡Oh realidad amarga de la vida!
> El lector (*interrumpiendo*): Pero, ¿y la novela?
> Los autores: Para allá vamos (85).

En otra ocasión termina un capítulo (II, 10) con las siguientes frases:

> —Siento, señorita, la dijo, entre otras cosas, que no haya me-
> dallas del Libertador para mujeres, porque si no, os condeco-
> raría. —Pero vamos a capítulo aparte (79).

Y el que sigue continúa la conversación interrumpida y
partida en dos por la división formal: «...porque si no, os
condecoraría. Y continuó: ... (80)».
A menudo irrumpen llamados de toda clase. Algunos parecen corresponder al propósito de abreviar: «Para no can-
sar al lector con digresiones... (43)» o «Ya aquí los autores

tienen a bien ahorrar tiempo y paciencia al lector, evitándole largos párrafos que podrían espetarle, con el tema: *de lo rico que es estar de novio...* (189)». Otros adelantan explicaciones: «Ahora, presto verá el lector lo que le sacará de dudas, con respecto a la misteriosa asociación a que pertenecía el conde du Vernier (136)» o «El lector, que quizá sospecha haber en esto un nuevo crimen, sea servido de oír la explicación que para llenar sus deseos daremos en seguida (157-158)». Todavía otros se refieren específicamente al modo en que están componiendo la novela los autores: «Estimado lector nuestro: cábenos el gusto de anunciaros que tenemos en mira al escribir el capítulo presente, desenmascarar a un tunante... (100)» o «No teníamos que hacer, lector, sino presentaros a esos dos personajes [Mattei, Guzmán Blanco]; con lo cual y vuestra venia, pasaremos de un tirón a los salones del Ilustre Americano, donde se desenvolverá parte de esta verídica historia (75)». Es aún de mayor interés ver cómo los autores mismos intervienen para enjuiciar su propia novela: «No es esto un ensayo de imaginación. No es un capítulo de la escuela de Hoffman. Es pura y simplemente lo que ha pasado en las capitales más grandes del mundo, en pleno siglo decimonono (108)». No es dato perdido anotar aquí que ninguno de los ejemplos citados pertenece a la primera parte de *Emelina*, sino que todos ellos están tomados de las páginas posteriores, donde creemos hallar mayor intervención estilística de Rubén Darío.

Tan incesantes llamados al lector son altamente significativos. Sirven para romper la ilusión de verosimilitud, y así la lectura de la obra es divertida si uno piensa en que los autores novelan de modo irónico, en un contrapunto entre convenciones gastadas y notas más modernas. Por lo tanto, a nuestro juicio *Emelina* no debiera leerse siempre en serio, como mera novela folletinesca repleta de las típicas trucu-

lencias, sino como obra en que a su vez se divierten dos jóvenes escritores, parodiando con frecuencia un género convencional y periodístico. Merecen tenerse en cuenta, pues,
esos momentos irónicos y de jugueteo porque llegan a dar
al libro una nueva e insospechada dimensión, que no carece
de interés crítico.

BREVE JUICIO FINAL SOBRE «EMELINA»

En las páginas anteriores hemos puntualizado unos nuevos datos sobre la génesis y la composición de *Emelina*, los
cuales tienden a mostrar en ella una colaboración de Darío
mucho más extensa de lo que antes se suponía. Escrita en
un momento de tanteo cuando el poeta buscaba su propio
camino, esta novela juvenil incorpora ciertas páginas o breves trozos que constituyen un antecedente, no tan lejano,
de otras obras escritas en Chile y especialmente del decoro
formalista que perfeccionará Darío en los cuentos de *Azul*...
Otras modalidades estilísticas en la obra preludian las que
aprovechará el escritor maduro: entre una sintaxis más ágil
y nerviosa que rompe ya con la pesadez del amplio período
decimonónico y un vocabulario a veces elegante, otras arcaico (*presto, garlar, acullá, catar*). Así es que los pasajes
transcritos en el cuerpo del presente trabajo revelan cómo
el escritor nicaragüense experimentaba con un estilo pictórico y con otras técnicas artísticas aprendidas en sus lecturas de los Goncourt, Gautier, Mendès y otros autores franceses del Parnaso. No olvidemos la tonalidad irónica, que se
percibe sobre todo en los intencionados llamados al lector.
Ofrecen un ligero comentario sobre la marcha de la novela
o su composición, y su función se parece mucho a la de las
dedicatorias interiores que aparecen desde temprano en el

verso y la prosa de Darío. *Emelina* no deja de divertir si se
da cuenta uno de cómo los autores escriben en un ingenioso
contrapunto entre convenciones manidas y técnicas más modernas. Y, por último, el interés principal de la obra reside
en ser un eslabón significativo en el complejo proceso de la
elaboración de un estilo personal [42].

(1967).

---

[42] En su valorización de la importancia de *Emelina*, Contreras [Es-
tudio preliminar, pág. XXIV y págs. XXVIII-XXIX] llama la atención sobre
el mérito de las páginas dedicadas a describir escenas de la vida local,
y cita de la novela una parte en la que se habla de las costumbres
chilenas durante la fiesta campestre en Limache. El mismo Contreras
considera ese fragmento «de un color y una fineza raras en el instante...» (XXVIII) y luego se pregunta: «¿No es ésta la primera vez que
nuestra vida americana aparece descrita delicadamente, artísticamente, sin ese vaho de vulgaridad con que la empañaban nuestros viejos
costumbristas (pág. XXIX)?».

EL ORO DE MALLORCA: BREVE COMENTARIO SOBRE LA NOVELA AUTOBIOGRÁFICA DE DARÍO *

Con pocas excepciones, los críticos que hablan de *El oro de Mallorca*, novela autobiográfica probablemente inconclusa de Rubén Rarío, lo han hecho sin disponer de los textos ni de datos completos sobre su publicación, lo cual hace que hayan incurrido naturalmente en ciertas inexactitudes o afirmaciones algo vagas referidas a esta obra, siempre rodeada, si no de misterio, al menos de un curioso silencio. El presente trabajo tiene por objeto ofrecer a los estudiosos de Darío seis capítulos de tan significativo documento humano, cuyo contenido, hasta ahora, ha sido poco menos que desconocido, y precisar hasta donde sea posible unos cuantos datos sobre la composición de esta primera parte de *El oro de Mallorca*[1]. Así es que nuestra tarea actual se limita, pues,

* Quisiera expresar aquí mi agradecimiento a la biblioteca de la Universidad de Pennsylvania y, en forma especial, al profesor Arnold G. Reichenberger, jefe del Departamento de Lenguas Romances en la misma Universidad, por las amables facilidades que me proporcionaron, en el mes de junio de 1966, para hacer esas investigaciones en *La Nación* de Buenos Aires.

[1] Al publicarse originalmente este trabajo se reprodujeron los seis capítulos de *El oro de Mallorca* rescatados de *La Nación* (1913-1914), pero ahora han sido suprimidos por cuestiones de espacio. Siempre pueden leerse los textos en la *Revista Iberoamericana*, XXXIII (número 64, julio-diciembre de 1967), págs. 461-492.

a la mera divulgación: la presentación de materiales que esti-
mamos importantes para los críticos que intenten estudios
de mayor envergadura sobre el poeta cuyo centenario se
celebra en 1967.

Hasta donde alcanzan nuestros informes, tan sólo unas cuantas
páginas de *El oro de Mallorca* han sido publicadas ya, y se reducen
esencialmente a la reproducción de los mismos fragmentos tomados
de los capítulos I y VI de la novela. No aspiramos a dar una completa
historia bibliográfica referida a lo que se conoce de la obra, ni nos
interesa señalar los casos en que los críticos de Darío se han aprovechado, en una forma u otra, de los fragmentos sólo parcialmente
conocidos hasta ahora. Sin embargo, parece pertinente recoger con
toda brevedad algunos datos de índole bibliográfica referidos a esos
textos.

En la revista *Nosotros* [XI, núm. 94, febrero de 1917, págs. 148-151]
se reproduce un significativo fragmento con título de «Benjamín Itaspes». El mismo texto, ampliamente citado, y que a su vez forma
parte del capítulo I que aquí damos a conocer en su totalidad, fue incluido
también por Julio Saavedra Molina en *Poesías y prosas raras* de Rubén Darío (Santiago de Chile, págs. 186-189). El propio Saavedra Molina anota la reproducción de las mismas páginas en ciertas revistas
y periódicos de Chile. Raúl Silva Castro recoge las mismas indicaciones en su libro *Obras desconocidas de Rubén Darío escritas en
Chile y no recopiladas en ninguno de sus libros* (Santiago de Chile,
1934), pág. CXI.

También Francisco Contreras [*Rubén Darío. Su vida y su obra*
(Santiago de Chile, 1937), págs. 317-318] transcribe del fragmento copiado en *Nosotros* un párrafo y medio. Últimamente las mismas páginas, «Benjamín Itaspes», se incorporaron al ensayo de Roberto Ledes-
ma, *Genio y figura de Rubén Darío* (Buenos Aires, 1964), págs. 69-72.
En ningún caso se ha indicado el lugar de primera publicación en *La
Nación* de Buenos Aires.

Por su parte, Alberto Ghiraldo [*El archivo de Rubén Darío* (Buenos
Aires, 1943), págs. 121-124] reproduce otras páginas de la novela que
pertenecen al sexto capítulo que aquí ofrecemos. [La «Biblioteca Rubén Darío», en la 2.ª edición de la *Antología poética* que publicó en
1934, la anunciaba como «en prensa»].

Con mayor novedad, Antonio Oliver Belmás [*Este otro Rubén
Darío* (Barcelona, 1960), págs. 306-311], al hablar de la crisis espiritual
y religiosa de Darío en 1913, así como de su voluntad de enmienda, cita
varias partes del texto que corresponden al capítulo IV de la novela.
Con manifiesto deseo de comprobar un filón místico de Darío, Oliver

HISTORIA EXTERNA DE «EL ORO DE MALLORCA»

Los seis capítulos de la novela fueron publicados por Rubén Darío en *La Nación* de Buenos Aires, entre diciembre de 1913 y marzo de 1914[2]. Son además los únicos capítulos que se conocen hasta ahora. Los textos mismos van numerados desde I a VI, y se ve que Darío comenzó a escribir su novela en casa de Juan Sureda en Valldemosa. Así están fechados, en noviembre de 1913, los dos primeros capítulos; el tercero, también escrito en Mallorca, lleva la fecha de diciembre del mismo año. Los demás capítulos (IV a VI) fueron redactados por lo visto en París, dos de ellos en enero de 1914 y el último en febrero.

---

relaciona la prosa con el célebre poema «La cartuja» que data de la misma época. El citado crítico habla, por lo demás, de un capítulo de *El oro de Mallorca* hallado por Arévalo Martínez y reproducido por Edelberto Torres (pág. 306). Arévalo Martínez publicó el texto conocido por «Benjamín Itaspes» en *Esfinge*, Tegucigalpa, 2 de junio de 1916, núm. 17, págs. 114-117, de donde proceden las reproducciones de *Nosotros*, febrero de 1917, y de *Las Últimas Noticias*, 14 de noviembre de 1916, de las cuales lo tomó Saavedra Molina; también figura en *Llama* de Arévalo Martínez (Guatemala, Editorial Librería Renacimiento, 1934, págs. 140-143), y en Edelberto Torres, *La dramática vida de Rubén Darío*, Barcelona, Ediciones Grijalbo, S. A., 4.ª edición, 1966, págs. 468-470.

A Ernesto Mejía Sánchez le debo la comunicación de esos últimos datos bibliográficos. Él mismo me acaba de mandar otro: Luis Andrés Zúñiga, «Benjamín Itaspes», en *El Banquete* (Tegucigalpa, 1920), páginas 305-309.

[2] Dada la supresión aquí de los textos de *El oro de Mallorca*, cuyas señas bibliográficas se habían indicado en cada caso, quisiéramos incluir al menos en nota la ficha bibliográfica que corresponde a los seis capítulos de la obra, todos publicados en *La Nación* de Buenos Aires: I, año XLIII, núm. 15, 265, 4 de diciembre de 1913, pág. 9; II, núm. 15, 268, 7 de diciembre de 1913, pág. 11; III, núm. 15, 288, 27 de diciembre de 1913, pág. 9; IV, año XLIV, núm. 15, 343, 21 de febrero de 1914, pág. 6; V, núm. 15, 345, 23 de febrero de 1914, págs. 4-5; y VI, núm. 15, 362, 13 de marzo de 1914, pág. 7.

Hay que notar que se cierra el sexto capítulo con la frase «Fin de la primera parte», lo que plantea en seguida el problema de una posible continuación de la obra. Si llegaron a publicarse otros capítulos de *El oro de Mallorca*, no los conocemos. Es verdad que Darío seguía colaborando, cada vez con menos frecuencia, en *La Nación* durante los años de 1914 y 1915, y entre esas correspondencias ha de encontrarse más de una página olvidada[3]. De manera provisional, puede afirmarse sin embargo que el poeta no continuó la publicación de su novela en las páginas del diario bonaerense. Por el momento, dudamos que se hayan publicado más capítulos de la novela, pero, como luego veremos, siempre existe la posibilidad de que apareciera una segunda parte en otro lugar para nosotros desconocido. Además, se ve que la narración termina precisamente en el momento en que por fin la obra empieza a tener algún interés novelesco y sentimental. Es decir, que hasta por razones internas todo parece exigir una segunda parte. Si se piensa en las dolorosas circunstancias personales de Rubén Darío en los últimos años de su vida, en sus viajes que tan poco reposo le dieron, y en su salud ya deteriorada, es improbable la existencia de una continuación de la novela. Relativamente poco pudo escribir el poeta en los últimos meses de su vida. Todo esto lo afirmamos con las debidas reservas, y no se nos oculta la posibilidad de que algún investigador con mayores recursos llegue a descubrir otros fragmentos de la novela inconclusa[4].

---

[3] Entre esas páginas dispersas, tan sólo quisiéramos llamar la atención sobre tres crónicas escritas desde Nueva York bajo el título de «Itinerario de un peregrino de la paz», que interesan por los juicios que da el poeta en 1915 sobre la ciudad norteamericana.

[4] Según Contreras, Darío seguía escribiendo su novela, «pero no sabía ya cómo terminarla, pues, siendo el protagonista transposición de su propia personalidad, no osaba llevarlo a su único fin lógico:

Aunque mucho se ha escrito sobre la segunda y breve temporada que pasó Darío en Mallorca, a donde fue hacia finales de 1913 para restablecerse moral y físicamente, tenemos pocas noticias directas sobre la gestación de *El oro de Mallorca*. Es indudable, sin embargo, que en ese estado de crisis nerviosa, entre momentos de verdadero optimismo sobre su salud ya quebrantada y otros de lamentables recaídas alcohólicas, Rubén Darío empezó a redactar las sinceras páginas de confesión íntima que forman lo que se conoce como primera parte de la novela. Excusado es decir que en la obra misma el autor nos ha recreado con fidelidad su atormentado estado de alma al pisar nuevamente la tierra de la Isla Dorada. Por otra parte, en una carta a su amigo Julio Piquet, fechada en Valldemosa, octubre 19 de 1913, le escribió sobre su novela en marcha [5]:

---

la muerte», *ob. cit.*, pág. 154. Más adelante vuelve a afirmar el mismo amigo de Darío que el poeta, tan preocupado por su propia muerte, no acabó la novela por la razón de no querer darle muerte al protagonista Benjamín Itaspes (pág. 318).

[5] Alberto Ghiraldo, *op. cit.*, págs. 296-297.

En el mismo epistolario a Piquet, hay otras breves alusiones a esta novela en preparación, pero las cartas que reproduce Ghiraldo (páginas 293-294) como de enero 5 y enero 8 de 1913 son en realidad posteriores. Corresponden a principios de enero del año siguiente de 1914, cuando ya se había partido Darío, en fuga precipitada, de Mallorca. En la primera carta dice el poeta que se quedaron copiando en Valldemosa los dos capítulos de su novela (pág. 293), y luego escribe, también desde Barcelona: «En salud plena y optimística..., le dirijo estas líneas. Claro que la fatiga sigue y que no habrá para mí curación posible sin un largo reposo. Ya sabe usted que para *reposar* me puse, en Mallorca, a escribir una novela... ¡Y claro!... (pág. 294)».

Es también interesante notar que Darío escribe al mismo amigo, en carta de diciembre de 1913, lo siguiente: «Sigo, desgraciadamente, lentamente el calafateo de mi cuerpo y de mi espíritu, pero lo creo, por fin muy difícil, y, sobre todo, la crisis, fatal (pág. 301)». La palabra *calafateo* llama en seguida la atención, y lo curioso es que en la novela misma (II) Darío dice: «...Aunque había ido a pasar una tem-

> He comenzado una novela, o especie de novela, para *La Nación*, que envío a modo de mis correspondencias, esto es, cuatro partes por mes. Pasa aquí. Quizá convendría que usted escribiese diciendo que, si quieren, no la publiquen hasta que no hayan recibido el final. Yo iré enviando el material, y concluiré en mes y medio o dos meses. ¿Cómo se haría, entonces, para lo de cuatro partes por mes? Tendrá que ser una extra y sería de justicia pagarme a otro precio que mis cartas comunes... Pero yo entregaré toda la obra, como le digo, en mes y medio o dos meses. Pronto le remitiré a usted la primera parte...

Hay también otros testimonios que interesan aquí para puntualizar las circunstancias de la composición de *El oro de Mallorca*. Uno de los amigos más adictos a Darío en los últimos años de su vida fue el diplomático y escritor dominicano Osvaldo Bazil, y a él se deben aclaraciones que merecen tenerse en cuenta. En su «Biografía de Rubén Darío», Bazil recuerda que Darío había enviado a *La Nación* algunos capítulos de su novela y que los mandó copiar en Valldemosa a un pobre escribiente mallorquín [6]. De mayor interés son las siguientes palabras del mismo Bazil [7]:

> Rubén siguió algunos días más sin beber, escribiendo capítulos de una novela que se llamaría *Oro de Mallorca*, de la cual me leyó varios capítulos que tenía escritos. Se publicaron en *La Nación* de Buenos Aires. Él era el personaje principal de la novela. Recuerdo que uno de los capítulos era un estudio ad-

porada de reposo, de terapia campestre, a pedir al campo, al mar y a las montañas el apuntalamiento de su organismo, la salud de los aldeanos, el *calafateo* de su ánimo averiado, no podía dejar a un lado su firme afición a los libros, a los libros viejos principalmente».

[6] Además Pilar Montaner, en una carta a Osvaldo Bazil, fechada el 30 de diciembre de 1913 dice: «Mañana se concluirá de copiar el resto de la novela y el Jueves saldrá todo para Barcelona». Carta reproducida por Oliver Belmás, *op. cit.*, pág. 314.

[7] Osvaldo Bazil, «Biografía de Rubén Darío», en Emilio Rodríguez Demorizi, *Rubén Darío y sus amigos dominicanos* (Bogotá, Espiral, 1948), pág. 174.

mirable y completo sobre la dipsomanía. Ningún médico lo
hubiera hecho mejor.

Al advertirle que su novela carecía de su personaje central
femenino, me contestó: ¿Bueno, meteré entonces a Pilar en la
obra? Y es que él no tenía una mujer que traer a su novela
porque no la tenía tampoco en su vida. Allí me enteró que por
recomendación e intervención de Sureda, se había confesado
con un Padre alemán, que a la sazón residía en Mallorca, convertido al catolicismo y que antes había estado de Capellán
en el ejército de Chile, de apellido Uhfoll. Rubén, con gran un-
ción y temor de Dios, comenzó así la dicha confesión: «—Padre,
mi vida ha sido una novela». El padre Uhfoll le contestó:
«—Hijo mío, la mía ha sido dos, recemos».

Estos recuerdos del amigo Bazil, que compartía con Darío
la misma predilección por el vino, son significativos, sobre
todo por lo que se dice en cuanto al capítulo en que se estudia la dipsomanía. Este fragmento no se encuentra entre los
que aquí recogemos, y nuevamente se abre la clara posibilidad de la redacción o publicación de otros capítulos de
El oro de Mallorca.

Inmediatamente surge otro problema, difícil de resolver
a estas alturas. ¿Quedaron en manuscrito, sin que las diera
a la publicidad Darío, otras páginas de la novela? Y si exis-
tió un manuscrito completo, ¿a dónde ha ido a parar? Tal
vez en este año del centenario se aclarará el pequeño enigma
que ahora señalamos, pero por el momento aventuremos alguna hipótesis. Al referirse a los papeles rescatados para
formar el Archivo de Rubén Darío, Carmen Conde, esposa
de Oliver Belmás, el director del Seminario-Archivo, ha escrito lo siguiente: «Los papeles de Rubén están en maletas, los
mismos [*sic*] en que viajaron por todas partes con él. De
España se llevó, sólo, su novela autobiográfica *Oro de Ma-*

llorca, que debió dejarle a Rosario» [8]. Según lo que nos dice Carmen Conde, ¿hemos de creer que el manuscrito aparentemente perdido o extraviado pasó por fin a manos de Rosario Murillo en Nicaragua? [9]. Ahora bien: tenemos, por fortuna, una clara confirmación de que algunos originales de *El oro de Mallorca* acompañaron al poeta en su último viaje. En su diario íntimo, entrada del 19 de diciembre de 1915, Francisco Huezo anota [10]:

[8] Carmen Conde, *Acompañando a Francisca Sánchez* (Managua, 1964), pág. 117.
Vale la pena recoger aquí el testimonio de Francisca citado por la misma autora: «Francisca le oyó leer tres de sus capítulos: 'uno de los personajes se llamaba Panchita, como una hermana suya; y había un fraile que dialogaba mucho con el protagonista, que era él'». (*Ibidem*). Desde luego, se nota en seguida que en las páginas aquí presentadas no hay ninguna Panchita sino una Margarita. No aparece tampoco el fraile con quien hablaba Benjamín, según el recuerdo de Francisca. ¿Se tratará de otro capítulo en que dialogaba Itaspes con un fraile de la Cartuja a donde dirigía sus pasos al finalizar la primera parte de *El oro de Mallorca*?

[9] Puede que sea útil recordar lo que dice al respecto Ildo Sol, que gozaba por lo visto de la confianza de Rosario:
«Y el poeta, defraudado en sus esperanzas de constituir legalmente su hogar español, transpone este drama, que alcanza ya los estadios de tragedia, en su novela *Oro de Mallorca*, en la cual la expone con abundancia de detalles, figurando él con el nombre de Benjamín Itaspes.
Oro de Mallorca describe tan fiel los hechos biográficos que la identificación de los personajes se otorga espontánea. Las confesiones de Itaspes resultan lesivas a Rosario. Omitimos comentarlas, porque no pretendo ofender a una dama que supo amar sin esperanza, y porque espero que Rosario decida romper su silencio documentándome mejor para su completa vindicación en mi obra definitiva, *Rubén Darío-Raza, Vida, Sexo y Poesía*». *Rubén Darío y las mujeres* (Managua, 1947), página 100.

[10] Francisco Huezo, *Los últimos días de Rubén Darío* (Managua, 1925). Agradezco a Enrique Anderson Imbert la comunicación de esos datos significativos, los cuales confirman que los originales de la obra llegaron con Darío a Nicaragua, y al mismo Anderson le debo otras valiosas indicaciones que me han sido muy útiles en la preparación de este trabajo.

Un poco tranquilo ya, hablamos de literatura, de su última
obra: *El oro de Mallorca.*
—En otra ocasión, vas a buscarla entre mis papeles. Allí
tengo el original. Refleja cosas íntimas de mi vida.

Y luego, en entrada del 6 de enero de 1916, dice el mismo
Huezo [11]:

> Minutos después me pidió los originales de su novela *El oro
> de Mallorca,* que días antes me diera para conocerla, y se los
> devolví.
>
> Es una novela original, de trascendencia, del género románti-
> co, con su bravo héroe Benjamín Itaspes, artista, genial y de
> sangre.
>
> Seguramente la vida de este noble espíritu es un trasunto
> de la combatida vida del poeta, su historia, su existencia de
> lucha, de calvario, de esfuerzos supremos, bajo el fulgor de la
> gloria, con situaciones dramáticas.

Hay que fijarse bien en que Huezo habla de *originales*, y nos
preguntamos si se trata de los originales de lo que se había publicado ya en *La Nación* o de unos originales más
completos. ¿Ha exagerado recuerdos remotos Osvaldo Bazil
al hablar del capítulo sobre la dipsomanía, el cual no figura,
como dijimos, entre las páginas rescatadas ahora del diario
bonaerense? Establecido el hecho de que sí llegaron a Nicaragua unos originales de la novela, quizá sea lícito suponer,
como lo insinúa Carmen Conde, que quedaron éstos en manos de Rosario. Hasta podría uno conjeturar que ella, al
verse maltratada en la novela y molesta por las obvias indis-
creciones del autor, decidió destruir esos originales. E insistimos: esta es mera hipótesis nuestra, que tal vez arroje
luz sobre el silencio que siempre ha rodeado las páginas per-
didas u olvidadas de la novela [12].

---

[11] *Ibidem.*

[12] Se recordará cómo Itaspes-Darío, al narrar a Margarita Roger

BREVE COMENTARIO DE «EL ORO DE MALLORCA» [13]

Aunque se ha de esperar la publicación de un texto más completo de *El oro de Mallorca*, son de gran valor autobiográfico y documental los seis capítulos que se conocen de la novela. Es forzoso admitir, desde un principio, que esas páginas de Darío no valen casi nada literariamente y que corresponden a un bajo punto de tensión estilística. Sólo en determinados momentos descriptivos se revela, fugazmente, el conocido talento del Darío prosista.

Para el que conoce la vida y la obra de Darío las claves autobiográficas son tan obvias que nos sentimos eximidos de todo comentario [14]. Basta decir que los textos se explican

sus «novelas sentimentales», revela que encontró «el vaso de sus deseos poluto» y que «un detalle anatómico» había destruido «el edén soñado» (VI), lo cual puede relacionarse con «la mayor desilusión que pueda sentir un hombre enamorado», motivo que da Darío para su salida del país natal rumbo a Chile.

Luego se refiere el protagonista de *El oro de Mallorca* a la vuelta a Centro América y a la renovación de sus amores de antaño, diciendo: «...Y con la complicidad de falsos amigos y el criterio obtuso de gente de villorrio, la trampa del alcohol, la pérdida de voluntad, una escena de folletín, con todo y la aparición súbita de un sacerdote sobornado y de un juez sin conciencia, y melodrama familiar y el comienzo del desmoronamiento de dos existencias... (VI)».

Compárense, pues, esas confidencias y otras que no citamos sobre el particular, con lo que Darío escribe sobre «el caso más novelesco y fatal de mi vida» en su *Autobiografía. Obras completas* (Madrid, 1950), tomo I, págs. 97-98.

[13] En cuanto a la novelística de Rubén Darío, nos hemos ocupado ya, con cierta extensión, de *Emelina* (1886) en un ensayo incluido en el presente volumen [«Nueva luz sobre *Emelina*»], y, en fecha posterior, nuestro amigo Juan Loveluck publicó un trabajo sobre *El hombre de oro* (1896) y *El oro de Mallorca* [«Rubén Darío, novelista», *Diez estudios sobre Rubén Darío* (Santiago de Chile, 1967), págs. 220-239], para cuyos fines le hemos proporcionado los textos de *El oro de Mallorca*.

[14] Quizá no esté de más intentar la identificación, en algunos casos relativamente fácil, de ciertos personajes reales que figuran en la

por sí solos, agregando inesperadas dimensiones testimoniales sobre los profundos conflictos espirituales que tanto atormentaban al poeta durante toda su vida. Darío, que ya se acerca al fin de su existencia, un fin presentido con todo su horror y el extremado pavor de la muerte, se ha sometido a un minucioso examen de conciencia. Nos da, pues, unas confesiones extraordinarias sobre ciertas intimidades de su vida privada, y habla con lucidez de las más hondas preocupaciones que desgarraban su alma. Y, ¡qué diferencia más sensible separa el documento humano que ahora nos ocupa de la autobiografía formal, escrita un poco antes por el poeta! Hacia mediados de 1914, estando en Barcelona, Darío escribe las páginas tituladas «Posdata, en España», que figuran en la edición de Maucci, sin fecha, de *La vida de Rubén Darío escrita por él mismo*. En ellas se refiere a su novela y dice [15]:

> Libre de las garras del hechizo de París, emprendí camino hacia la isla dorada y cordial de Mallorca. La gracia virgiliana del ámbito mallorquín devolvióme paz y santidad... Los atraídos por mi vagar y pensar tendrán en esas páginas de mi *Oro de Mallorca* fiel relato de mi vida y de mis entusiasmos en esa inolvidable joya mediterránea...

Y un poco más adelante sigue evocando los días pasados en Mallorca:

---

narración. *María*, «artista gentil y madre infatigable (II)», es desde luego Pilar Montaner, a cuyo esposo, Juan Sureda, generoso amigo de Darío, se le llama *Luis Arosa*. *Jaime de Flor* es seguramente Santiago Rusiñol, aunque es curioso notar que se menciona al mismo escritor-artista catalán con su propio nombre en el sexto capítulo de la novela. *Angel de Armas* es Gabriel Alomar, «exaltado, vibrante, alocado de belleza, nutrido de diversas filosofías, imbuido de radicalismos y anarquismos que terminaban en una grande e innata dulzura (I)», y, por último, «el poeta grave y noble (I)», *Pedro Alibar*, parece corresponder a Juan Alcover.
[15] Cito según Saavedra Molina, *op. cit.*, págs. 184-185.

...y yo en verdad me sentía completamente cartujo, bajo el hábito que llevaba. Llegué a pensar que acaso era lo mejor y en donde hallaría la felicidad. Y llegué a soñar, a sentir, en mí, la mano que consagra y acerca hacia la paz de la vieja Cartuja. Y vi el púlpito de San Pedro, en Roma, donde yo diría un rosario de plegarias que sería mi mejor obra y que abrirían las divinas puertas confiadas a San Pedro. Quimeras, polvo de oro de las alas de las rotas quimeras, ¿por qué no fui lo que yo quería ser, por qué no soy lo que mi alma llena de fe pide, en supremos y ocultos éxtasis, al buen Dios que me acompaña? En fin, acatemos la voluntad suprema. De todo eso hablo en mi novela *Oro de Mallorca* y de otras cosas caras a mi espíritu que impresionaron mis fibras de hombre y de poeta.

La novela de Darío vale no sólo por su confesión íntima, sino también porque vienen a ser esas páginas un corolario de su obra en verso. Es decir, la expresión poética de Darío, con todas sus sombras y luces líricas, encuentra su contrapunto más bien discursivo o conceptual en algunos fragmentos de la prosa de *El oro de Mallorca*. Y así en esta «especie de novela», como la llama acertadamente el autor, la proyección del alma de Darío en la de su protagonista, el célebre músico Benjamín Itaspes [16], abre nuevas perspectivas

---

[16] ¿Cómo explicar el uso del nombre de Benjamín Itaspes, que encubre a la persona de Rubén Darío?
El eminente dariísta Ernesto Mejía Sánchez, al ocuparse del cuento «La larva», ha escrito: «...La salamandra de Benvenuto da pretexto a la narración autobiográfica de Isaac Condomano, protagonista principal de 'La larva'. Innecesario es explicar que los elementos hebreo y persa del nombre del narrador corresponden exactamente con los del nombre del poeta; análogo sistema usó Darío para bautizar su *alter ego* de *Oro de Mallorca*: Benjamín Itaspes». *Los primeros cuentos de Rubén Darío*, 2.ª ed. (México, 1961), pág. 147.
Sea lo que fuere, otra hipótesis parece ser convincente también: a Benjamín, el hijo predilecto de las musas, se le ha ido toda esperanza (*Ita-Spes*), interpretación que parece coincidir con la tonalidad general de la novela que reproducimos. La verdad es, sin embargo,

para ahondar en la complejidad de su espíritu de hombre
y poeta, espíritu puesto al desnudo cuando en *El oro de Mallorca* rememóra ciertas intimidades de su vida azarosa.

En rápido resumen, quisiéramos llamar la atención sobre
algunas revelaciones personales que Darío incorpora a su novela autobiográfica. Y al lector de Darío no le pasará inad-
vertido cómo esas mismas preocupaciones, religiosas y eróticas, explicadas en forma más bien conceptual en la prosa,
han sido centrales, aunque transformadas líricamente, en
algunas de sus mejores composiciones poéticas. Hemos de
ver, pues, estrecha unidad temática entre la prosa de *El oro
de Mallorca* y la obra en verso de Darío.

Para la biografía espiritual del escritor, de mayor interés
son indudablemente los capítulos I, IV, VI y una porción
del II, mientras que en la tercera parte el poeta se transporta
imaginativamente a las escenas vividas en Mallorca por
George Sand y Chopin, «espíritu de estrellas», corazón de
ruiseñor (III)» [17]. El capítulo V es necesario, desde luego,
a la acción novelesca que en verdad comienza a ser desarro-
llada con la presentación de Margarita Roger [18], la artista-

_____

que Itaspes era el nombre del padre del rey persa Darío, ascendencia
ya notada por Valera en sus tempranas páginas sobre *Azul*...

[17] Este es el mismo tema de las crónicas escritas en la primera
temporada mallorquina, luego recogidas con título de *La isla de oro*
(Santiago de Chile, 1937).

[18] De más difícil identificación es, desde luego, la amiga y confi-
dente de Benjamín Itaspes, cuyo nombre de Margarita tiene además
una larga tradición literaria. No vemos tampoco la necesidad de ver
en ella la encarnación simbólica de una sola mujer, sino quizá de
varias, si no conocidas, al menos soñadas. Cuando Bazil advirtió al
poeta que a su obra faltaba un personaje central femenino, Darío le
respondió que iba a meter a Pilar en su novela. Puede que así el autor
haya usado a la esposa-pintora de Juan Sureda para ciertos rasgos, y
¿el nombre de Margarita? ¿Un recuerdo de la fugaz pasión de la época bonaerense, evocada también en el conocido soneto de *Prosas profanas*? Sería en verdad contraproducente extremar más las posibles

escultora que luego escuchará, en las páginas finales, las confidencias sentimentales de Benjamín Itaspes.

Amargado por su destino fatal, Itaspes describe en forma detallada el lamentable estado de ánimo que lo induce a buscar reposo y alivio en el ambiente tranquilo y campestre de Mallorca. Habla de la necesidad de alejarse del vivir agitado de París y de las tareas mecánicas, de todos los días, que le mermaban las fuerzas físicas; de todas sus dolencias corporales; de sus incurables tristezas apenas mitigadas por la gloria artística; de su acostumbrado abuso de los excitantes en busca de la momentánea pero pérfida felicidad; de la explotación de los empresarios y los falsos amigos; de su hogar fingido; y de otros aspectos ampliamente conocidos de la vida real de Darío hacia aquellos años. Desalentado e incapaz de crear, reconoce Benjamín, en contraposición a su inmenso pavor de la muerte («clavo de hielo metido en el cerebro», I), un profundo amor a la vida inmediata, de los sentidos, y dice que experimenta «una tensión hacia la vida y al placer —¡al olvido de la muerte!— como durante toda su vida (I)». Al evocar su pasado íntimo Itaspes alude a sus iniciaciones sexuales y afirma cómo desde temprano el amor se había posesionado de su cuerpo sensual. Piensa en su entrega total al placer, buscando un refugio para la vida y el olvido de la tortura de ser hombre, y, satisfechos sus instintos, medita sobre los momentos de abatimiento espiritual que sobrevivían.

Esencial en las divagaciones de Benjamín Itaspes como en ciertas poesías de Darío es el consabido conflicto anímico que se sostiene, en íntimo diálogo, entre su sentimiento reli-

hipótesis sobre la protagonista de *El oro de Mallorca,* pero al mismo tiempo no se nos olvida que el poeta tuvo, por lo visto, ciertas amistades femeninas en Mallorca, a juzgar por las «Estrofas de Mallorca» (1913).

gioso, heredado de su triste y remota infancia, y su exuberante temperamento erótico. Una gran porción del capítulo
cuarto se dedica a una exposición de esta lucha que se
mantiene viva por la extremada sensualidad del artista, siempre apasionado, como dice, del misterio de la mujer, y la
predisposición cuasimística. Benjamín había abandonado las
prácticas devotas y en él «el artista y el turista sustituirían,
en realidad, al creyente (IV)». Hasta en la plegaria se deja
llevar por sus propensiones eróticas y pecaminosas. No obstante pedía, siempre, un reflorecimiento de la fe de antaño.
Por ella clamaba. Más podían las dudas sembradas en su
alma pagana, y no era capaz, sino en muy contados momentos, de apartar el examen y el don del raciocinio. En su
indecisión, no lo dejaban los espectros del pecado, pero,
dirigiéndose directamente a Dios, dice Benjamín:

> ...Señor, ha tiempo que yo hubiera dejado el siglo, los combates
> cotidianos con la hostilidad del ambiente, con la ferocidad de
> los prójimos; habría buscado la paz de los conventos y te ha-
> bría servido como el más consagrado de tus siervos; pero tú
> no lo has querido, me has dejado solitario sobre la faz de la
> tierra, con un cerebro pagano, con un cuerpo que han atacado
> con sus magias todos los pecados capitales, y con una inteli-
> gencia de las cosas que me aleja cada día más de la fuente de
> la fe, contra mis deseos, contra mis quereres, contra la deci-
> sión de mi voluntad. El demonio existe, Señor, puesto que me
> coge en sus lazos, desarmado y tanteante, y lo que es triste,
> hasta donde alcanza mi conocimiento, con anuencia de tu todo-
> poder y de tu infinitud (IV).

Al final del último capítulo de la primera parte de *El oro
de Mallorca*, repuestas sus fuerzas, Benjamín renace a la
vida y al amor, pero, rechazado por Margarita, se dirige a
La Cartuja de Valldemosa.

En las meditaciones introspectivas del músico no han de
faltar pensamientos referidos directamente al Arte. Benjamín, como Darío mismo, exaltaba su amor por el arte, y hasta alude a «su sensibilidad mórbida de artista, su pasión
musical, que le exacerbaba y le poseía como un divino demonio interior (I)». Sobre todo en el segundo capítulo es donde
el protagonista-espejo se dedica a discurrir sobre la naturaleza del Arte y sus aspiraciones divinas. Es verdad que le
llenaba la vida esta pasión, «...pero no como un fin, sino
como un gran complemento para la elevación del propio
ser en su enigmático paso por la tierra... (II)». El arte, pues,
tiene algo de Dios; el creador auténtico, aun el que está
desprovisto de una fe ciega, se acerca indefectiblemente al
misterio. Más explícitas son las siguientes palabras de Itaspes alusivas al tema del arte y la religión:

> El arte, como su tendencia religiosa, era otro salvavida.
> Cuando hundía, o cuando hacía flotar su alma en él, sentía el
> efluvio de otro mundo superior. La música era semejante a un
> océano en cuya agua sutil y de esencia espiritual adquiría
> fuerzas de inmortalidad y como vibraciones de electricidad
> eternas. Todo el universo visible y mucho del invisible se mani-
> festaba en sus rítmicas sonoridades, que eran como una percep-
> tible lengua angélica cuyo sentido absoluto no podemos abar-
> car a causa del peso de nuestra máquina material. La vasta
> selva, como el aparato de la mecánica celeste, poseía una len-
> gua armoniosa y melodiosa, que los seres demiúrgicos podían
> por lo menos percibir: Pitágoras y Wagner tenían razón. La
> Música en su inmenso concepto lo abraza todo, lo material y
> lo espiritual, y por eso los griegos comprendían también en ese
> vocablo a la excelsa Poesía, a la Creadora. Y que el arte era
> de trascendencia consoladora y suprema lo sabía por experien-
> cia propia, pues jamás había recurrido a él sin salir aliviado
> de su baño de luces y de correspondencias mágicas. ¿Era asi-
> mismo un paraíso artificial? No, puesto que en el secreto de
> su poderío uno no podía disponer de él sino él de uno, él era

el que poseía y se hacía manifiesto por medio del deus, y sus excelencias resplandecían intensamente en nuestro mundo incógnito, anunciadoras siempre de un resultado bienhechor que nunca engañaba. Y quizás ésta era la verdadera compensación para el elegido que venía al mundo con su emblemático signo y con su sagrado cilicio. Dios está en el Arte, más que en toda ciencia y conocimiento, y la santidad, o sea el holocausto del existir, no es sino el arte sumo elevado a la visión directa del Completo teológico, purificado por lo infinito del fuego de los fuegos. Es la locura del Señor. «Stultitia dei».

El arte, pues, luminoso y mágico en los momentos arrebatados de la genuina creación, un modo superior de conocimiento, tiene raíz sobrenatural. Nos revela, a través del poder supremo de la música, la anhelada eternidad que le es vedada al no elegido [19].

Por último nos parece importante advertir, ahora en un plano más concreto, la fascinación que siempre ejercía el mar sobre el alma de Darío. Era un espíritu marino, como tan sagazmente lo señaló Juan Ramón Jiménez en unas preciosas páginas [20], y en *El oro de Mallorca* se confirma ese

---

[19] No es casual aquí la mención de Pitágoras y de Wagner. Tampoco debiéramos de olvidarnos, dentro del caso, de las palabras del músico en «El velo de la reina Mab», las cuales evocan asimismo a Wagner y al filósofo que oyó la música de los astros. En otro lugar, hemos estudiado ya la primera parte de este mismo fragmento al iluminar un aspecto de las profundas relaciones de amistad entre Rubén Darío y Valle-Inclán, una afinidad espiritual fortalecida por un pensamiento derivado del gnosticismo y de las ciencias ocultas. No sólo es cuestión de la urgente necesidad del alma poética para expresarse en forma rítmica, sino que aquí se trata sobre todo del deseo de lograr sumergirse en la armonía cósmica, buscarse un enlace inefable con la conciencia del Universo, y fundirse con el Gran Todo para percibir, en última instancia, el sentido más recóndito de los fenómenos.

[20] Juan Ramón Jiménez, *Españoles de tres mundos* (Buenos Aires, 1942), págs. 40-44.

aspecto íntimo de su personalidad poética. Benjamín afirma ese amor al mar y piensa para sí: «Le había recorrido tantas veces en tan diferentes latitudes, y siempre le encontraba tan nuevo y tan constante, tan ambiguo y tan sincero... Era un vasto ser animado, líquido y palpitante, todo vida y enigma. Y a veces, en sus instantes de meditación o de exaltación, le hablaba como a una divinidad, o ser inteligente, le hablaba en voz alta, o a media voz, como cuando decía, todas las noches, su Padre nuestro (I)» [21].

Las páginas de *El oro de Mallorca* valen más que nada por sus confesiones sinceras sobre ciertas constantes de la vida real del poeta. Esos textos, por interesantes que sean sus revelaciones íntimas, representan, sin embargo, un inevitable descenso estilístico, y en este sentido no son en verdad dignas del gran escritor que ya hacia 1914 iba camino de la muerte [22].

---

[21] Este es uno de los aspectos capitales del poeta —su espíritu marino— que estudia con tanto acierto Miguel Enguídanos en un artículo publicado en la *Revista Hispánica Moderna* [vol. XXXII, núms. 3-4, julio-octubre de 1966, págs. 153-184], con título de «El cuaderno de navegación de Rubén Darío».

[22] Desde la publicación del presente trabajo he podido conocer otros dos comentarios, casi simultáneos, sobre la misma novela autobiográfica de Rubén Darío: Enrique Anderson Imbert, *La originalidad de Rubén Darío* (Buenos Aires, 1967), págs. 256-262, y el trabajo del Profesor Loveluck citado arriba (nota 13). A ambos críticos se agradece la mención de mi ensayo aquí recogido y antes publicado en el citado número de la *Revista Iberoamericana*.

Aunque no rechaza lo dicho por nosotros, Anderson Imbert también ofrece otra posible hipótesis sobre la suerte de los originales de *El oro de Mallorca*. Recuerda que Díez-Canedo [*Letras de América*, México, 1944, pág. 76] escribió que Rafael Heliodoro Valle había recibido de Rosario Murillo, después de la muerte del poeta, poesías inéditas y que *El Universal* anuncia «la próxima publicación de la novela *Oro de Mallorca*, sólo fragmentariamente conocida». Se pregunta Anderson si de este modo el manuscrito completo pasó a manos de Heliodoro Valle en México (nota, 4, pág. 246).

En la nota 16 de mi trabajo intenté explicar el nombre Benjamín Itaspes. Anderson tiende a no aceptar ahora la idea de «esperanza-ida», porque prefiere otra explicación: «...en la Biblia, Rubén es el hijo mayor de Jacob y, en el otro extremo, se toca con Benjamín, el menor. El patronímico 'Darío' le sugiere la imagen de Darío el Grande, hijo de Itaspes ('Hystaspes' es forma griega derivada de una palabra persa). Otra prueba de que a Rubén Darío le divertían estos manejos de nombres: Isaac, hermano de Rubén, y Darío III, Codomano, le sugieren a Rubén Darío el nombre del personaje autobiográfico: Isaac Codomano, en 'La larva'... (nota 5, pág. 257)», como antes había señalado Mejía Sánchez.

En una carta del 13 de marzo de 1969 el amigo Juan Loveluck me comunica que en la época de Buenos Aires Rubén Darío utilizó el pseudónimo de LEVY ITASPES. Y así era. En mayo de 1895, desde la isla de Martín García, a donde había ido a descansar a invitación del Doctor Plaza, Darío mandó a *La Nación* tres correspondencias firmadas *Levy Itaspes* con título de «Martín García. Cartas del Lazareto». En ellas describe minuciosamente sus experiencias en la isla, como años después hará en forma distinta en su novela inconclusa. Sobre el particular: Pedro Luis Barcia, «Rubén Darío en la Argentina», *Escritos dispersos de Rubén Darío*, I (La Plata, 1968), págs. 35-36.

En cuanto a los personajes novelescos que son personas reales, quisiera agregar aquí que no sólo utiliza Darío el mismo procedimiento hasta cierto punto en *Emelina*, sino que también Anderson Imbert se refiere a otra novela titulada *Caín* que, en la época de Buenos Aires, Darío comenzó a publicar en *El Diario*, novela en la cual por lo visto se describe su vida con los amigos argentinos de aquel entonces (página 61). Hasta donde alcanzan nuestros informes, nadie ha rescatado aquellas páginas del olvido.

Desde luego los dos críticos coinciden en que lo novelesco de *El Oro de Mallorca* es mínimo, y lo primero que observa Juan Loveluck es cómo esas páginas se desnudan de literatura y preciosismos estilísticos tan típicos de la novela modernista. Luego escribe el crítico chileno: «...Nada, o casi nada, en estas páginas de primor de estilo o de audacia imaginística: desnudez expresiva como instrumento propicio de páginas que contienen, más bien, un amargo balance existencial, iniciado en la *Autobiografía* de 1912 (pág. 236)». Darío, que de paso se creía personaje de novela, escribe en *El Oro de Mallorca* «las páginas más íntimas y confidenciales» de toda su obra, según Anderson Imbert (pág. 258). Finalmente, quiero recordar los excelentes comentarios de Anderson sobre los conflictos espirituales que desgarran el alma de Benjamín y de modo especial de la antinomia religión-arte (págs. 259-262).

RELEYENDO *PROSAS PROFANAS*

Es un hecho conocido que algunas de las más sentidas y comprensivas páginas sobre Rubén Darío se deben a Juan Ramón Jiménez, quien por largos años convivió con la poesía del maestro americano. Sobre él escribió una vez Juan Ramón las siguientes palabras, que me sirven de buena entrada al tema de esta breve nota dedicada a *Prosas profanas:* «Hoy, cuando ha vuelto con su misma armonía de hierro de oro, con las mismas rosas en su pecho, todos cantaron su marcha triunfal. Al quitarle la armadura, le hemos visto el corazón. Yo ya se lo había visto cuando cantó sus *Prosas profanas,* embriagado de melancolía. Pocos lo han dicho, Rubén es el hombre que siente, sus versos tienen un fondo celeste y triste, aun dentro de las más rojas sedas y de las carnes más fragantes de sol.»

Aun en este año del centenario, cuando todos estamos dispuestos a ver con benevolencia la obra del poeta nicaragüense, no parece del todo exagerado decir que para muchos lectores el menos actual de los grandes libros de Darío es *Prosas profanas,* cuya publicación en 1896 deslumbró a todo un continente antes de llegar con igual resonancia a España un poco más tarde. No es que se niegue el valor histórico y lingüístico de tan opulenta obra, pero ahora se suele preferir a otro Darío, tal vez menos exquisito y esteticista, que revela el temblor de su alma ante el misterio de la vida y de la muerte. Por los acentos más graves y desgarrados de *Cantos de vida y esperanza*, así como por la admiración dada a otras composiciones posteriores (por ejemplo, «Poema del otoño»), la poesía de *Prosas* tiende a ser algo postergada por frívola y artificiosa. No olvidemos, sin embargo, que en Darío la frivolidad fue una estimación estética y un austero ideal poético, muy diferente a la frivolidad en la vida (Enrique Anderson Imbert). A pesar del innegable virtuosismo, el alarde técnico, y la brillante suntuosidad parnasiana de algunos poemas, no todo fue así en *Prosas profanas*, cuya llamada superficialidad merece ser sometida a revisión.

No creo que se haya insistido lo bastante en cómo el Rubén Darío de *Prosas* se interioriza ya en unos poemas que preludian el camino ascendente que un poco después llevará a la profunda y sincera pregunta por la existencia tan aparente en su poesía más universalmente admirada. Pero a *Prosas* pertenece el siguiente verso: «El enigma es el soplo que hace cantar la lira («Coloquio de los centauros»)». En páginas medulares sobre el poeta americano, Pedro Salinas, Anderson Imbert, Octavio Paz y más recientemente Torres Bodet, han insinuado la posibilidad de leer de otro modo tan extraordinario libro. Paz, por ejemplo, percibe que no todo en la obra es «tienda de anticuario» y llega a preguntar: «...¿cómo no advertir el erotismo poderoso, la melancolía viril, el pasmo ante el latir del mundo y del propio corazón, ya conciencia de la soledad humana frente a la soledad de las cosas?»

Es verdad que en *Prosas profanas* las notas más personales, de un modernismo esencial diría yo, han de encontrarse tal vez con mayor intensidad en la sección «Las ánforas de Epicuro», poesías agregadas a la segunda edición de 1901. El poeta que escribe los versos que ahora copio me parece distante de las exterioridades tantas veces advertidas en su obra. (Veo ahora que Torres Bodet ha llamado la atención sobre algunos de los mismos ejemplos):

> y el alma de las cosas que da su sacramento
> en una interminable frescura matutina.
>
> («La espiga»).

> donde la interna música de su cristal desata,
> junto al árbol que llora y la roca que siente.
> ....
> Llena la copa y bebe: la fuente está en ti mismo.
>
> («La fuente»).

> y la autumnal tristeza de las vírgenes locas
> por la Lujuria, madre de la Melancolía.
>
> («La hoja de oro»).

> Y en la playa quedaba, desolada y perdida,
> una ilusión que aullaba como un perro a la Muerte.
>
> («Marina»).

> Alma mía, perdura en tu idea divina;
> todo está bajo el signo de un destino supremo;
> sigue en tu rumbo, sigue hasta el ocaso extremo
> por el camino que hacia la Esfinge te encamina.
>
> («Alma mía»).

Y, para comprobar la misma dirección espiritual, nada artificiosa por cierto, merecen ser citadas íntegras las composiciones «Ama tu ritmo...» y «Yo persigo una forma...», que también pertenecen a «Las ánforas de Epicuro». Darío mismo, consciente de la tonalidad más reflexiva de esas poesías agregadas, ve en ellas «una como expresión de ideas filosóficas».

Sin embargo, la revelación lírica de inquietudes ante la vida no se limita de modo exclusivo a los poemas añadidos en 1901. Este intimismo está presente, como intentaré demostrar, en otros anteriores que son vivo testimonio, en el mismo libro, de una actitud seria frente al misterio del universo. Darío, siempre atento a las vibraciones de su alma tensa y estremecida, empieza a alejarse de lo que vino a ser en manos de los epígonos una mera retórica, en parte creada por él mismo. Quisiera recordar aquí unas palabras significativas de Enrique González Martínez, quien ha explicado varias veces las razones que ocasionaron su famoso soneto que pretende estrangular el cisne:

> Tiempo es ya de que callen las voces de los que, al presenciar su derroche de arte en cuanto salió de la pluma de Darío, dan en llamarle artificioso; de los que al ver cómo derramó sobre *Prosas profanas* la más admirable virtuosidad de que haya ejemplo, lo tachan de superficial decorador; de los que, impotentes para forjar el verso, que es acero para el profano y cera para el artista, le tratan de ripioso y anticuado, sólo porque tuvo el don musical en grado heroico y manejó la rima con opulencia de gran señor. Ellos no entienden lo que encierra de hondo temblor aquella poesía magnífica, cristalizada en su libro culminante de *Cantos de vida y esperanza*, y se indignan de su aristocracia suprema, porque ignoran que el arte es llamamiento de ascensión para los que se mueven en planos inferiores de la vida.

Hace años, pues, González Martínez llegó a comprender la hondura de aquella poesía de Darío en *Prosas profanas*.

Regresemos un momento a la época histórica en que Darío escribía los poemas de su libro. La vida intelectual de Buenos Aires, de horizontes más amplios que la chilena o la centroamericana, favorece a no dudarlo el desarrollo de sus «facultades estéticas», pero al mismo tiempo la capital argentina era, según Darío, una «ciudad práctica y activa». En pugna con aquel ambiente, el poeta se queja desde luego de lo que él llama la chatura intelectual de la época, no propicia para la noble poesía. Hay que decir aquí, con Ricardo Gullón, que los cisnes unánimes, las princesas divinas y todo el desfile de objetos lujosos corresponden a intensas formas simbólicas de protesta contra la mezquina realidad americana de aquellos años finiseculares. En toda la complejidad espiritual que implica lo que se entiende ahora por modernismo, movimiento de profundo contenido ideológico, habrá siempre en Darío y en otros poetas modernistas un anhelo de superar las circunstancias exteriores, creando y afirmando un mundo de eterna belleza artística incontaminada por el materialismo burgués. Darío, como explica en sus «Palabras liminares», reacciona de manera positiva contra una realidad dominada por la vulgaridad del momento, y, valiéndose del cisne como arma estética, combate la deshumanización de los valores espirituales. En efecto, esos altos ideales vienen a ser un aspecto no poco significativo de la actitud generacional. En lo que tenía de más perdurable, como fructífera lección estética y como revitalización de la lengua poética, el modernismo no fue solamente un derroche de símbolos esteticistas y vacíos, sino un noble y abnegado gesto pasional para alcanzar la suprema belleza artística y la aristocracia del pensamiento. Cuando Darío, por ejemplo, dice del cisne: «es su cándido cuello, que inspira, / como prora ideal que navega / ...y hechos son de perfumes, de armiño, / de luz alba, de seda y de sueño» («Blasón»), está afirmando un anhelo de pureza, comprometiéndose con el ideal y con el sueño. Y nuevamente en estos versos, también de *Prosas*, el cisne se relaciona de modo directo e inconfundible con una idealidad artística: «bajo tus blancas alas la nueva Poesía / concibe en una gloria de luz y armonía / la Helena eterna y pura que encarna el ideal» («El cisne»). Por último, Darío, incapaz de lograr la perfección expresiva que con tanto afán persigue, escribe un verso clave, al final de *Prosas profanas*: «y el cuello del gran cisne blanco que me interroga («Yo persigo una forma...»)». ¿Cómo dudar aquí, pues, de la seriedad con que concebía el acto de poetizar? Por lo tanto, el cisne viene a ser mucho más que un mero símbolo decorativo; más que un objeto de la cultura mitológica; y más que una hermosa forma plástica.

Partiendo del programa estético de la musicalidad interior y la melodía ideal formulado en las «Palabras liminares» de *Prosas*, y reelaborado en «Dilucidaciones» de *El canto errante* («...he querido ir hacia el porvenir, siempre bajo el divino imperio de la música, música de las ideas, música del verbo»), no es difícil pasar a comprender el concepto esencialmente rítmico que tenía Darío del universo (Octavio Paz). En *Prosas*, así como en muchas obras anteriores y posteriores, el poeta repetidas veces da clara prueba de su deseo de sumergirse en la armonía cósmica; de llegar a penetrar la esencia de las cosas y de reconciliar, mediante una serie de correspondencias mágicas y misteriosas, los más diversos aspectos del mundo visible e invisible («Ni es la torcaz benigna ni es el cuervo protervo; / son formas del Enigma la paloma y el cuervo», «Coloquio de los centauros»). Esta constante búsqueda por el sentido oculto en todo lo creado obedece al deseo ferviente de aprisionar un principio armónico que rige el gran todo, enlazando su propia conciencia individual con la del mundo. En el poeta modernista, ávido de lo absoluto, esta «nostalgia de la unidad cósmica», así como «la fascinación ante la pluralidad en que se manifiesta» (Octavio Paz), se desenvuelve en un afán de integrar lo disperso en un orden superior. Tal preocupación, nada superficial, se revela en la viva curiosidad que tenía Darío por las doctrinas esotéricas de las ciencias ocultas y el pitagorismo, siendo explícitos dentro del caso los versos de «Ama tu ritmo...».

Y por último, ¿cómo tachar de superficial el pensamiento que configura la estrofa reflexiva que ahora transcribo del «Coloquio de los centauros»?

> ¡Himnos! Las cosas tienen un ser vital; las cosas
> tienen raros aspectos, miradas misteriosas;
> toda forma es un gesto, una cifra, un enigma;
> en cada átomo existe un incógnito estigma;
> cada hoja de cada árbol canta un propio cantar
> y hay un alma en cada una de las gotas del mar;
> el vate, el sacerdote, suele oír el acento
> desconocido; a veces enuncia el vago viento
> un misterio; y revela una inicial la espuma
> o la flor; y se escuchan palabras de la bruma.
> Y el hombre favorito del numen, en la linfa
> o la ráfaga, encuentra mentor: —demonio o ninfa.

También en la primera edición de *Prosas profanas* figuran otros poemas de tono meditativo, en los cuales Darío vuelve los ojos hacia dentro, ahondando ya su visión lírica esencial. No se le olvida a nadie «El reino interior», hermoso poema tan finamente comentado hace tiempo por Salinas, en el cual Darío se asoma a la dualidad de su alma, y contempla, mediante una suntuosa alegoría y un derroche de reminiscencias del arte, las incitaciones opuestas de la carne y el espíritu. Nada frívola es la íntima actitud del poeta al objetivar ya un tema constante de su poesía. Muy parecida en su técnica enumerativa, otra vez de desfile, es «La página blanca», cuyos símbolos representan, según Darío, «...las bregas, las angustias, las penalidades del existir, la fatalidad genial, las esperanzas y los desengaños, y el irremisible epílogo de la sombra eterna, del desconocido más allá.» Sería imposible no ver el tono angustioso de esta composición, y el poeta percibe ante la página intacta y con profunda conciencia temporal cómo la caravana de la vida pasa con todas sus ilusiones y desengaños.

Puede que el lector de hoy ya no se apasione ante «Era un aire suave» o ante «Sonatina», dos grandes poemas que quizá no han llegado a resistir al tiempo y los sucesivos cambios de gusto estético. Pero, por otra parte desde diferente perspectiva crítica, ¿no se han estudiado últimamente las tensiones interiores y los vértices existenciales desde los cuales Darío escribió los dos poemas mencionados (Enguídanos)? ¿No es eterna la risa de la divina Eulalia? Y, ¿no se llena de profundo contenido humano la esperanza de la pobre princesa? Después de toda la dispersión geográfica en «Divagación», ¿cómo no sentir el poderoso e intenso anhelo erótico que se concentra en la última estrofa del poema? ¿No compadece Darío la muerte en vida del viejo marinero en la «Sinfonía en gris mayor», cuyo escenario tropical poco tiene que ver con la artificialidad del paisaje versallesco?

Es injusto, pues, querer condenar por superficial toda la poesía de *Prosas profanas,* porque en sus páginas al parecer más exquisitas, Rubén Darío incorpora toda una serie de motivos que reflejan con toda claridad sus más íntimas inquietudes vitales. Esta profunda dirección espiritual, a menudo presente en su obra anterior a *Cantos de vida y esperanza,* se enlaza de modo estrecho en las preocupaciones serias que suelen caracterizar los poemas hoy considerados más actuales de Darío. Aunque el poeta no nos dice el momento exacto en que la torre de marfil dejó de tentar su anhelo, mucho antes de lo que se cree normalmente había descubierto *la carne viva* de la estatua bella que habitaba su propio jardín lírico.

(1967).

II

SOBRE VALLE-INCLÁN *

* Lamento no tener la autorización para incluir en este apartado un largo ensayo mío sobre la obra literaria de Valle-Inclán (teatro, novela y poesía lírica), que se publicó como estudio preliminar a una edición mexicana de las *Sonatas* (Editorial Porrúa, S. A., México, 1969, págs. IX-LXII). Ese ensayo tiene además una breve bibliografía selecta sobre Valle-Inclán puesta al día (págs. LXI-LXII) que se divide en tres partes: libros, homenajes y otros textos significativos. Sobre todo a partir de los homenajes conmemorativos, ningún aspecto más estudiado de la obra de Valle que el esperpento, y, como preámbulo necesario a los dos últimos trabajos recogidos en esta parte del libro, quisiera recordar las siguientes tres fuentes de consulta sobre *Luces de bohemia, Los cuernos de don Friolera* y el esperpento en general: *Ramón del Valle-Inclán. An Appraisal of his Life and Works* (Nueva York, 1968), Alonso Zamora Vicente, *La realidad esperpéntica (Aproximación a «Luces de bohemia»)* (Madrid, 1969), y Rodolfo Cardona y Anthony N. Zahareas, *Visión del esperpento* (Madrid, 1970).

Entre otras páginas especializadas, hay que llamar la atención sobre los siguientes trabajos: Gonzalo Sobejano, *«Luces de bohemia, elegía y sátira», Papeles de Son Armadans*, XI (núm. 127, octubre de 1966), págs. 89-106; Manuel Durán, *«Los cuernos de don Friolera y la estética de Valle-Inclán», Insula*, XXI (núms. 236-237, julio-agosto de 1966), pág. 5 y pág. 28, y Antonio Buero Vallejo, *«De rodillas, en pie, en el aire», Revista de Occidente*, IV (núms. 44-45, noviembre-diciembre de 1966), págs. 132-145. Sería injusto no mencionar por lo menos otro libro dedicado a los esperpentos: María Eugenia March, *Forma e idea de los esperpentos de Valle-Inclán* (Madrid, 1969).

En efecto había vacilado yo no poco antes de decidirme por la incorporación aquí de las dos notas escritas hace tiempo sobre *Los cuernos de don Friolera* y *Luces de bohemia*, pero, revisada la bibliografía sobre Valle, me doy cuenta de que mis textos todavía tienen cierta novedad en la crítica valleinclanesca y, por tal motivo, con algunas modificaciones, entran en el presente libro.

FLOR DE SANTIDAD: NOVELA POEMÁTICA DE VALLE-INCLÁN

A Concha Zardoya

A juzgar por los recientes libros y números monográficos de revistas dedicados a Valle-Inclán en 1966 con motivo del centenario de su nacimiento, parece que sólo de una manera marginal se ha ocupado la crítica de *Flor de santidad*. Como es natural, los críticos han prestado más atención a la obra literaria de Valle de época posterior, desde aproximadamente 1919 en adelante, sin descuidar las claras prefiguraciones esperpénticas que están presentes en sus libros tempranos. Una notable excepción, en lo que respecta a *Flor de santidad*, es el libro de Ramón Sender, en el cual se dedican unas veinticinco páginas a la consideración de la novela. Y Sender afirma que es «...una de las pocas obras maestras que se contarán en este siglo cuando hagan el balance desde el siglo próximo... es un pequeño prodigio en varias dimensiones, rapsódica, histórica, dramática, lírica e incluso ... ontológica»[1]. Es

---

[1] Ramón J. Sender, *Valle-Inclán y la dificultad de la tragedia* (Madrid, 1965), págs. 97 y 101.
Tal vez más satisfactorias desde el punto de vista de la crítica literaria son las buenas páginas que dedica Guillermo Díaz-Plaja a Adega, situada entre los personajes míticos, y a *Flor de santidad* en

de lamentar, sin embargo, que el novelista y amigo de Valle
no llegue a resolver de modo satisfactorio ciertas incitaciones
estéticas que plantea *Flor de santidad*, y en estas páginas me
propongo ofrecer algunas precisiones sobre esta obra, por lo
demás singularmente compleja a pesar de su relativa brevedad. Quiero, pues, volver sobre *Flor de santidad* (1904), situada cronológicamente entre la *Sonata de estío* (1903) y la de
Invierno (1905).

UN TESTIMONIO DE VALLE Y ALGUNOS
DATOS SOBRE LA GÉNESIS DE LA NOVELA[2]

En una carta fechada el 27 de agosto de 1904, Valle escribe al literato gallego Torcuato de Ulloa:

> Hace algunos días recibí una carta de usted aquí, en este
> retiro de Aranjuez, a donde me vine a escribir una novela,
> de la cual tenía desde hace diez años hechos cinco capítulos.
> La he terminado en veinte días, en los cuales escribí seis-

su libro *Las estéticas de Valle-Inclán* (Madrid, 1965), págs. 175-188. A
estos comentarios me referiré varias veces en el presente trabajo.

Quisiera agregar también que los editores del volumen *Ramón del
Valle-Inclán. An Appraisal of his Life and Works* (Nueva York, 1968),
libro colectivo uno de cuyos méritos es el de haber dado una atención
especial a obras individuales de Valle recogiendo trabajos monográficos sobre ellas, en el caso de *Flor de santidad* se limitaron a reproducir una versión editada del artículo de Emilio González López titulado «Valle-Inclán y Curros Enríquez» (1945), unas valiosas páginas
sintéticas de César Barja tomadas de su volumen *Libros y autores
contemporáneos*, de 1935, y, por último, unos fragmentos del ya aludido libro de Sender.

[2] Quisiera dar las gracias más expresivas a mis amigos y colegas
Ricardo Gullón y Ramón Martínez López no sólo por haberme llamado la atención sobre unas redacciones parciales de *Flor de santidad*, sino también por haberme conseguido algunos de los textos
que estudio en este apartado. Al segundo de los mencionados le agradezco por lo demás una atenta y cuidadosa lectura de este trabajo.

cientas cuartillas. Si he de serle a usted franco, ésta es la
única vez en que estoy un poco satisfecho de mi obra. Se
titula *Flor de santidad*. Es una novela que en el estilo, en
el ambiente y en el asunto se diferencia totalmente de la
moderna manera de novelar. Más que a los libros de hoy se
parece a los libros de la Biblia: otras veces es homérica, y
otras gaélica. En fin, usted la verá [3].

Ese testimonio sobre la composición de *Flor de santidad*
es desde luego significativo, y especialmente porque en él
expresa Valle su clara conciencia de haber escrito algo nuevo y diferente, una obra tal vez más a tono con algunos
cuentos publicados por aquellos años que con ciertos aspectos decadentistas de las *Sonatas*. Y además se refiere el autor
a su inveterada costumbre de tomar textos tempranos y
rehacerlos con el tiempo hasta darles el último acabado en
un proceso combinatorio y eliminatorio ya ampliamente estudiado por la crítica. No estaría de más subrayar, desde un
principio, las muchas resonancias bíblicas en *Flor de santidad*, ni tampoco los adjetivos *homérica* y *gaélica* aplicados
a la obra que por lo visto le dejó satisfecho en 1904, a pesar
de los muchos cambios que sufriría la edición princeps si la
comparamos con la definitiva de sus *Obras completas*.

De *Flor de santidad* conozco varias redacciones parciales
y de ellas quiero ocuparme brevemente ahora. El primer
texto es el cuento «Adega (Historia milenaria)», publicado
en cuatro entregas de la *Revista Nueva* (1899) dirigida por
Contreras. Este precedente ha sido señalado ya por la crítica, pero nadie que yo sepa ha descrito el cuento mismo ni
sus relaciones con la novela posterior. Basta por el momento
advertir que el texto de 1899, con todos los cambios, supre-

_____
[3] Este testimonio epistolar se reproduce en *Índice*, IX, (núms. 74-
75, abril-mayo de 1954), pág. 20.

siones y adiciones, hechos posteriormente, corresponde tan sólo a los cinco capítulos que forman la Primera Estancia de la versión definitiva. Es decir, en cuanto a la acción misma, el cuento refiere la entrega de Adega y la partida del peregrino a la mañana siguiente, después de la cual comienza a cumplirse su maldición sobre los rebaños. Una diferencia de bulto merece señalarse aquí en el cambio en la distribución de los capítulos. En el texto original la segunda parte de la narración cuenta los antecedentes y las visiones de Adega, mientras que en la versión definitiva, por razones que luego veremos, las mismas páginas se combinan en los capítulos III y V, siendo el IV en donde se narra la seducción de la pastora. Pecan, pues, de cierta ligereza crítica los comentaristas que repiten que Valle-Inclán *rehace* el cuento «Adega» al escribir, en 1904, su novela.

Un fragmento más breve de la obra, todavía con título y subtítulo idénticos, se inserta posteriormente en la revista modernista *Electra* (I, núm. 5, 13 de abril de 1901), y corresponde de nuevo a los capitulillos I, II y una porción del IV de la Primera Estancia de *Flor de santidad* en su redacción final. En este caso la acción se suspende con la entrada del peregrino y de Adega en el establo, suprimiéndose enteramente la parte intermedia sobre los antecedentes de la zagala. Por la indicación final «continuará» se supone que la intención de Valle era publicar, en el mismo sitio, otros fragmentos ya escritos o por escribir en aquel entonces. Hasta donde alcanzan mis informes, sin embargo, no lo hizo nunca. Un rápido cotejo de estas dos versiones tempranas revela que son bastante cercanas pero todavía distantes del texto más depurado.

En el mismo año de 1901 aparece en *Los Lunes del Imparcial* (3 de junio) otro breve texto que tiene un interés especial. Detengámonos un momento en este fragmento. Lo primero que se observa es el título sugestivo y ya definitivo de *Flor de santidad,* que encabeza el pequeño texto en cuestión. Valle eliminó el subtítulo, presente en los fragmentos anteriores y que va a reaparecer en sus *Obras completas.* Ya decidido el autor en lo que respecta al título de la obra, hay otra particularidad digna de mención. La pastora Adega de las versiones anteriores y de la definitiva no se llama así en ese texto de *Los Lunes del Imparcial,* sino *Minia,* como la santa de su aldea, frase que contribuye, pues, a la plena comprensión del título definitivo. En el texto final Valle menciona, en una nómina de las santas locales, a Santa Minia [4].

Por lo demás, el contenido de este texto de 1901 corresponde a un episodio más avanzado en la acción novelesca, episodio que ocupa los capítulos I y II de la Tercera Estancia en la edición definitiva. Se trata, pues, de la vuelta del peregrino al atrio de San Clodio. Como se recordará, él se queja de la falta de caridad en aquellas tierras y, rencoroso y profético, maldice los rebaños del amo. La candorosa pastora ordeña una oveja y da de beber en un cuenco de corcho al sediento romero. Ella a su vez toma agua de la fuente en el mismo cuenco ahora santificado por los labios del mendicante, y sus ojos le siguen mientras se aleja por el camino polvoriento. En la apacible tarde azul se oyen las esquilas, las voces de los zagales, y el murmullo de la fuente milagrosa, a donde la pastora conduce a las ovejas. Una de ellas que se acerca a la fuente con las demás muere dando balidos lastimosos. La humilde pastora empieza a llorar al ver «...cómo las culpas de los amos eran castigadas en el rebaño por Dios Nuestro Señor.»

---

[4] Ramón del Valle-Inclán, *Flor de santidad. Historia milenaria,* 3.ª edición, Col. Austral (Espasa-Calpe, S. A., 1961), pág. 26. Todas las citas de *Flor* que se hacen en el presente estudio corresponden a esta edición.

En su ya aludida carta a Ulloa, recién terminada la novela, Valle dice que desde hace diez años tiene hechos cinco
capítulos de la obra. Sin preocuparme por el lapso de tiempo advertido por el autor mismo (a menos que haya textos
primitivos desconocidos que remonten a 1894), es curioso
notar que lo publicado en el cuento «Adega» (cuatro entregas
numeradas) más el nuevo episodio de *Los Lunes del Imparcial* suman en efecto los cinco capítulos mencionados por
Valle en su carta de 1904. Pensar, sin embargo, por este
cálculo, que Valle no publicó otros fragmentos de la obra
entre 1899 y 1904 me parece una hipótesis muy arriesgada
dado su hábito de anticipar fragmentos sueltos de sus obras
en muchos lugares [5].

BREVE CARACTERIZACIÓN GENERAL DE «FLOR DE SAN-
TIDAD»: ARGUMENTO, COMPOSICIÓN Y PERSONAJES

Con el título mismo de la obra, adoptado en 1901, Valle-
Inclán acierta desde un principio por las múltiples asociaciones que llega a despertar en el pensamiento del lector.
Existe desde luego una íntima correspondencia entre el título y la pastora, una inocente y delicada virgen iluminada

---

[5] Estudiar las infinitas variantes que registran las mencionadas
redacciones, desde el cuento «Adega» hasta la versión más extensa y
final de las *Obras completas*, rebasa la intención del presente trabajo,
y reservo, para otra ocasión, esta tarea engorrosa. Basta decir, por
el momento, que en sus procedimientos creadores Valle a menudo
llega, mediante cambios y supresiones, a una mayor economía expresiva, y que por lo general, como ya ha apuntado la crítica textual de
la obra del escritor, consigue mejorar los textos a través de su constante reelaboración. Quisiera añadir, por lo demás, que entre los
cuentos de Valle que de una manera u otra se relacionan con la novela de 1904 habría que tener en cuenta, por ejemplo, los siguientes:
«Malpocado», «Geórgicas», «Égloga» y «Un ejemplo».

que se entrega por devoción y fe candorosa, creyendo que el perverso peregrino es realmente Dios Nuestro Señor. Corresponde también, con igual acierto, a toda la atmósfera mística y milagrera que llena casi de manera obsesiva las páginas de la novela. Adega [6] es, pues, una bella moza joven y pura, alucinada y visionaria, cuya inocencia resplandece siempre librándola de toda culpa. Es una víctima inocente y explotada [7]. A mi juicio, el título se refiere de modo directo a ella

[6] Sobre el nombre Adega dice Sender: «El nombre mismo de la muchacha del ramo cativo... es una combinación de sonidos vocales que sugiere ese color desteñido entre lino y estopa del cabello de algunas mozas campesinas comido por el sol. De las dos consonantes la *d* fuerte y la *g* suave son una remota alusión idílica... En el nombre de Adega no está la *ch* voluptuosa que tienen los de otras heroínas de Valle-Inclán (Concha, la Niña Chole), mujeres de placer. El nombre Adega parece ser el que corresponde a una chica ascética, iluminada, desteñida por los fieros aires del pastoreo, con alguna dulzura angélica más que voluptuosa en el busto...» (*ob. cit.*, págs. 105-106).
Por su parte Díaz-Plaja (*ob. cit.*, nota 8, pág. 178) afirma: «Adega es palabra original, estilización hacia la novedad de Águeda.» Y luego recuerda con acierto que en la *Sonata de otoño* Valle llama el nombre de Águeda «un hermoso nombre antiguo».

[7] En otras obras de Valle vuelve a aparecer Adega. Por ejemplo, en *El Marqués de Bradomín. Coloquios románticos* (1907), una escenificación de muchos elementos tomados directamente de *Sonata de otoño* y de *Flor de santidad*, figura de nuevo Adega, pero ahora llamada Adega la INOCENTE. Se le presenta en la siguiente acotación. «...asoma en la puerta del jardín una niña desgreñada, con ojos de poseída, que clama llena de un terror profético, al mismo tiempo que se estremece bajo sus harapos; es Adega la Inocente (Jornada I)». Se queja la cuitada de la falta de caridad en aquellas tierras y vaticina la muerte de los rebaños. Quiero agregar también que en la misma obra de 1907 aparece otra vez el ciego Electus, evocado con palabras tomadas de *Flor*, y se repite la imagen de su boca «semejante a una gran sandía abierta». Pero ahora su lujuria hasta alcanza a Adega la Inocente (*Ibidem*). Sobre esta obra de Valle, ver Emilio González López, *El arte dramático de Valle-Inclán* (Nueva York, 1967), págs. 63-70.
Igualmente con el nombre de la INOCENTE habla Adega en *Romance de lobos* (1907) cuando se afirma que los pobres son hijos de Dios Nuestro Señor y dice: «El Divino Jesús, también anduvo pidiendo por

y no al niño que va a nacer, cuyo advenimiento se anticipa con el repique *alegre* y *bautismal* de las campanas que cantan el nacimiento del día y las glorias celestiales en el momento en que termina la novela.

La acción principal de *Flor de santidad* es mínima. Se reduce esencialmente a unos cuantos hechos novelescos: la llegada a la venta del falso peregrino, con pasos de lobo y sonrisas ambiguas; la seducción de Adega en el establo; la muerte posterior del vengativo pordiosero; el exorcismo final de la pastora en la impresionante Misa de las Endemoniadas y su aparente preñez. Con esto termina la obra. Habría que destacar también algunos episodios subordinados. Primero, la maldición del peregrino y el mal de ojo que se le hace al ganado de la ventera, claros reflejos de la supersti-

---

los caminos del mundo, con unas alforjinas a cuestas que le bordara la Virgen Madre (Jornada II, escena VII)». De mayor interés quizá es que en *Águila de blasón* (1907) Sabelita, refugiada de la casa de don Juan Manuel Montenegro y ahora pastora, se convierte momentáneamente en otra Adega y hasta «está sentada a la sombra de unas piedras célticas, doradas por líquenes milenarios (Jornada V, escena III)».

Sin extremar esos posibles recuerdos parciales de Adega, quisiera llamar la atención sobre otros dos personajes de la galería valleinclanesca. Entre todos los personajes malvados que pululan en *Divinas palabras* (1920), capaz de caridad hay uno sólo si exceptuamos la acción final del Sacristán. Se trata de una niña extática, vestida de hábito nazareno y acompañada de sus padres, que en la venta se enternece ante el brutal escarnio del enano grotesco y le deja sobre el dornajo guindas y roscos. Y luego la evoca Valle de la siguiente manera: «Con su hábito morado y sus manos de cera, parece una virgen mártir entre dos viejas figuras de retablo (Jornada II, escena VII.)» Tal vez no sea dato perdido recordar que en el reparto de personajes menores en *Divinas palabras* figura otro falso peregrino.

Salvando las enormes distancias del caso, no puedo menos de volver a pensar en la Adega de *Flor de santidad* al leer la *Farsa italiana de la enamorada del rey* (1920), de fuerte sabor cervantino, en el sentido de que Mari-Justina es por algún tiempo víctima de sus ilusiones al enamorarse del Rey caduco antes de enfrentarse con la realidad de las cosas.

ción popular. Se cuenta la visita al saludador de Cela, que después de un delicioso diálogo de fuerte sabor popular con la maliciosa ventera, recomienda la manera de romper la condenación en las aguas. En una noche de luna van Adega y la ventera a la fuente para quitar el conjuro [8]. Después de la muerte del peregrino, Adega va perdida y alucinada por las sierras y caminos de la región hasta encontrar por fin acogida en el Pazo de Brandeso, símbolo de la caridad frente a la codicia representada por la venta abandonada por Adega. Y, por último, las visiones y los sueños de la zagala que son elementos estructurales importantes.

Por todo esto creo que en *Flor de santidad* la atmósfera entre religiosa y legendaria, milagrera y piadosa, cobra gran relieve hasta sobreponerse a los meros esquemas narrativos de la obra. Y lo que asegura el valor permanente de la novela es precisamente la armonización de todos estos elementos a los que se incorpora la nota picaresca dada por el diálogo de los campesinos [9]. Por encima de todo, pues, flota ese tono

---

[8] Para el tema del folklore gallego y las supersticiones en *Flor de santidad* (el ramo cativo, La Lamia, Fuentes-Roble, tesoros ocultos, etcétera) es excelente el artículo de Rita Posse, «Notas sobre el folklore gallego en Valle-Inclán», *Cuadernos hispanoamericanos*, LXVII (números 199-200, julio-agosto de 1966), págs. 493-520. Un nuevo dato bibliográfico: acabo de recibir la separata de un trabajo importante escrito por Emma Susana Speratti Piñero, conocida especialista en la obra de Valle, que se titula «Los brujos de Valle-Inclán», *NRFH*, XXI (número 1, 1972), págs. 40-70, y que incluye muchas referencias pertinentes a *Flor de santidad*.

[9] Además del sabroso diálogo ya mencionado con motivo del conjuro, quisiera recordar aquí la estampa popular del ciego ladino que cuenta sus decires maliciosos y habla con las aldeanas sonriendo «como un fauno viejo entre sus ninfas (34)». Ramón Gómez de la Serna, en su libro *Don Ramón María del Valle-Inclán*. Col. Austral, Espasa-Calpe, S. A., 1944 (pág. 110), recoge un interesante texto de Valle que merece citarse en este momento: «Esta teoría o sensación del centro me lleva a pensar que el artista debe mirar el paisaje con 'ojos de altura' para poder abarcar todo el conjunto y no los detalles mudables.

cuasi-místico, supersticioso y cristiano, que tanto contribuye a la recreación esencial de aquel mundo primitivo y mágico de la Galicia eterna y mítica. Viene a la mente aquí el
recuerdo de las dos primeras estrofas de la Balada Laudatoria que escribió Rubén para prologar *Voces de gesta* de
Valle.

No sólo es breve la acción en *Flor de santidad*, sino que
tampoco interesa al autor, hasta en los momentos más diná-
micos de la narración, pormenorizar los detalles que tanto le
hubieran atraído a un escritor realista-naturalista del siglo XIX. La técnica de Valle es otra. Prefiere, por ejemplo,
embellecer y sugerir la entrega de la cándida niña engañada
por su sincera devoción. De las circunstancias de la muerte
del peregrino se nos dice bien poco. En parte se insinúa a
través del sueño de Adega, y se supone que es el hijo malvado quien lo mata. Se oye, por ejemplo, el siguiente diálogo
entrecortado entre madre e hijo:

> ...La voz del mar resonaba cavernosa y lejana. Una sombra
> llamaba sigilosa en la venta. La hoz que tenía al hombro
> brillaba en la noche con extraña ferocidad. De dentro abrieron
> sin ruido, y hubo un murmullo de voces. Adega las reconoció.
> El hijo decía:
> —Esconda la hoz.
> Y la madre:
> —Mejor será enterrarla (58).

Más adelante sabemos que han llevado preso al hijo de
la ventera, por un crimen desconocido, y así desaparece de

Conservando en el arte ese aire de observación colectiva que tiene la
literatura popular, las cosas adquieren una belleza de alejamiento. Por
eso hay que pintar a las figuras añadiéndolas aquello que no hayan
sido. Así un mendigo debe parecerse a Job y un guerrero a Aquiles.»
Y estas palabras de Valle hay que tenerlas en cuenta no sólo en cuanto
al paisaje sino también en relación con los tipos populares que lo
pueblan en *Flor de santidad*.

escena este personaje. Ni siquiera en el desenlace de la novela, algo truncado, hay referencia alguna al destino final de Adega, lo cual —apresurémonos a notar— nos parece un gran acierto. Precisamente, no sólo por la creación de una atmósfera absorbente sino también por el aparente desinterés por ciertos detalles narrativos, tan del gusto de otros escritores, se aleja Valle-Inclán de los procedimientos novelescos característicos del siglo anterior. La visión de la Galicia milenaria que nos da Valle en *Flor de santidad* nada tiene que ver con el regionalismo decimonónico, sino que, de modo evocador, tiene en la obra una función estético-literaria. Frente a la llamada objetividad descriptiva, en esta prosa llena de armonía y cadencias prevalece la personalidad creadora del poeta-prosista. No documenta: ambienta y poetiza.

Advertida la tonalidad lírica de *Flor de santidad*, conviene ahora añadir que Valle ha organizado sus materiales novelescos en cinco *estancias*, término de obvia resonancia poética, que se fragmentan a su vez en cinco capitulillos, con excepción de la estancia central que se divide en seis [10]. Sin embargo, dentro de la aparente fragmentación narrativa y el desinterés por el esquema tradicional, Valle ha atendido bien al desarrollo interior de su obra mediante ciertos nexos y paralelismos que contribuyen a la unidad esencial del relato. Así funcionan en parte los sueños y visiones de Adega que luego estudiaremos, lo mismo que el motivo de la sangre, a que vuelve una y otra vez, y que parece prefigurar la muerte

---

[10] Bien conocida es la atención que solía dar Valle-Inclán no sólo a los títulos de sus obras sino también a su simetría estructural. Por esta fragmentación del relato, también característica de las *Sonatas*, tal vez sea lícito pensar en los retablos medievales, un procedimiento utilizado al ordenar en haz compacto cinco obras cortas en su *Retablo de la avaricia, la lujuria y la muerte*, publicado en libro en 1927, donde se destaca claramente una tabla central (*El embrujado*, 1913) en el retablo total.

del peregrino. La obvia antítesis entre el alma sencilla de Adega y la perversidad del peregrino se continúa —aunque de manera diferente— en el contraste entre la cándida entrega inicial y la visita nocturna que el Diablo le hace en su lecho (93) después de haber oído los exorcismos del Abad para quitarle el mal cativo. Son las mismas manos velludas. La fusión de lo religioso con lo sensual es idéntica. El exorcismo del ganado en la Fuente de San Gundián anticipa también el tremendo exorcismo de Adega misma en las páginas finales.

Antes de pasar a considerar el desenlace de la obra, conviene decir unas pocas palabras sobre los personajes de *Flor de santidad*. Lo que percibimos es un mundo cerrado, dominado por la religión y la superstición popular, en el que se insertan los personajes de la obra, con la posible excepción del hijo de la ventera que se atreve a negar los milagros visionarios de Adega, precisamente porque ha andado, como dice Valle, por luengas tierras [11]. Si en las *Sonatas*, por ejemplo, el acento suele caer en el individuo, en *Flor* pocos personajes se individualizan con nombres propios (Adega, el ciego Electus y otros personajes menores). Por otro lado, Valle concede una gran importancia a esa sociedad rural como colectividad: a las masas de pastores, pordioseros, mendigos y feriantes que caminan y sufren en un mundo inhóspito. Como en otras obras de Valle, sobre todo las de escenario gallego, esas masas constituyen algo así como un fondo movido contra el que transcurre la acción principal logrando así la recreación total del ambiente campesino. Y Valle siempre acierta, dicho sea de paso, en el manejo artístico de los grupos colectivos y anónimos. Lo mismo sucede

---

[11] Díaz-Plaja llama al hijo de la ventera: «único personaje de carne y hueso en esta mitología un poco fantástica de Valle-Inclán», *ob. cit.,* pág. 184.

con lo que pudiéramos tal vez llamar la colectividad animal:
ovejas, perros y lobos —que se destacan como elemento activo en la novela, a veces con claros ecos bíblicos. Quizás
quepa hablar también de lo colectivo y gregario de las campanas. Las personas aludidas con nombres genéricos (el
Abad, el Arcipreste, la dueña, etc.), se nos aparecen como
tipos eternos sin individualizar de acuerdo con las intenciones estéticas de Valle-Inclán.

SANTA BAYA DE CRISTAMILDE Y EL
DESENLACE DE «FLOR DE SANTIDAD»

Dignas en verdad de la más estricta antología de la prosa
valleinclanesca son las páginas en las que se evoca de modo
magistral la impresionante escena de la Misa de las Endemoniadas celebrada a media noche. Se trata de un fragmento descriptivo, orquestado en tonos casi épicos, y que
ha sido calificado por Díaz-Plaja como «de una grandiosidad
wagneriana», así como de «contextura sinfónica»[12]. Fallidos,
pues, los exorcismos del Abad, la señora del Pazo decide que
vaya Adega en romería, acompañada de una dueña y un criado, a Santa Baya de Cristamilde, que se encuentra al otro
lado del monte y a las orillas del mar. Junto con la caravana
de mendigos y tullidos que se arrastra por el camino, suben
al monte y descienden a la playa:

>...el camino se convierte en un vasto páramo de áspera y
>crujiente arena. El mar se estrella en las restingas, y de tiem-
>po en tiempo, una ola gigante pasa sobre el lomo deforme
>de los peñascos que la resaca deja en seco. El mar vuelve a
>retirarse broando, y allá en el confín, vuelve a erguirse negro

---

[12] *Ibid.*, pág. 177 y nota 10, pág. 179.

y apocalíptico, crestado de vellones blancos. Guarda en su
flujo el ritmo potente y misterioso del mundo. La caravana
de mendigos descansa a lo largo del arenal. Las endemoniadas
lanzan gritos estridentes, al subir la loma donde está la ermita,
y cuajan espuma sus bocas blasfemas. Los devotos aldeanos
que las conducen tienen que arrastrarlas. Bajo el cielo
anubarrado y sin luna, graznan las gaviotas. Son las doce de la
noche y comienza la misa... (95) [13].

Toda la pasión y la furia de las endemoniadas, que se
esfuerzan por llegar al altar, se descubren en los gritos
sacrílegos que lanzan durante la celebración de la misa. Al
terminar ésta las poseídas del mal, desnudas, marchan envueltas en blancos lienzos al mar, y allí para salvar su alma
reciben las siete olas, simbólicas de los pecados capitales.
Aprovechándose de una técnica eminentemente sensorial que
contribuye de modo eficaz a la representación dramática del
rito, pagano y cristiano a la vez, Valle evoca su momento culminante de la siguiente manera:

> ...Las endemoniadas, enfrente de las olas, aúllan y se resis-
> ten enterrando los pies en la arena. El lienzo que las cubre
> cae, y su lívida desnudez surge como un gran pecado legen-
> dario, calenturiento y triste. La ola negra y bordeada de es-
> pumas se levanta para tragarlas y sube por la playa, y se
> despeña sobre aquellas cabezas greñudas y aquellos hombros
> tiritantes. El pálido pecado de la carne se estremece, y las

---

[13] Cabe notar que el retumbar del mar suena repetidas veces a lo
largo de *Flor de santidad*, como *leit motiv* que acompaña la acción,
primero como un eco lejano desde la página inicial del texto, y ahora
en la Misa, con igual valor simbólico, se oye como presencia inmediata. Primero en la lejanía su retumbar es *ciclópeo y opaco* (13); luego
se oye en la soledad *bravío y ululante... como si fuese un lobo hambriento escondido en los pinares* (46); y por último «...El mar vuelve
a retirarse broando, y allá en el confín, vuelve a erguirse negro y
apocalíptico, crestado de vellones blancos. Guarda en su flujo el ritmo
potente y misterioso del mundo (95)».

bocas sacrílegas escupen el agua salada del mar. La ola se retira dejando en seco las peñas, y allá en el confín vuelve a encresparse cavernosa y rugiente. Son sus embates como las tentaciones de Satanás contra los Santos... (96).

Sale la Santa en sus andas, suena el esquilón y se oyen los latines litúrgicos. Con técnica pictórica Valle ha destacado, contra la negrura de la noche, los blancos y lívidos cuerpos estremecidos de las posesas en un sostenido juego de claroscuro. De este modo las percepciones sensoriales, visuales y sonoras, logran reforzar la expresión de todo el dramatismo interior y exterior de tan extraordinaria escena[14].

Ahora bien: en el último momento, la dueña se dirige, con voz misteriosa, al criado y pregunta:

—¿No ha reparado cosa ninguna cuando sacamos del mar a la rapaza? La verdad, odiaría condenarme por una calumnia, mas paréceme que la rapaza está preñada... (98).

Con esta sola frase Valle da un sesgo irónico e inesperado al desenlace de su novela. De repente se viene abajo un mundo dominado por la fe ingenua y se desvaloriza la atmósfera de candidez que tanto se había empeñado el autor en crear a lo largo de *Flor de santidad*. Las palabras *paréceme que está preñada* no sólo son una disonancia abrupta sino que pueden interpretarse como una llamada a la realidad

---

14 No puedo resistir la tentación de relacionar esta movida descripción de la Misa, a la que se alude brevemente en *El embrujado* hacia el fin de la Jornada II, con otras escenas del mismo tipo en la obra de Valle, como por ejemplo la visión sobrenatural de la Santa Compaña en la escena inicial de *Romance de lobos*. También en *Divinas palabras* (Jornada II, escena VIII) está presente el mismo tono cuando a Mari-Gaila se le aparece el Trasgo Cabrío. Y no me parece aventurado recordar el efecto que esos tres episodios pudieron ejercer en la obra de Federico García Lorca.

de las cosas frente al aire místico que siempre envolvía a la ingenua Adega. Y cabe preguntarse si, como en *Divinas palabras* (1920) [15], el propósito de Valle no es burlarse precisamente de la fe ingenua y de la credulidad religiosa de los campesinos o hasta *de la creencia tan arraigada y extendida de la perpetua virginidad de María* [16]. Por otra parte, frente a la posible ambigüedad del desenlace recordemos que la realidad misma de la preñez será para la gente el milagro tantas veces prometido por la pastora a través de sus alucinaciones. Notemos también que, intencionalmente, la palabra *paréceme* nos deja siempre con una pequeña duda y que a Valle no le preocupaba tanto concluir su relato como suspender la narración y dar al lector la oportunidad de completar el destino de Adega. Una vez más, al terminar la lectura de *Flor de santidad*, se pone de manifiesto el fino espí-

---

[15] Se recordará que en *Divinas palabras* el escarnio de la mujer adúltera cesa de repente, en el momento en que los rústicos oyen en el misterioso latín litúrgico lo que antes había dicho el sacristán en español sin ningún resultado positivo. Por lo demás, en *Flor de santidad*, el latín litúrgico del Abad «le [a Adega] infundía un pavor religioso (92)».

Valle no se burla de Adega, ni tampoco en otras obras se burla de la religión sincera. Es la hipocresía lo que más le molesta. Quizá ha de verse en *Flor de santidad* algo de suave ironía en el rápido retrato del Abad, escoltado por dos galgos viejos y cuyo grave andar eclesiástico hace retemblar el piso (92). Además del peregrino farsante y concupiscente, Valle parece criticar de modo tangencial la religiosidad no del todo cristiana del Señor Arcipreste, con quien topa Adega en el camino. Por cierto, no ofrece ayuda a la rapaza, diciéndole, al saber que busca amo, «pues hay que sacarse de correr por los caminos» y luego «deja caer una lenta bendición y se aleja al paso majestuoso de su yegua (69)».

[16] En una inteligente reseña del libro *Ensayo sobre el humorismo en las* Sonatas *de Ramón del Valle-Inclán* (1962) por Juan Ruiz de Galarreta, Gerard C. Flynn (*Hispanic Review*, XXXIII, 1965, páginas 71-73) afirma: «*Flor de santidad* (which is a sonata) is a *desvalorización* of the Incarnation, especially as that mystery concerns the Mother of God... (pág. 72).»

ritu irónico e irreverente de Valle-Inclán al concluir su obra
con una calculada nota ambigua. ¿No será esto parte de la
técnica valleinclanesca de arrancar máscaras y revelar rostros?

LA LOCALIZACIÓN EN EL TIEMPO

Uno de los aspectos más intrigantes de *Flor de santidad*
es el del tiempo. A primera vista la novela parece acontecer
en una vaga y remota Edad Media. La atmósfera de leyenda
piadosa y la religiosidad cándida, las pestes y el Año de
Hambre, y hasta los tipos más característicos de aquella sociedad semi-feudal traen indudables ecos de tiempos lejanos. Sin embargo, lo que en realidad quiere subrayar Valle
es la supervivencia del pasado medieval en Galicia. La perspectiva del autor se nos revela estilísticamente en el insistente uso del demostrativo *aquel*, índice de lejanía, y en las
siguientes frases en que lo temporalmente remoto y vago
está claramente manifiesto:

a) Aquel mendicante desgreñado y bizantino... parecía resucitar la devoción penitente del tiempo antiguo, cuando toda
la Cristiandad creyó ver en la celeste altura el Camino de
Santiago... (13).

b) (Adega) Era muy devota, con devoción sombría, monta-
ñesa y arcaica... La voz de la sierva era monótona y cantarina:
hablaba el romance arcaico, casi visigodo, de la montaña... (15, 16).

c) El mastín, como en una historia de santos, vino silencioso a lamer las manos del peregrino y la pastora... (22).

d) ...guardan todavía más malicia que sus decires, esos
añejos decires de los jocundos arciprestes aficionados al vino
y a las vaqueras y a rimar las coplas... (34).

e) ...el abuelo, un viejo risueño y doctoral, con las guede-
jas blancas, con las arrugas hondas y bruñidas, semejante a
los santos de un antiguo retablo... (38).

f) ...Sobre su frente batía como una paloma de blancas alas la oración ardiente de la vieja Cristiandad, cuando los peregrinos iban en los amaneceres cantando por los senderos florecidos de la montaña... (48).

g) ...Lleva trasquilada sobre la frente, como un siervo de otra edad, la guedeja lacia y pálida, que recuerda las barbas del maíz... (68).

h) ...La Mayorazga del Pazo era una evocación de otra edad, de otro sentido familiar y cristiano, de otra relación con los cuidados del mundo... (90).

En efecto, Valle no precisa nunca la época, ni le interesa hacerlo porque quiere dar a su narración una nota de atemporalidad. No mide distancias sino que confiere una cualidad mítica y eterna a la acción novelesca [17]. Recordemos que el peregrino salmodia «una historia sombría, forjada con reminiscencias de otras cien (13).» No es un determinado peregrino sino *uno de muchos*; Adega se parece a la zagala de las leyendas. Así los otros personajes: tipos eternos de Gali-

---

[17] Al estudiar a las criaturas de Valle-Inclán, Díaz-Plaja considera a Adega bajo el rótulo de «la visión mítica», y creo que hace bien. Sin embargo, si uno ha de ajustarse a las ahora famosas tres posiciones que definen la mirada del autor, según Valle mismo, no creo que el autor vea a Adega «de rodillas», como implica Díaz-Plaja, sino más bien «de pie» o frente a nosotros (*ob. cit.*, págs. 175-176). Esta es, al parecer, la opinión de Ramón Sender cuando escribe: «Don Ramón, que escribió los otros libros de su vasto repertorio a la manera española, es decir, mirando a sus personajes de arriba a abajo como debe mirarnos Dios mismo, maltratándolos caprichosamente y a veces cruelmente, escribe *Flor de santidad* situándose al lado del peregrino, vistiéndose un capisayo igual y respirando el mismo aire de Adega y del ventero y de los mendigos erráticos... No trata Valle-Inclán a estos seres con la violencia arbitraria que usa en otras narraciones ni con la altivez del escritor ibérico sino como a sus iguales y hermanos... En *Flor de santidad* están perfectamente expuestos los más pequeños matices de la desdicha del nacer de toda esa gente y la síntesis de esa desdicha o pecado del nacer no es el rencor ni la blasfemia sino la poesía», *ob. cit.*, págs. 103-104.

cia. Y aquí cobra nuevo valor el subtítulo de *historia milenaria.* Además de su connotación medieval y religiosa, Valle
insinúa la idea de algo que pertenece tanto al pasado como
al presente, algo que se repite y se repetirá una y otra vez.
Para esta concepción del tiempo son sumamente instructivos
los siguientes fragmentos de *La lámpara maravillosa,* libro
tantas veces clave para comprender al autor y sus intenciones estéticas. Al hablar de Santiago de Compostela Valle insiste en su calidad de eterna e inmutable, una ciudad inmo-
vilizada [18]:

> En esta ciudad petrificada huye la idea del Tiempo. No pa-
> rece antigua, sino eterna. Y Compostela, como sus peregrinos
> de calva sien y resplandeciente faz, está llena de una emoción
> ingenua y romántica de que carece Toledo... Pero Compostela,
> inmovilizada en el éxtasis de los peregrinos, junta todas sus
> piedras en una sola evocación, y la cadena de siglos tuvo siem-
> pre en sus ecos la misma resonancia. Allí las horas son una
> misma hora, eternamente repetida bajo el cielo lluvioso.

También en *La lámpara maravillosa* Valle recuerda cómo
en su adolescencia entraba en la cocina, donde se reunía la
familia, una vieja ciega que contaba cuentos de «evocación
nocturna». Al hablar de aquellos relatos oídos en su juventud no parece sino que Valle se estuviera refiriendo a ciertos
aspectos de su propia obra *Flor de santidad.* Aunque la cita
es extensa, vale la pena reproducir este testimonio que considero muy significativo para el estudio de la novela que
aquí nos concierne. Valle dice [19]:

> ...Sus cuentos nunca sucedían en el mundo de nuestros sen-
> tidos. Tenían un paisaje translúcido. Eran relatos campesinos

[18] *La lámpara maravillosa,* Col. Austral (Espasa-Calpe, S. A., 1948),
págs. 101-102.
[19] *Ibid.,* págs. 122-124.

que convertían en mitos el alma milenaria de aquella aldeana
ciega, parecían grimorios imbuidos de poder cabalístico, tan
religioso era el respeto que ponía en el signo de algunas palabras... todo estaba lleno de taumaturgia y de misterio. Emana-
ba una sensación de silencio de aquellos relatos forjados de
augurios, de castigos, de mediaciones providenciales, y el paisaje que los ojos de la narradora ya no podían ver, tenía la quietud de las imágenes aprisionadas en los espejos mágicos.
...Aquel paisaje acendrado, inmovilizado, embalsamado, de
recuerdos, era el de sus historias. Todas las cosas estaban
imbuidas de un misticismo estático: Las almas en pena, las
mozas ofrecidas, los robos y las muertes se mezclaban en
acciones profundas y silenciosas que más parecían vistas por
las estrellas del cielo que por ojos humanos. Desaparecía la
idea temporal, eran acciones contempladas por una conciencia
difusa, milagrera y campesina; la conciencia de un karma...
Aquella ciega de aldea cuando contaba sus historias parecía
estar mirándolas en el fondo de su alma, algunas tenían el
terror trágico de los poemas primitivos, sobre otras pasaba el
vuelo inocente de los ángeles. El alma de la ciega era como un
caracol marino lleno de resonancias, oía las voces de cien ge-
neraciones, estaba llena del rumor de los maizales, y los cuentos que contaba parecían nacidos a lo largo de las veredas bajo
el influjo de la luna. ¡Felices los ojos que ciegan después de
haber visto, porque purifican su conocimiento de geometría y de
cronología! Para que nuestras creaciones bellas y mortales sean
divinas pautas, penetremos religiosamente bajo ese arco de
luz donde todas las cosas son cerca y lejos, rotos los lazos del
lugar y de la hora.

En este pasaje Valle parece establecer ciertos principios
estéticos que no pudieron menos de influir mucho en su
intento de elevar a categoría de mito la historia de *Flor de
santidad*. Al querer romper con las limitaciones del tiempo
capta la esencia del mundo gallego en lo que tiene de absoluto, inmutable y eterno. Observemos también que se trata
siempre de una visión depurada que trasciende la mera rea-

lidad (en el fragmento transcrito, Valle insiste en *la purificación* de la imagen) y que para objetivar esta visión, el
autor cuenta con la potencia cabalística de la palabra. Esta
actitud es desde luego la de un poeta. Se recordará además
que las acciones profundas y silenciosas de los cuentos de
aquella vieja parecían ser más «vistas por las estrellas del cielo que por ojos humanos». Y para alcanzar la pauta divina,
como dice Valle-Inclán, hay que penetrar religiosamente
«bajo ese arco de luz donde todas las cosas son cerca y
lejos, rotos los lazos del lugar y de la hora».
   Y ¿por qué no citar aquí otro texto clave tomado de la
breve noticia que encabeza *La media noche. Visión estelar
de un momento de guerra* (*Obras completas*, 2.ª ed., II, Madrid, 1952, págs. 631-632) que confirma ese punto de vista de
Valle narrador? El fragmento dice así:

> ...Todos los relatos están limitados por la posición geomé-
> trica del narrador. Pero aquel que pudiese ser a la vez en di-
> versos lugares, como los teósofos dicen de algunos fakires, y
> las gentes novelescas de Cagliostro, que, desterrado de París,
> salió a la misma hora por todas las puertas de la ciudad, de
> cierto tendría de la guerra una visión, una emoción y una con-
> cepción en todo distinta de la que puede tener el mísero testigo,
> sujeto a las leyes geométricas de la materia corporal y mortal.
> Entre uno y otro modo habría la misma diferencia que media
> entre la visión del soldado que se bate sumido en la trinchera,
> y la del general que sigue los accidentes de la batalla encor-
> vado sobre el plano. *Esta intuición taumatúrgica de los parajes
> y los sucesos, esta comprensión que parece fuera del espacio
> y del tiempo, no es, sin embargo, ajena a la literatura, y aun
> puede asegurarse que es la engendradora de los viejos poemas
> primitivos, vasos religiosos donde dispersas voces y dispersos
> relatos se han juntado, al cabo de los siglos, en un relato má-
> ximo, cifra de todos, en una visión suprema, casi infinita de
> infinitos ojos que cierran el círculo...* El círculo, al cerrarse, en-
> gendra el centro y de esta visión cíclica nace el poeta, que vale
> tanto como decir el Adivino. (Lo subrayado es nuestro.)

La relación explícita de estas palabras con algunos aspectos de *Flor de santidad* y con la perspectiva de Valle me
exime de mayor comentario.

LOS SUEÑOS Y VISIONES DE ADEGA

Que yo recuerde nadie se ha ocupado detenidamente
del papel a veces muy importante que los sueños y visiones
suelen tener en varias obras de Valle-Inclán. Es un procedimiento utilizado a menudo que corresponde a variados motivos literarios, y por el momento ese aspecto integral de
Flor de santidad merece breve noticia aquí, porque las visiones primero cándidas y luego cada vez más alucinadas de
Adega no sólo agregan una importante dimensión psicoló-
gica a la obra sino que también contribuyen de modo eficaz
a la creación del ambiente suprarreal de la novela.

Adega, llena de fe ingenua, se ha entregado ya al peregrino, y quizá para hacer más plausible la seducción Valle, al
finalizar la primera Estancia, llama la atención sobre el alma
siempre visionaria de la pastora [20]. Ella ha tenido toda una
serie de visiones celestiales y ha visto, milagrosamente desgarradas las nubes, a Dios Nuestro Señor sentado en la Gloria y en medio de los santos. Ella reconoce a los santos locales y ellos, a su vez, reconocen a su sierva. Se describe con
toda prolijidad la morada divina:

> ...Vivían en capillas de plata cincelada, bordadas de pedre-
> ría como la corona de un rey. Las procesiones se sucedían
> unas a otras, envueltas en la bruma luminosa de la otra vida.

---

[20] Se recordará que en el cuento primitivo «Adega» las páginas dedicadas a los primeros sueños y visiones milagrosos de la pastora
anteceden la entrada del peregrino al establo, pero, en la versión definitiva, el orden se invierte.

Precedidas del tamboril y de la gaita, entre pendones carmesí y cruces resplandecientes, desfilaban por fragantes senderos alfombrados con los pétalos de las rosas litúrgicas que ante el trono del Altísimo deshojaban día y noche los serafines. Mil y mil campanas prorrumpían en repique alegre, bautismal, campesino... Zagales que tenían por bordones floridas varas, guardaban en campos de lirios ovejas de nevado, virginal vellón, que acudían a beber el agua de fuentes milagrosas cuyo murmullo semeja rezos informes. Los zagales tocaban dulcísimamente pífanos y flautas de plata, las zagalas bailaban al son, agitando los panderos de sonajas de oro. ¡En aquellas regiones azules no había lobos, los que allí pacían eran los rebaños del Niño Dios!... (26-27).

Así es que ya desde un principio, perdida en las nieblas de sus constantes visiones celestiales, vive Adega en un perpetuo sueño, dato subrayado varias veces por Valle. Después de la muerte del peregrino, se alucina cada vez más la cuitada y vagando por el campo clama por el niño, con un sol en la frente, que nacerá de una humilde pastora y de Dios Nuestro Señor. En un momento se le hace más real y concreta la visión del niño:

...Sentada en el jardín señorial bajo las sombras seculares, suspiraba viendo morir la tarde, breve tarde azul llena de santidad y de fragancia. Sentía pasar sobre su rostro el aliento encendido del milagro, y el milagro acaeció. Al inclinarse para beber en la fuente, que corría escondida por el laberinto de arrayanes, las violetas de sus ojos vieron en el cristal del agua, donde temblaba el sol poniente, parecerse el rostro de un niño que sonreía. Era aquella aparición un santo presagio. Adega sintió correr la leche por sus senos, y sintió la voz saludadora del que era hijo de Dios Nuestro Señor. Después sus ojos dejaron de ver. Desvanecida al pie de la fuente, sólo oyó un rumor de ángeles que volaban... (89-90).

Y luego, a los regaños de la dueña por haber querido igualarse con la Virgen María, responde la pastora:

—¡Nunca tal suceda!... Bien se me alcanza que soy una triste
pastora, y que es una dama muy hermosa la Virgen María. Mas
a todas vos digo que en las aguas de la fuente he visto la faz
de un infante que al mismo tiempo hablaba dentro de mí...
¡Agora mismo oigo su voz, y siento que me llama, batiendo
blandamente, no con la mano, sino con el talón del pie, menudo y encendido como una rosa de mayo! (91-92).

En el Pazo los criados piden que cuente Adega sus visiones y, al escucharla, entre incrédulos y supersticiosos, se
dan cuenta de que en efecto está poseída por el mal cativo,
por lo cual piensan llevarla a Santa Baya de Cristamilde,
cuyo prodigio más notable es quitar a las posesas los malos
espíritus. Valle evoca por medio de una imagen sinestésica
el poder mágico de la Santa, cuyo nombre «...ha dejado
tras sí un largo y fervoroso murmullo que flota en torno del
hogar, como la estela de sus milagros (87)».

En sueños también se prefigura la muerte del peregrino.
En una ocasión, espera Adega con ansiedad su regreso para
que la liberte de su cautiverio y castigue la crueldad de los
amos. El peregrino se le aparece en el sueño: lo ve llegar
ahora hermosamente transfigurado. Mientras caminaba, las
espinas le desgarran los pies descalzos y «en cada gota de
sangre florecía un lirio (42)». Al entrar en el establo la idealidad del sueño se acentúa hasta resolverse en una estampa
religiosa:

> ...las vacas se arrodillaban mansamente, el perro le lamía las
> manos, y el mirlo, que la pastora tenía prisionero en una jau-
> la de cañas, cantaba con dulcísimo gorjeo y su voz parecía de
> cristal... Adega sentía que su alma se llenaba de luz, y al
> mismo tiempo las lágrimas caían en silencio de sus ojos. Llora-
> ba por sus ovejas, por el perro, por el mirlo cantador que se
> quedaban allí. El peregrino adivinaba su pensamiento y desde
> el sendero volvía atrás los ojos, con lo cual bastaba para que
> se obrase el milagro. La pastora veía salir las ovejas una a una,

y al mirlo que volaba hasta posársele en el hombro, y al perro
aparecerse a su lado lamiéndole las manos (42).

De vez en cuando se despertaba Adega sobresaltada por
los ruidos nocturnos, y a la mañana siguiente creía ver la
yerba salpicada de sangre. En otra ocasión el sueño se hace
más sombrío. Llena de un miedo inexplicable, Adega se
duerme:

...El sopor del sueño la vencía con la congoja y la angustia
de un desmayo. Era como si lentamente la cubriesen toda entera con velos negros, de sombras pesadas y al mismo tiempo
impalpables. De pronto se halló en medio de una vereda soli-
taria. Iba caminando guiada por el claro de la luna que temblaba milagroso ante sus zuecos de aldeana. Sentíase el rumor
de una fuente rodeada por árboles llenos de cuervos. El peregrino se alejaba bajo la sombra de aquellos ramajos. Las conchas de su esclavina resplandecían como estrellas en la negrura del camino. Una manada de lobos rabiosos, arredrados por
aquella luz, iba detrás... (57).

De repente, al despertar, Adega oye las voces siniestras de
los que están decidiendo qué hacer con la hoz que lleva el
hijo de la ventera. La pastora se lanza apuradamente al campo. Guiada, pues, por el presentimiento del sueño encuentra,
al amanecer, el cuerpo del peregrino tendido cerca de la fuente y en seguida reconoce el lugar como el mismo de su sueño.
Dentro del contexto se ha mencionado ya el sueño-visión de
la visita nocturna y sensual que hace el Demonio a la cama

---

21 Aunque Díaz-Plaja se ocupa brevemente del paisaje en la obra,
afirma que «...Las notaciones de paisaje en *Flor de santidad* son curio-
samente escasas», *ob. cit.*, págs. 176-177. Me permito discrepar ligeramente del crítico español, porque creo que en el paisaje mismo a veces
tienden a confundirse los personajes y que éste agrega una dimensión
significativa al relato. Es verdad, sin embargo, que Díaz-Plaja, en el
caso de la descripción de la Misa, encuentra en ella cómo el contorno
«se sintoniza a la acción» de una manera notable. *Ibid.*, pág. 177.

de Adega y cómo actúa de contrapunto con la casi embellecida seducción inicial.

Las visiones en *Flor de santidad* no sólo sirven para anticipar y hasta aclarar la acción misma, sino también para caracterizar el alma extática de la zagala, y acentuar de manera sensible la tonalidad de milagro y de alucinación, tan esencial para la representación integral del ambiente. Y, por otra parte, los fantásticos cuentos populares referidos por los pastores y la presencia del buscador de tesoros ocultos tienen análoga función en el relato, en el sentido de que contribuyen a recrear todo este mundo mágico e irreal, supersticioso y religioso en que la novela transcurre.

EL PAISAJE EN «FLOR DE SANTIDAD»

Es ya un lugar común decir que *Flor de santidad* y *Aromas de leyenda* (1907) se articulan íntimamente entre sí porque Valle parece haber querido ofrecernos en verso en la última lo que había escrito en prosa en la primera[22]. Es verdad que ambos libros se emparentan por la visión de Galicia y sus habitantes, por la atmósfera que a veces es de leyenda piadosa, y hasta por la repetición de ciertas imágenes muy del gusto de Valle[23]. Sin embargo, el paisaje de *Aromas*

---

[22] Se ha ocupado detenidamente de ambas obras María Antonia Sanz Cuadrado en su trabajo «*Flor de santidad* y *Aromas de leyenda*. Estudio comparativo», *Cuadernos de literatura contemporánea* (número 18, 1946), págs. 503-538.

[23] Por de pronto pienso en los molinos *picarescos*, los cipreses *pensativos*, y copio de *Flor de santidad* la siguiente imagen que volverá a aparecer en sus versos de 1907. «Se levantaba (el canto del ruiseñor) sobre la copa oscura de un árbol, al salir la luna, ondulante, dominador y gentil como airón de plata en la cimera de un arcángel guerrero (78).»

es casi exclusivamente risueño y acogedor. Se cantan sobre
todo las mañanas azules, las eras verdes, y otros aspectos
placenteros del paisaje húmedo de Galicia. En *Flor de santidad*, por lo contrario, la acción tiene por fondo paisajes
de montaña o, como dice Antonio Machado en su conocido
soneto, los personajes caminan «entre los agrios montes de
la galaica sierra». Ya desde un principio se imponen las notas frías, tétricas y sombrías de ese paisaje gallego. Como
leit motif se oye en la lejanía el retumbar de las olas «como
eco simbólico de las borrascas del mundo (13)», y Valle describe cómo la venta está situada:

> ...en mitad de un descampado donde sólo se erguían algunos
> pinos desmedrados y secos. El paraje de montaña, en toda
> sazón austero y silencioso, parecíalo más bajo el cielo enca-
> potado de aquella tarde invernal... Era nueva la venta, y en
> medio de la sierra adusta y parda, aquel portalón color de san-
> gre y aquellos frisos azules y amarillos de la fachada, ya bo-
> rrosos por la perenne lluvia del invierno, producían indefinible
> sensación de antipatía y de terror.
> Anochecía, y la luz del crepúsculo daba al yermo y riscoso
> paraje entonaciones anacoréticas que destacaban con sombría
> idealidad la negra figura del peregrino. Ráfagas heladas de la
> sierra que imitan el aullido del lobo, le sacudían implacables
> la negra y sucia guedeja... Empezaban a caer gruesas gotas de
> lluvia, y por el camino real venían ráfagas de polvo y en lo alto
> de los peñascales balaba una cabra negra. Las nubes iban a
> congregarse en el horizonte, un horizonte de agua. Volvían las
> ovejas al establo, y apenas turbaba el reposo del campo ateri-
> do por el invierno el son de las esquilas... (13-14).

El paisaje muchas veces acompaña y se ajusta a la acción
misma. Por ejemplo, cuando Adega y la ventera se dirigen,
aquella noche de luna, a la fuente de San Gundián para que
se rompa el maleficio hay una ecuación de armonía entre el
paisaje exterior y las notas de misterio, soledad, y brujería

implícitas en aquel episodio (44-46). De vez en cuando en *Flor de santidad* se evoca la paz de las tardes, en las cuales repican las infinitas campanas de los santuarios, y Valle se siente atraído por los momentos crepusculares:

> Los rebaños ondulaban por un sendero de verdes orillas, largo y desierto, que allá en la lontananza aparecía envuelto en el rosado vapor de la puesta solar. De tiempo en tiempo los zagales corrían dando voces y agitando los brazos para impedir que los rebaños se juntasen. Después volvía a reinar el silencio de la tarde en los montes que se teñían de amatista. Extendíase en el aire una palpitación de sombra azul, religiosa y mística como las alas de esos pájaros celestiales que al morir el día vuelan sobre los montes llevando en el pico la comida de los santos ermitaños... (53-54),

lo mismo que por el tranquilo anochecer evocado con el mismo aire poético [24]:

> Susurraron largamente los maizales, levantóse la brisa crepuscular removiendo las viejas hojas del infolio, y la luz del cirio se apagó ante los ojos de las dos mujeres. Habíase puesto el sol, y el viento de la tarde pasaba como una última alegría sobre los maizales verdes y rumorosos. El agua de los riegos corría en silencio por un cauce limoso, y era tan mansa, tan cristalina, tan humilde, que parecía tener alma como las criaturas del Señor. Aquellas viejas campanas de San Gundián y de San Clodio, de Santa Baya de Brandeso y de San Berísimo de Céltigos dejaban oír sus voces en la paz de la tarde, y el canto de un ruiseñor parecía responderlas desde muy lejos... (78).

---

[24] Al reproducir y comentar el mismo fragmento paisajístico, Díaz-Plaja anota en él, con acierto, una condición básica de los modos descriptivos de Valle en *Flor de santidad*, diciendo: «He aquí lo que pudiéramos denominar orquestación de un paisaje, sobreponiendo un conjunto acústico-temporal a su condición plástico-espacial...», *ob. cit.*, página 178.

Veamos otra vez cómo Valle parece organizar el paisaje
y la figura humana en él inserta con detalles que dan un
efecto pictórico a la representación de una escena campesina:

> El ciego se incorpora entumecido, y apoya la mano en el
> hombro del niño, que contempla tristemente el largo camino,
> y la campiña verde húmeda, que sonríe en la paz de la tarde,
> con el caserío de las aldeas disperso y los molinos lejanos des-
> apareciendo bajo el emparramado de las puertas, y las mon-
> tañas azules, y la nieve en las cumbres. A lo largo del camino
> un zagal anda encorvado segando yerba, y la vaca de trémulas
> y rosadas ubres pace mansamente arrastrando el ronzal... (76).

Se habrá notado en estos fragmentos como todo un aire
piadoso tiende a matizar la evocación de la naturaleza a través de imágenes de fuerte resonancia religiosa. Ese procedimiento de utilizar toda una terminología litúrgica en los modos descriptivos llega a su uso más sostenido en la siguiente
evocación de un apacible y sereno amanecer:

> Parecía una iluminada llena de gracia saludadora. El sol
> naciente se levantaba sobre su cabeza como para un largo día
> de santidad. En la cima nevada de los montes temblaba el
> rosado vapor del alba como gloria seráfica. La campiña se des-
> pertaba bajo el oro y la púrpura del amanecer que la vestía
> con una capa pluvial. La capa pluvial del gigantesco San Cris-
> tóbal desprendida de sus hombros solemnes... Los aromas de
> las eras verdes esparcíanse en el aire como alabanzas de una
> vida aldeana, remota y feliz. En el fondo de las praderas el
> agua, detenida en remansos, esmaltaba flores de plata. Rosas y
> lises de la heráldica celestial que sabe la leyenda de los Reyes
> Magos y los amores ideales de las santas princesas. En una
> lejanía de niebla azul se perfilaban los cipreses de San Clodio
> Mártir rodeando el Santuario, oscuros y pensativos en el des-
> cendimiento angélico de aquel amanecer, con las cimas mustias
> ungidas en el ámbar dorado de la luz... (30-31).

Creo que estas citas bastarán para comprobar la variedad de paisajes evocados en *Flor de santidad*, desde las alegres mañanas en las que el sol dora la campiña hasta las noches solitarias y llenas de murmullos misteriosos. Pero lo más notable, de nuevo, es destacar los modos en que la evocación, casi siempre lírica e impresionista con sus juegos de luz y de color, contribuye a armonizar los elementos que componen el cuadro total. Una breve cita final ilustra cómo en la noche las voces humanas se unen con la naturaleza y así queda subrayada la armoniosa unidad cósmica del mundo: «...Las voces de las espadadoras se juntaban en una palpitación armónica con el rumor de las fuentes y de las arboledas. Era como una oración de todas las criaturas en la gran pauta del Universo (90)».

EL MODERNISMO ESENCIAL EN «FLOR DE SANTIDAD»

Como se habrá visto ya, el estilo de Valle en la novela que estudiamos aquí es todavía netamente modernista, y, por lo tanto, se afilia con la prosa artística de Rubén Darío, sin que pierda su propia originalidad el escritor español. Pasarían muchos años antes de que Valle se desprendiera por completo de tan fecunda herencia literaria, aunque no conviene olvidar que este alejamiento de lo solemne formal comienza, a pesar del modernismo no mitigado de *Cuento de abril* (1909), en unas obras deliciosas, como *La cabeza del dragón* (1909) y *La marquesa Rosalinda* (1913).

La prosa de *Flor de santidad*, de admirable mérito formal y a menudo de clara entonación poemática, obedece siempre a un ideal de perfección estilística aprendida en el modernismo. Pero éste de Valle es, a mi juicio, un modernismo esencial, alejado ya de lo meramente decorativo y parna-

siano. Se trata de un estilo al servicio del tema gallego, no
en lo que éste tiene de regionalismo objetivo y local, sino de
eterno y mítico, cuya evocación artística se logra gracias a
la sugestividad de un lenguaje estéticamente elaborado, y a
veces salpicado de arcaísmos que dan una dimensión especial al habla de las gentes campesinas [25]. ¡Qué finas las palabras de Machado sobre la lengua de *Flor de santidad*!:

> Esta leyenda, en sabio romance campesino,
> Ni arcaico ni moderno, por Valle-Inclán escrita, ...

De modo especial el modernismo de la obra ha de verse
en el sostenido embellecimiento lírico del paisaje y de la
pastora. No faltan aquí las técnicas pictóricas, como ya hemos visto, aprendidas de seguro en los impresionistas. Por
otra parte tiende a desaparecer en *Flor de santidad* el refina-
miento rebuscado y la sensualidad característicos de las *Sonatas*. Los típicos decadentismos fin de siglo apenas entran
en la elaboración de la obra, aunque quede en ella como eco
la mezcla irreverente de lo piadoso y lo profano (la seducción de Adega, por ejemplo, se insinúa al menos en parte
cuando el peregrino le cuelga el rosario). Sin embargo, ya
no le interesa tanto a Valle cultivar la sensación rara y exquisita. El estilo, por lo demás, me parece menos libresco que
en las *Sonatas*, y será eliminado, de acuerdo con las nuevas
exigencias temáticas, el término de comparación artística y
literaria, lo cual daba al estilo modernista su aire de museo

---

[25] Quisiera recordar aquí una frase de Juan Ramón Jiménez tomada de sus magníficas páginas «Ramón del Valle-Inclán (Castillo de
quema)»: «...Galicia libró a Valle-Inclán del modernismo exotista, que
pasó pronto en él, por fortuna para todos, y del castellanista, de tan
lamentables y duraderos resultados en algunos...» Cito según *Pájinas
escogidas (Prosa)*, Madrid, 1958, pág. 138.

y de biblioteca [26]. Es decir, no todo está filtrado por el prisma del arte aunque se ha hablado ya en *Flor de santidad* de una estilización d'annunziana de la Galicia real. Valle no deja nunca de escribir, sin embargo, una prosa rítmica y musical. Un procedimiento estilístico característico de la prosa de *Flor de santidad* es la constante reiteración de ciertas imágenes, casi siempre plasmadas a base de formas adjetivadas. Recordemos algunos casos: las campanas de aldea son *piadosas, madrugadoras, sencillas como dos viejas centenarias,* las ubres de las vacas suelen ser siempre *trémulas y rosadas,* y sobre todo vemos a Adega sentada, hilando en su rueca, *a la sombra de piedras célticas, doradas por líquenes milenarios.* También la hoz brilla *con extraña ferocidad* y los rapaces llevan *la guedeja trasquilada sobre la frente como los siervos antiguos.* No sólo le interesa a Valle fijar y casi inmovilizar a Adega en un gesto definitivo o en su postura eterna, sino que también al embellecer su casta y hermosa figura casi siempre se vale de las mismas imágenes descriptivas [27]:

---

[26] No desaparecen en *Flor de santidad* desde luego los recuerdos literarios: el motivo caballeresco de la liberación de la princesa, la tradición de Lazarillo, los cuentos populares, la voz geórgica y las églogas pastoriles, y hasta la reminiscencia concreta de «Sinfonía en gris mayor» de Darío que hemos señalado en otra parte.

Díaz-Plaja, al recoger algunas reminiscencias literarias y bíblicas presentes en la obra, dice: «Lo literario tiene una fuerza preeminente en *Flor de santidad*; y más que lo literario, lo libresco... Los recuerdos del libro no proceden de la vida, sino de otros libros... Todo está, pues, configurado, a través de resonancias culturales, que cada vez más comprendemos no afectan a la genialidad del escritor... sino que designan un modo de hacer 'combinatorio', del que resulta una originalidad tan evidente como la fama creciente de su autor», *ob. cit.,* nota 7, pág. 178, y más adelante (págs. 181-182) el mismo crítico anota posibles modelos literarios para Adega.

[27] En su excelente libro *La estética de Valle-Inclán* (Madrid, 1966) escribe Antonio Risco las siguientes palabras acertadas: «...en *Flor*

1) ...Tenía la frente dorada como la miel y la sonrisa cándida. Las cejas eran rubias y delicadas, y los ojos, donde temblaba una violeta azul, místicos y ardientes como preces (15).

2) ...Aquella pastora de cejas de oro y cándido seno... (16).

3) Sus ojos de violeta alzábanse en amoroso ruego... (22).

4) Adega levantó hasta el peregrino las tímidas violetas de sus ojos: ... (50).

5) Se incorpora obediente, y sus ojos de violeta miraron en torno con amoroso sobresalto... Sobre el umbral del establo temblaba el claro de la luna, lejano y cándido como los milagros que soñaba aquella pastora de cejas de oro y maravillada sonrisa (57).

6) ...Cuando alguien crubaza por su lado, las tristes violetas de sus ojos se alzaban como implorando, ... (72).

7) Adega, con las violetas de sus ojos resplandecientes de fe, murmuró como si repitiese una oración aprendida en un tiempo lejano ... (77).

8) Adega levanta las violetas de sus ojos y sonríe, humilde y devota (85).

9) ...Las violetas de sus pupilas estaban llenas de rocío como las flores del campo, y la luz de la mañana, que temblaba en ellas, parecía una oración... (98).

---

de santidad o en las *Sonatas* procuraba alargar las menores acciones como si las captase en 'cámara lenta' para prestar a las situaciones y a los personajes el hieratismo exigido. En sus novelas esperpénticas —e igual ocurre en el teatro—, los movimientos, en cambio, son frecuentemente vivaces e incluso trepidantes...» (pág. 142). Y en cuanto a las reiteraciones que hacen una llamada a la memoria del lector sigue diciendo Risco: «...la repetición le recuerda (al lector) que la acción sigue siendo la misma, que no ha cambiado, o que se reproduce indefinidamente. Así Valle quiere fingir una visión cíclica que fije las imágenes... Ahora bien, aquella situación o personaje que esté presente a sus ojos, para que alcance el hieratismo requerido, es preciso que actúe sobre él con el carácter de una reminiscencia, de un recuerdo. Pues para afirmar el estatismo de tales imágenes es por lo que Valle se sirve tanto de la reiteración. El doble juego combinado de memoria y olvido es, por tanto, perfectamente coherente en su finalidad de aislar y fijar cada momento dramático o personaje en un cuadro o escultura» (págs. 148-149).

Al llamar la atención sobre esos procedimientos que tienden a inmovilizar a Adega en su gesto definitivo y actitud eterna, conviene recordar las siguientes palabras de Valle: «Descubrir en el vértigo del movimiento la suprema aspiración a la quietud es el secreto de la estética»[28].

Después de ver cómo Valle, mediante la consciente repetición de ciertas fórmulas expresivas, intenta fijar personajes y cosas, me interesa ahora ocuparme brevemente de otras imágenes y procedimientos imaginativos que dan un matiz especial a la prosa de *Flor de santidad,* rasgos de estilo también característicos de esta temprana etapa de su vida literaria. Permítaseme insistir aquí en que uno de los grandes méritos de la obra me parece ser la armonización de tema y de estilo, lo cual permite la creación de una atmósfera santa y religiosa adecuada al desarrollo de la narración. A veces por la instrumentación de los párrafos la prosa tiene ritmo de responso, y a menudo los personajes no dicen sino que *salmodian* sus palabras. Por ejemplo, cuando Adega y la vieja hablaban del hombre que estudiaba tan atentamente en el libro de San Cidrián se lee en el texto:

Adega bajó la voz misteriosa y crédula:
—Con él descúbrense los tesoros ocultos.
....
Adega, con las violetas de sus ojos resplandecientes de fe, murmuró como si repitiese una oración aprendida en un tiempo lejano:
—Entre los penedos y el camino que va por bajo, hay dinero para siete reinados, y días de un rey habrán de llegar en que las ovejas, escarbando, los descubrirán (77).

Y, un poco más adelante, escribe Valle:

28 *La lámpara maravillosa,* edición citada, pág. 104.

Llegó (el mismo del infolio) hasta la cancela hablando a
solas, musitando concordancias extrañas, fórmulas oscuras y
litúrgicas para conjurar brujas y trasgos. Iba a entrar y la
vieja le interrogó con una cadencia de salmodia:
—¿No andarán sueltos los perros?
—Nunca los sueltan hasta después de cerrar.

Era su voz lenta y adormecida, como si el alma estuviese
ausente. Empujó la cancela, que tuvo un prolongado gemir, y
siempre musitando aquellas oraciones de una liturgia oscura,
penetró en el jardín señorial... (79-80).

Innumerables son las imágenes que subrayan esa deseada
tonalidad piadosa. He aquí algunos ejemplos no aducidos
hasta ahora:

...Miró, y las violetas de sus ojos sonrieron, aquella sonrisa
de inocente arrobo tembló en sus labios y como óleo santo
derramóse por su faz... las conchas de su esclavina tenían el
resplandor piadoso de antiguas oraciones (47).

La ventera escuchaba al saludador con las manos juntas y
los ojos húmedos de religiosa emoción. Sentía pasar sobre su
rostro el aliento del prodigio. Un rayo de sol atravesando
los sarmientos de la parra ponía un nimbo de oro sobre la
cabeza plateada del viejo... (39).

...Misteriosa llama temblaba en la azulada flor de sus pupilas, su boca de niña melancólica se entreabría sonriente, y
sobre su rostro derramábase, como óleo santo, mística alegría (25).

De acuerdo con las señaladas perspectivas de Valle se
multiplican las alusiones a los tiempos patriarcales:

...En una revuelta del río, bajo el ramaje de los álamos que
parecen de plata antigua, sonríe un molino. El agua salta en
la presa, y la rueda fatigada y caduca, canta el salmo pa-
triarcal del trigo y la abundancia... (37).

Y transcribimos otro ejemplo:

> ...A espaldas de la iglesia estaba la fuente sombreada por un nogal que acaso contaba la edad de las campanas, y bajo la luz blanca de la luna, la copa oscura del árbol extendíase patriarcal y clemente sobre las aguas verdeantes que parecían murmurar un cuento de brujas (45).

Hace años, en las magistrales páginas dedicadas a las *Sonatas*, Amado Alonso se ocupó detenidamente de la siguiente imagen tomada de la *Sonata de primavera*[29]: «Y me clavó los ojos tristes, suplicantes, guarnecidos de lágrimas como de oraciones purísimas.» En su acertado análisis de la frase «guarnecidos de lágrimas», Alonso subraya la potencia asociativa de la imagen que corresponde, no a una actitud conceptual sino a la expresión de una ideal belleza que habla directamente a nuestra sensibilidad. No importa que aparezca, en *Flor de santidad*, con ligeras variantes la misma fórmula expresiva aplicada a Adega («Y levantaba el rostro transfigurado, con una llama de mística lumbre en el fondo de los ojos, y las pestañas de oro guarnecidas de lágrimas», 60), pero la afirmación de Alonso vale de modo general para caracterizar las imágenes siempre evocadoras de la prosa valleinclanesca que persigue ciertas relaciones sutiles entre las cosas[30]. Agréguense a otros ejemplos ya citados de

---

[29] Amado Alonso, «Estructura de las *Sonatas* de Valle-Inclán», *Materia y forma en poesía* (Madrid, 1955), págs. 265-269.

[30] Ortega y Gasset, en su hermosa y vaticinadora nota dedicada a la *Sonata de estío*, habla de las imágenes de Valle, diciendo que la comparación castellana «...es una comparación integral de toda la idea primera que se casa con toda otra idea segunda», mientras que Valle «...cuaja sus párrafos de semejanzas y emplea casi exclusivamente imágenes unilaterales (debiera leerse, creo, «laterales»), es decir, imágenes que nacen, no de toda la idea, sino de uno de sus lados o aristas... Esta faena de unir ideas muy distintas por un hilo tenue, no la ha aprendido de juro el Sr. Valle-Inclán en los escritores caste-

Flor de santidad, dos imágenes que parecen obedecer a la misma finalidad estética y que obran su sortilegio a través de asociaciones despertadas en la sensibilidad del lector:

---

llanos: es arte extranjero, y en nuestra tierra son raros quienes tuvieron tales inspiraciones». «La *Sonata de estío* de don Ramón del Valle-Inclán», *Obras completas*, 5.ª ed., I (Madrid, 1961), págs. 24-25.

A pesar del hecho de que se ha hablado ya tanto de la adjetivación en Valle-Inclán, me permito reproducir aquí estas tempranas palabras de Ortega referidas a esta modalidad estilística de su prosa: «Páginas hay en *Sonata de estío* que habrán costado a su autor más de una semana de bregar con las palabras y darles mil vueltas. Ha trabajado mucho, sin duda, para conocer el procedimiento de composición que da la mayor intensidad y fuerza de representación a los adjetivos. Valle-Inclán los ama sincera y profundamente; por algunos muestra un verdadero culto y los maneja con sensualidad, colocándolos unas veces antes y otras después del sustantivo, no por mero querer, sino porque en aquella postura, y no en otra, rinden toda su capacidad expresiva y aparecen en todo su relieve: los baraja, los multiplica y los acaricia...» *Ibid.*, pág. 24.

Es excusado decir que esta proliferación de los adjetivos es un rasgo predilecto de la prosa de *Flor de santidad*. Valle los prodiga y así, morosamente, se prolonga la entonación de la frase, agregando a veces nuevas e inesperadas notas al sustantivo. Infinitos son los ejemplos de adjetivos en serie: «el ciego permanece atento y malicioso, gustando el rumor de las risas como los ecos de un culto, con los ojos abiertos, inmóviles, semejante a un dios primitivo, aldeano y jovial (35)»; «la luna espejábase en el fondo, inmóvil y blanca atenta al milagro (45)»; «había salido la luna, y su luz bañaba el jardín, consoladora y blanca como un don eucarístico (90)»; «los balidos se levantaron de entre las llamas, prolongados, dolorosos, penetrantes (56)»; «un asno viejo, de rucio pelo y luengas orejas, pace gravemente arrastrando el ronzal, y otro asno infantil, con la frente aborregada y lanosa, y las orejas inquietas y burlonas, mira hacia la vereda erguido, alegre, picaresco, moviendo la cabeza como el bufón de un buen rey (36)»; «bultos sin contorno ni faz, que a la luz temblona de las lámparas se columbran en el dorado misterio de las hornacinas, lejanos, solemnes, milagrosos (17)».

Un estudio de la adjetivación en *Flor de santidad* y en otras obras de aquella época, inclusive las *Sonatas*, necesita tener en cuenta la insistencia con que Valle utiliza adjetivos como *trémulo, tembloroso* y *tremante* (ver *temblona* en el último ejemplo citado), además del uso repetido del verbo *temblar*. Esa predilección estilística correspon-

Los días se sucedían monótonos, amortajados en el sudario
ceniciento de la llovizna (18).

Los primeros (los aldeanos) aparecían cuando la mañana
estaba blanca por la nieve, y los últimos cuando huía la tarde
arrebujada en los pliegues de la ventisca (19).

Hemos visto ya cómo a veces las descripciones de Valle
tienden a las representaciones pictóricas que se asocian con
un estilo impresionista. No sólo acoge con insistencia las
percepciones sensoriales de toda clase, sino que también
revela su constante interés por las formas plásticas. De igual
filiación impresionista son otros procedimientos estilísticos
de *Flor de santidad*. Por ejemplo, cuando Valle quiere representar el miedo que asalta a Adega sensualiza mediante una
percepción sensorial esta experiencia psíquica de la pastora:

...Adega sintió que el miedo la cubría como un pájaro negro
que extendiese sobre ella las alas (46).

Y casi la misma imagen se prolonga en otras circunstancias,
refiriéndose ahora al sopor del sueño:

...Era como si lentamente la cubriesen toda entera con velos
negros, de sombras pesadas y al mismo tiempo impalpables
(57).

También una abstracción (la fuente de la gracia) a su vez
se expresa por medio de una enumeración —casi letanía—
de tipo sensorial:

---

de a un deseo de desrealizar la realidad, asomándose a ella desde un
ángulo poético. No sólo se relaciona esa actitud con la estética simbolista que se proponía intuir en las cosas un misterio oculto, sino
que también es un procedimiento característico de la prosa poemática que ofrece una visión ideal y subjetiva de la realidad.

El alma de la pastora sumergíase en la fuente de la gracia, tibia como ia leche de las ovejas, dulce como la miel de
las colmenas, fragante como el heno de los establos (48).

A veces la cualidad de la cosa pasa a ser la cosa misma
en ciertas imágenes de tipo impresionista («El clarín de los
gallos se alzaba sobre el sueño de las aldeas», 97), y entre
las metáforas sinestésicas, destacaré tan sólo la siguiente:
«Adega escuchaba atenta estos relatos que extendían ante
sus ojos como una estela de luz» (65) [31]. Por último, Valle no
desdeña tampoco el juego sonoro y aliterativo, procedimiento muy del gusto modernista, y en el siguiente ejemplo, se
revela su clara conciencia de querer aprovecharse de la materia fonética de la lengua, ya que el verbo *cantaba* no aparece en el texto primitivo: «y el sonoro cántaro cantaba des-
bordando con alegría campestre» (52).

CONCLUSIONES

Flor de santidad, novela algo desatendida por la crítica
más autorizada, merece en verdad la atención más seria de
los comentaristas de la obra de Valle-Inclán por sus méritos
intrínsecos de novela poemática, no del todo inferior a las
realizaciones estéticas de las *Sonatas*, que datan de la misma
época. Es cierto que la prosa de estas tempranas novelas
tiene menos interés quizá que la de otros libros posteriores.

---

[31] Mi rápido comentario sobre el estilo mismo de la prosa en *Flor
de santidad* y de algunos de sus aciertos expresivos no aspira desde
luego a ser completo, ni mucho menos. Por lo visto se ha publicado
un trabajo extenso, que no conozco, dedicado precisamente al estudio
pormenorizado de ese aspecto de la novela, del cual es autora Beatriz
M. Arregui, «La frase 'siglo XX' en *Flor de santidad*», *Boletín de
Investigaciones Literarias* (La Plata), 1949.

Sin embargo, cuando se haga el balance definitivo de la obra
de Valle, *Flor de santidad* ocupará un lugar entre sus pro-
ducciones de valor permanente. Y además la visión de Galicia, aunque profundamente cambiada con el tiempo, es un
temprano intento de expresar en una prosa sugestiva y musical, la esencia lírica de la tierra en que nació [32].

(1970).

_____

[32] Finalmente quisiera llamar la atención sobre una pequeña novedad bibliográfica: acabo de enterarme de que en las páginas del
Mercure de France [LII, octubre-diciembre de 1904, págs. 820-823] Enrique Gómez Carrillo escribió en francés un comentario sumamente
elogioso de *Flor de santidad*, en el cual señala sobre todo la belleza
artística de la novela y de su prosa armoniosa. Por su interés crítico
me permito reproducir aquí algunos fragmentos significativos de ese
texto poco conocido: «Valle-Inclán, en effet, est un idéaliste qui vit
hors du temps et de l'espace, contemplant la vie comme on contemple
une tapisserie... Tous ses personnages semblent échappés d'un univers légendaire où les gestes sont plus élégants, les aventures moins
banales et les âmes moins ordinaires que dans le monde des Galdós
et des Pereda. Son imagination semble ne pas s'alimenter dans la vie
même. C'est une dame solitaire qui habite, non pas dans une tour
d'ivoire, mais dans une tour gothique aux beaux vitraux historiés
(pág. 821)... Pas même en Amérique, où Díaz Rodríguez, Amado Nervo, Emilio Coll, Rubén Darío, Leopoldo Lugones et d'autres travail-
lent la langue, comme des orfèvres, il n'en est aucun qui se consacre
avec une si absolue et exclusive adoration à l'art d'écrire (pág. 822)...
Mais cette fable indigente sert à l'artiste pour nous présenter, en
une suite de tapisseries, les plus délicieuses et les plus rythmiques
images (pág. 822)... Chaque mot a été examiné comme une perle
avant d'occuper sa place définitive dans le collier de la phrase. Quant
au rythme, celui des vers les plus purs n'est ni plus savant, ni plus
parfait (pág. 823).»

EL ESPERPENTO DE *LOS CUERNOS DE DON FRIOLERA*

Se ha estudiado la teoría y la técnica del esperpento en Valle-Inclán. La crítica se ha ocupado también de sus antecedentes literarios (Quevedo) y artísticos (Goya), así como de toda su prehistoria en la literatura valleinclanesca [1]. En el presente ensayo nuestro propósito es distinto: nos proponemos examinar un solo esperpento, *Los cuernos de don Friolera* (1921), obra singularmente compleja en su estructura y sus múltiples perspectivas que representa por excelencia esta modalidad que va a caracterizar todo el arte de Valle en su última y definitiva etapa [2]. Recordemos que la

---

[1] Una bibliografía mínima sobre la teoría y la técnica del esperpento incluiría los siguientes trabajos especializados: Pedro Salinas, «Significación del esperpento o Valle-Inclán, hijo pródigo del 98», *Literatura española, siglo XX*, 2.ª ed. (México, 1949), págs. 87-114; J. L. Brooks, «Valle-Inclán and the Esperpento», *Bulletin of Hispanic Studies*, XXXIII (núm. 3, julio de 1956), págs. 152-164; Emma Susana Speratti Piñero, *La elaboración artística en «Tirano Banderas»* (México, 1957), libro medular que reelabora y recoge datos ya publicados por la misma autora en *Buenos Aires Literaria* y *Revista Mexicana de Literatura*; y Guillermo de Torre, «Teoría y ejemplo del esperpento», *Cuadernos del Congreso por la Libertad de la Cultura* (núm. 54, noviembre de 1961), págs. 38-44.

[2] Conocemos otro artículo cuyo autor se propone un análisis somero de la obra que aquí estudiamos: Pedro A. González, «*Los cuernos de don Friolera*», *La Torre*, II (núm. 8, octubre-diciembre de 1954),

estética del esperpento implica un modo especial de ver la realidad, y, siendo una actitud artística, no se limita al teatro, sino que se da en el verso (*La pipa de kif*) y en la novela (*Tirano Banderas* y las posteriores del *Ruedo Ibérico*).

FORMA Y COMPOSICIÓN DE LA OBRA

Los cuernos de don Friolera se estructura en tres partes claramente diferenciadas: un prólogo y un epílogo enmarcan la parte central. Cada división de la obra da una versión diferente del mismo tema, enfocándolo desde perspectivas distintas. Es evidente que las tres versiones se difieren en sus formas literarias y en ciertos importantes aspectos de la acción, pero al mismo tiempo se relacionan íntimamente entre sí. Y más aún: cada unidad parece tener, dentro de la totalidad del libro, una determinada función artística. Quisiéramos estudiar las respectivas partes formales de la obra e intentar, en último análisis, una explicación de esta composición tripartita.

a) *El prólogo*

A su vez el prólogo se divide en tres partes: una conversación teórica en que intervienen don Manolito y don Estrafalario [3] precede la representación de los muñecos del Ciego

---

págs. 45-54. Aún hay tiempo para mencionar una nota que acaba de publicarse: David Bary, «Notes on *Los cuernos de don Friolera*», *Hispania*, XLVI (núm. 1, marzo de 1963), págs. 81-83.

[3] Según Brooks (*ob. cit.*, pág. 157), Valle hace aquí una parodia de la generación del 98, porque son dos intelectuales que «corren España por conocerla, y divagan alguna vez proyectando un libro de dibujos y comentos (14)».

Fidel. A esta sigue otro diálogo en que se comentan los méritos estéticos del paso que acaban de presenciar los dos personajes antes aludidos. En lugar más oportuno consideraremos las importantes implicaciones teóricas que se deducen de estas dos conversaciones, pero por el momento veamos la primera versión que se presenta del tema de la obra. Es claro que la representación escénica de Fidel adelanta la forma dramática de la segunda parte y que los muñecos *reales* del titiritero ofrecen una visión cómica y no realista de la acción.

El Bululú revela al fantoche, el teniente don Friolera, que su querida la bolichera le ha engañado con el aceitero Pedro-Mal-Casado. Para lavar su honor la única solución que queda al oficial es matarla. Aparece la Moña e insiste en su inocencia. El teniente, convencido de su infidelidad por las maliciosas murmuraciones del Bululú y por la prueba del aceite que huele en el faldón de su querida, la degüella con un puñal. Están ya presentes elementos paródicos tomados de *Otelo* y de *El gran galeoto*. A punto de llegar los guardias civiles, acompañados del aceitero, don Friolera logra salvarse resucitando a la muerta por medio de un duro que hace sonar al pie de ella.

Se nota en seguida que esta breve representación no es más que una burla de cornudo[4]. Hasta observa don Mano-

---

Todas las citas que se hacen en el presente trabajo de *Los cuernos de don Friolera* corresponden a la edición de *Opera Omnia*, vol. XVII (Madrid, 1925).

[4] Sobre la representación del Compadre Fidel dice Pedro A. González: «Se trata de un juguete cómico desprovisto de toda seriedad. Es la versión humorística del pueblo que se ríe de los cuernos ajenos. Es un 'burlesco' del tema del honor con sentido de humor ingenuo y malicioso. Es teatro de pura ficción, con implicaciones pero sin complicaciones. No tiene graves consecuencias el tema del honor por tratarse de marionetas: se juega con la situación sin problematizarla». *Art. cit.*, pág. 50.

lito que «parece ser teatro napolitano (32)»[5] y luego afirma
su compañero:

> Pudiera acaso ser latino. Indudablemente la comprensión de
> este humor y esta moral, no es de tradición castellana. Es portu-
> guesa, y cántabra, y tal vez de la montaña de Cataluña. Las
> otras regiones, literariamente, no saben nada de estas burlas
> de cornudos, y este donoso buen sentido, tan contrario al ho-
> nor teatral y africano de Castilla. Ese tabanque de muñecos
> sobre la espalda de un viejo prosero, para mí, es más sugestivo
> que todo el retórico teatro español... (33).

Recordemos que las palabras finales de Fidel habían sido
éstas: «¡Olé la trigedia de los cuernos de don Friolera! (32)»[6]. Conviene tener presente que no se trata de la
esposa del teniente, sino de su querida, todo lo cual supone
una extraña versión del tema que más adelante se presenta[7].
Valle-Inclán, pues, no profundiza por el momento el asunto,
pero nos da, en miniatura, un esbozo de la acción posterior[8].

---

[5] Rebasa las intenciones del presente artículo estudiar las innega-
bles relaciones temáticas y estructurales que existen entre esta obra
de Valle-Inclán y la comedia dell'arte italiana.

[6] No es por equivocación que en el texto se lee *trigedia*. Se ha dicho que se trata de una deformación popular, pero tal vez puede que
sea también una alusión indirecta a Unamuno que había jugado antes, en *Niebla*, con parecidos términos literarios. No es oportuno referirnos aquí a las relaciones personales entre los dos escritores, pero
de pasada quisiéramos citar, de *Los cuernos*, unas palabras de don
Manolito: «No admito esa respuesta, don Estrafalario. Usted no es
filósofo, y no tiene derecho a responderme con pedanterías. Usted
no es más que hereje, como don Miguel de Unamuno (37)». Para
otra alusión textual a Unamuno, cf. *Luces de bohemia*, escena séptima.

[7] Hasta el diálogo insiste en este aparente sinsentido:

EL FANTOCHE: ¡Repara, Fidel, que no soy su marido, y al no serlo
no puedo ser juez!

EL BULULÚ: Pues será usted un cabrón consentido.

EL FANTOCHE: Antes que eso le pico la nuez. ¿Quién mi honra escar-
nece? (25-26).

[8] *Divinas palabras* (1920) es una obra sumamente significativa por

Sin embargo, como luego veremos, el retablo de Fidel tiene una enorme importancia teórica.

b) *La parte central*

Si el prólogo prefigura el tema principal de la obra y su forma dramática, Valle-Inclán desarrolla ahora con todas sus posibilidades absurdas y grotescas la tragedia (ya no *trigedia*) de don Friolera, a quien da un nombre concreto, el de Pascual Astete y Vargas. A diferencia de la representación anterior, se advierte en seguida que los personajes son seres humanos que han sido cosificados y convertidos en meros fantoches. Como títeres accionan y reaccionan. Por lo demás, cuando se le ve por primera vez a don Friolera, Valle lo coloca con obvia intención «en el marco azul del ventanillo (42)», y también cabe recordar aquí que el epílogo se inicia en la plaza del mercado con un perrillo que alza la pata y orina sobre los carteles teatrales que anunciaban las obras truculentas de Echegaray y su escuela. La acción, por lo demás, se inserta de modo preciso dentro de la realidad so-

---

sus propios méritos dentro de la producción literaria de Valle-Inclán y por ser un importante antecedente no sólo de *Los cuernos de don Friolera*, sino también de *Tirano Banderas*. Las dos obras posteriores traen varios ecos de acontecimientos, de descripciones, de personajes antes conocidos, y de técnicas estilísticas ya presentes en *Divinas palabras*. Refiriéndonos exclusivamente ahora a *Los cuernos*, recordemos que en la obra anterior el tema del honor es central, ya insinuado desde un principio en la visión profética de la perra sabia de Séptimo Miau, titiritero y farandul de feria, y esta profecía anticipa en síntesis el argumento de toda la pieza. El Sacristán no es todavía don Cornelio, pero, según Coimbra la perra, pronto pasará a la Cofradía de los Coronados. Un episodio clave que parece prefigurar otro de *Los cuernos* es el del Sacristán que se prepara a vengar su honor. Aun habla de llevar la cabeza ensangrentada de su esposa al Alcalde, pero lo más significativo es que la hija Simoniña logra calmar a su padre dándole de beber hasta emborracharlo.

cial contemporánea a la cual se alude con datos exactos en el diálogo.

A propósito nos referimos antes a la «tragedia» de don Friolera, porque creemos que ésta es una obra potencialmente trágica [9]. A nuestro juicio son precisamente ciertos sobretonos patéticos, a veces más trágicos que cómicos, que separan *Los cuernos de don Friolera* de *La hija del capitán* y *Las galas del difunto*, esperpentos también recogidos en *Martes de carnaval*, que dan otras visiones tragicómicas de la realidad española. Estas dos obras apenas trascienden la burla amarga y satírica sino en muy contados momentos. No es que neguemos la hábil parodia y graciosa desmitificación del *Don Juan Tenorio* de Zorrilla que caracteriza *Las galas del difunto*. En *Los cuernos* tiende a desaparecer también el profundo sarcasmo propio de *Luces de bohemia*, característica sobre la cual Azorín llama la atención en su breve definición del esperpento [10]. Lo más interesante en la obra que nos ocupa es que Valle-Inclán objetiva su visión trágica de la vida mediante una técnica que acentúa y exagera los rasgos más ridículos de las personas y las cosas. La situación angustiosa en que se encuentra don Friolera está vista las más veces desde la perspectiva de farsa, y las circunstancias absurdas tienden a impedir la realización plenamente trágica. En aquel mundo subvertido y corrom-

---

9 Cf. Brooks, *ob. cit.*, págs. 163-164.
10 Azorín, «El esperpento», *Obras completas* de don Ramón del Valle-Inclán, I, 3.ª ed. (Madrid, 1954), pág. XXII. Por lo demás, Azorín opina que *Luces de bohemia* «...es el más clásico, el más perfecto, de todos los esperpentos de Valle-Inclán (*Ibidem*)», y observa que se necesita una edición crítica de *Luces*, para que no se pierdan, con el tiempo, sus rostros auténticos. Guillermo de Torre, en su ya citado artículo «Teoría y ejemplo del esperpento», se detiene más que nadie lo ha hecho hasta ahora en la identificación de sus personajes reales, págs. 42-44.

pido, sin valores y sin héroes, coexisten tragedia y farsa, íntimamente relacionadas entre sí, y en la visión tragicómica
que nos da Valle hay una fluctuación entre un extremo y el
otro. Pero a lo largo de esta parte el personaje principal
es algo más que un mero objeto de burla y risa, por cómicas
y grotescas que sean las situaciones en que se halle[11]. La
tragedia consiste en que el pobre hombre, cuya débil e in-
significante personalidad se insinúa ya en su nombre, está
atrapado en una falsa situación que no puede controlar por
sus inepcias e impotencia. Es víctima de una convención
anacrónica del honor y de un código estúpido impuesto por
personas igualmente estúpidas e hipócritas. El desenlace es,
desde luego, cruel y despiadado: acaba por destruirse don
Friolera. Sin embargo, su incapacidad lastimosa no deja de
inspirar cierta compasión en el lector, y su persona, con
todo lo absurda que es, rebasa lo meramente risible. Es significativo observar, en cambio, que cuando la obra parece
llegar a su más alta tensión, Valle-Inclán, a modo de sabo-
taje, introduce otro detalle satírico: el de un segundo cor-

---

[11] No sorprende que haya sido doña Tadea Calderón la persona que
recibe, junto con don Friolera, la máxima esperpentización en *Los
cuernos*. Aunque no es nuestra intención estudiar ahora los procedimientos mediante los cuales Valle animaliza la figura humana, transcribimos un solo fragmento, que representa de modo sintético estas
técnicas: «...La última beata vuelve de la novena: Arrebujada en su
manto de merinillo, pasa fisgona metiendo el hocico por rejas y puertas: En el claro de luna, el garabato de su sombra tiene reminiscencias de vulpeja: ...Don Friolera, en el reflejo amarillo del quinqué,
es un fantoche trágico. La beata se acerca, y pega a la reja su perfil
de lechuza. El Teniente levanta la cabeza, y los dos se miran un
instante (83-84).»
  Ya advirtió Pedro Salinas el valor literario de las acotaciones escénicas en la obra de Valle-Inclán (*ob. cit.*, págs. 92-94). La prosa de las
acotaciones en *Divinas palabras* (1920), en *Cara de plata* (1922) y en los
esperpentos es un claro antecedente de la enérgica y novedosa prosa
posterior de *Tirano Banderas*.

nudo. Lo hace, suponemos, para volver de repente a la tonalidad de farsa y desvirtuar la nota trágica.

En estas páginas de la parte central de *Los cuernos de don Friolera* el esperpento, en lo que se refiere a la técnica y al propósito, va cobrando su forma más característica: la sátira mordaz del mundo contemporáneo ocupa un primer plano; el ser humano se degenera en fantoche o se degrada en animal; y una lengua pintoresca y abigarrada acompaña las truculencias de la acción [12]. Sobre todo el héroe clásico, reflejado en el célebre espejo cóncavo, se distorsiona de modo indigno, lo cual hace de esta obra el esperpento más perfecto según algunos críticos.

El argumento de esta parte central, la más extensa de la obra, se reduce a un asunto de honor conyugal y a una sangrienta venganza equivocada. Don Friolera, oficial pundonoroso en el Cuerpo de Carabineros, recibe un anónimo que

[12] Brooks, *ob. cit.*, pág. 156.
Incluimos aquí unas importantes palabras de Valle-Inclán tomadas de una entrevista periodística: «...Hoy, ese destino es el mismo, la misma... su grandeza, el mismo su dolor... Pero los hombres que lo sostienen han cambiado. Las acciones, las inquietudes, las coronas, son las de ayer y las de siempre. Los hombros son distintos, minúsculos para sostener ese gran peso. De ahí nace el contraste, la desproporción, lo ridículo. En *Los cuernos de don Friolera*, el dolor de éste es el mismo de Otelo, y, sin embargo, no tiene su grandeza. La ceguera es bella y noble en Homero. Pero, en *Luces de bohemia*, esa misma ceguera es triste y lamentable porque se trata de un poeta bohemio, de Máximo Estrella». Citamos según Francisco Madrid, *La vida altiva de Valle-Inclán* (Buenos Aires, 1943), pág. 114.
Conviene recordar aquí unas frases de Alfonso Reyes referidas al mismo tema: «Hay veces en que la seriedad de la vida, en que la fatalidad, es superior al sujeto que la padece. Cuando el sujeto es un fantoche ridículo, el choque manifiesto entre su inferioridad y la nobleza del dolor que pesa sobre él produce un género literario grotesco, el que Valle-Inclán ha bautizado con un nombre harto expresivo: el *esperpento*». «La parodia trágica», *Simpatías y diferencias*, 2.ª serie (Madrid, 1921), pág. 29.

denuncia la conducta adúltera de su mujer, doña Loreta [13].
Por este motivo se desatan los celos del pobre teniente, y él
se entrega a sus cavilaciones de cornudo. Una vieja beata,
doña Tadea Calderón, ha sido la autora de la malvada calumnia que precipita el tormento interior de don Pascual. Resulta que en realidad el grotesco barbero cojo Pachequín
festejaba a la esposa coquetona de don Friolera, y en unas
deliciosas escenas posteriores Valle-Inclán satiriza sus apa-
sionados diálogos de amor. Entre el pueblo entero cunde la noticia de la supuesta
infidelidad de doña Loreta. Ciertos oficiales, encabezados por
don Lauro Rovirosa, convocan un Tribunal de Honor con el
propósito de juzgar el caso y así «velar por el decoro de la
familia militar (176)». Por fin, en una escena de la más despiadada sátira de los militares, los oficiales deciden exigir a
don Friolera el retiro, pero luego se suspende el decreto
cuando promete lavar su honor con sangre y, de este modo,
quitar toda mancha del honor colectivo de la gloriosa oficia-
lidad. La acción ahora, de aquí en adelante, se precipita. En
la escena penúltima, doña Loreta y don Pachequín se encuentran de noche en amoroso coloquio en el huerto de la casa
de éste. Manolita, la hija de la tenienta, se despierta y llora
de miedo; la madre va por ella y baja de nuevo. El barbero
le quita el dulce peso de la niña. Precisamente en este instante irrumpe en el huerto el esposo enloquecido. Dispara
su pistolón. Se presenta luego, medio borracho, en la casa
del Coronel para darle parte de la venganza sangrienta, pero,

---

[13] Para el gran mosaico valleinclanesco, quisiéramos recordar otro
dato aquí. En *Luces de bohemia* (escena segunda) llega a la «cueva»
del librero Zaratustra una criada que solicita la nueva entrega de
El hijo de la difunta, título que anticipa obras posteriores de Valle,
para doña Loreta, la esposa del coronel, la cual en *Los cuernos* se
llama doña Pepita.

ya aceptado el habano que le ofrece el Coronel como recompensa por haber matado bien a la adúltera, se trae la infausta noticia de que el tiro de don Friolera erró. No mató a la esposa infiel, sino a la hija inocente. Acaba demente el asesino y pasa aparentemente al hospital.

c) *El epílogo*

Prendidos por anarquistas, vuelven a aparecer los dos intelectuales del prólogo. Don Manolito y don Estrafalario oyen desde la cárcel un romance de ciego que da una tercera y muy distinta versión del mismo tema arquetípico de celos y de honor. El romance popular presenta el reverso de la moneda glorificando al valiente oficial don Friolera. No sólo continúa y completa, de modo inverosímil, lo que sabemos ya del teniente, sino que también agrega otras particularidades. Se averigua, primero, que se había casado con una mujer coqueta, sin escuchar los consejos de sus amigos. Según le advierte otro anónimo, su esposa está engañándole en casa de una alcahueta, a donde solía llevar a su hija Manolita para disimular el motivo de sus salidas. El teniente sorprende a los amantes y una vez más mata a su hija, pero, descubierto el error, regresa y degüella con un hacha a los dos culpables. Con las cabezas ensangrentadas, promesa no cumplida en la segunda parte, se presenta ante el general en la plaza y éste lo condecora. El romance finaliza con la narración de otras grandiosas hazañas que aumentan la fama de don Friolera y que le valen aún mayores distinciones, hasta ser retratado en las revistas ilustradas. Si en el prólogo don Manolito y don Estrafalario exaltan los méritos de la representación de Fidel, ahora los mismos comentaristas condenan por malo el romance que acaban de escuchar. Entendemos que el epílogo da una versión errónea y sensacio-

nal del destino de don Friolera, versión hecha de acuerdo
con los gustos populares que el autor de un romance de
este tipo necesita acatar. Valle-Inclán, pues, da en el romance una versión fabulosa y fantaseada de una verdad que
ha logrado captar la imaginación del pueblo [14].

UNAS CORRESPONDENCIAS UNIFICADORAS

Vistas en rápido resumen algunas diferencias que individualizan las tres versiones, así como sus muchas semejanzas,
quisiéramos a continuación señalar unas calculadas simetrías entre las tres partes que tienden a dar una unidad interior a la obra en su totalidad. Y tan sólo mediante una
cuidadosa lectura de *Los cuernos de don Friolera* es posible
que el lector aprecie estos pequeños detalles, que interesan
desde el punto de vista estructural y que confirman una vez
más con qué conciencia atendía Valle-Inclán la creación de
sus obras.

En primer lugar, es obvio que se relacionan entre sí el
prólogo y el epílogo en lo que se refiere a su composición y
su ambiente de feria. Según indicamos, en cada caso se trata de una distinta forma literaria popular (representación
de muñecos, romance de ciego), la cual es luego tema de una
conversación teórica entre don Manolito y don Estrafalario.

---

[14] Como ya ha señalado la crítica más autorizada (Salinas, Guillermo de Torre), los poemas de *La pipa de kif* (1919), con su «musa moderna», preludian el ambiente y los procedimientos esperpénticos.
Tan sólo quisiéramos llamar la atención sobre la clave XIV titulada
«El crimen en Medinica», composición dividida en cuatro escenas con
dos estrofas de introducción y dos finales de «comento». Es instruc-
tivo notar que se trata de un hiperbólico canto de ciego que pregona
el crimen de un bandolero que mata a su propia madre. Por último,
Valle incorpora a la misma poesía los nombres de tres pintores: el
Greco, Goya y Solana.

Es significativo que del *ciego* Fidel sólo hay un paso al autor
anónimo del romance que se oye cantar en las páginas finales del libro. Cuando don Estrafalario condena, en el prólogo, las coplas populares como «abominables» y como «periodismo ramplón (34)», su compañero don Manolito le contesta:

> Usted, con ser tan sabio, las juzga por lectura, y de ahí no
> pasa. ¡Pero cuando se cantan con acompañamiento de gui-
> tarra, adquieren una gran emoción! No me negará usted, que
> el romance de ciego, hiperbólico, truculento y sanguinario, es
> una forma popular (34).

Ahora bien: los adjetivos *hiperbólico, truculento* y *sangui-
nario* son precisamente los más apropiados para caracterizar el romance final, tan lejos según don Estrafalario de
«aquel paso ingenuo que hemos visto en la raya de Portugal (263)» [15].

Ciertas frases en boca de los muñecos de Fidel cobran
inesperado sentido sólo a la luz de lo que sucede después.
Cuando se inicia la representación, tanto en el prólogo como
en la parte central, don Friolera está de guardia en el cuar-
tel. El Bululú le dice: «¡Pícara guardia! la bolichera, mi
teniente Friolera, le asciende a usted a coronel (23-24)». No
se entienden plenamente estas palabras, a menos que sepamos que el Coronel es también cornudo, porque en la parte

---

[15] Un cotejo de ediciones posteriores con la primera de *Los cuernos* (*La Pluma*, números 11 a 15, abril-agosto de 1921) revela unas modificaciones textuales, adiciones y supresiones. Nos interesa anotar
ahora solamente un pequeño cambio. Cuando en el prólogo don Manolito y don Estrafalario comentan las formas populares de la literatura, se condenan por *abominables* las coplas de Joselito y las del
Espartero. En la primera edición, sin embargo, cuando don Manolito
pregunta a su compañero si le gustan las del Espartero, la condena
no es total, porque contesta «Ciertamente» (núm. 11, abril de 1921,
página 202).

central su mujer lo está engañando con el ayudante. Y ésta es una de las muchas punzantes ironías que caracterizan tan lograda obra. Algo después el Fantoche afirma: «Me comeré en albondiguillas el tasajo de esta bribona y haré de su sangre morcillas (29)». Aunque las circunstancias se invierten, escucharemos casi !o mismo en la sexta escena de la segunda parte cuando don Friolera, ya un poco borracho, cree que alguien se esconde en la puerta:

> DON FRIOLERA: ¡Es Pachequín! ¡Loreta, pon una sartén a la lumbre! ¡Vas a freírme los hígados de ese pendejo!
> DOÑA LORETA: ¡No me asustes, Pascual!
> DON FRIOLERA: ¡Y no tendrás más remedio que probar una tajada! (132).

Un momento antes de morir degollada grita la Moña: «¡Derramas mi sangre inocente, cruel enamorado! ¡No dicta sentencia el hombre prudente, por murmuraciones de un malvado! (30)», y la maledicencia del Bululú pasará a ser el anónimo de doña Tadea, cuyo papel en la parte central es exactamente el de aquél en la breve representación del prólogo.

De manera intencionada Valle-Inclán hace repetir varios motivos que logran conferir una mayor unidad a la obra en su totalidad. Por ejemplo, a la rosa de papel en el rodete de la bolichera corresponde el clavel que lleva doña Loreta y que se cambia por el reventón del barbero, trueque sospechoso advertido por doña Tadea. El puro que el Coronel regala a don Friolera por haber cumplido con su deber de honrado oficial se relaciona con el alfiler de corbata que luego recibe, en el epílogo, de manos de la Infanta doña Isabel [16]. Frente a estos casos en que Valle reitera motivos casi

---

[16] Pedro A. González advierte también esta correspondencia, *art. cit.*, página 53.

idénticos, hay otros en cambio que sufren pequeñas modificaciones en las distintas versiones: del aceitero pasamos al barbero, del Coronel al General, del puñal al pistolón y, por fin, al revólver y al hacha. Parece que haya una calculada progresión en el tema de la venganza: primero, una muerte falsa (prólogo), luego la muerte de una sola persona inocente (parte central) y finalmente una matanza general (epílogo). En lo que se refiere a la infidelidad misma, ocurre algo parecido: se sospecha que la querida del prólogo haya andado en otros amores; se sabe que doña Loreta, confesadamente mujer apática, no llegó al extremo de entregarse al barbero con quien coqueteaba; y, en el epílogo, por otra parte, se puede inferir que hubo verdadero pecado.

LA SÁTIRA EN «LOS CUERNOS DE DON FRIOLERA»

Una de las notas más acentuadas en esta obra es, desde luego, la satírica. Y en todo esperpento. Valle-Inclán no sólo satiriza con acritud el concepto tradicional del honor conyugal, sino también el militarismo en todos sus aspectos, tema presente con igual violencia en los otros esperpentos agrupados bajo el sugestivo título colectivo de *Martes de carnaval* [17]. No se limita, sin embargo, Valle-Inclán a una acerba crítica dirigida sin ambages contra la casta militar. La sátira literaria, de hecho, constituye uno de los grandes valores de toda la obra, y por lo tanto merece aquí breve mención. Si en la condenación del teatro español no llega a

---

[17] Si bien la lograda sátira militar es constante en la parte central de la obra, llega a su punto culminante en la escena octava, en que se forma el absurdo Tribunal de Honor que dictaminará sobre la expulsión del Teniente de la milicia.

salvarse ni siquiera Calderón [18], las intencionadas burlas de
Valle se dirigen de modo especial al teatro sentimental y
ramplón de Echegaray y su escuela. Esta aversión nunca
callada por el autor en esta ocasión rebasa la mera protesta
y la anécdota para convertirse en una parte íntegra y valiosa
de *Los cuernos de don Friolera*. Sobre todo en los ridículos
diálogos entre doña Loreta y Pachequín se ve con qué maestría se burla cruelmente Valle-Inclán del sentimentalismo
falso y la teatralería declamatoria tan característicos de los
dramaturgos españoles de fines del siglo. Remeda y caricatu-
riza con ingenio burlesco los desplantes y los gestos de los
personajes de Echegaray y de otros autores menores de su
escuela; prodiga las citas textuales y las obvias alusiones
a aquel teatro retórico; y con éxito logra adaptar el diálogo
a las situaciones típicas del melodrama de aquella época.
No cabe duda de que esta incisiva parodia literaria enriquece de modo notable el gusto con que se lee el esperpento de
don Friolera. En resumen, Valle ha utilizado en su caricatura teatral elementos tomados de Shakespeare y de Calderón, de Echegaray y otros dramaturgos menores, y es posible ver en la obra un ataque literario al teatro nacional y
su modo de tratar el tema arquetípico de los celos y el
honor conyugal.

---

[18] El teatro de Calderón se relaciona de modo convencional con el
tema del honor, y en *Los cuernos* se trata de un héroe clásico, calderoniano, que se deforma de manera ridícula al reflejarse en el espejo
cóncavo. Recordemos, de nuevo, que el apellido de doña Tadea es
Calderón, pero las alusiones concretas al teatro clásico se localizan
en los comentarios que hace don Estrafalario en el prólogo.
Un importante preludio de *Los cuernos* y otras obras en las cuales
el tema del cornudo es central es *La marquesa Rosalinda* (1913),
«farsa sentimental y grotesca» en que se burla también del teatro de
Calderón.

TEORÍA ARTÍSTICA EN «LOS

CUERNOS DE DON FRIOLERA»

Para todos los críticos que han estudiado la teoría del
esperpento el inevitable punto de partida ha sido siempre la
célebre conversación entre don Latino y Max Estrella que
ocurre en la escena duodécima de *Luces de bohemia* (1920).
No se podría negar la gran importancia de estas páginas en
la formulación estética del nuevo estilo, pero lo curioso es
que esos mismos críticos apenas se han ocupado de los comentarios, igualmente significativos, que hacen don Manolito
y don Estrafalario en el prólogo de la presente obra [19]. Sus
observaciones no sólo complementan las de Max Estrella,
sino que merecen tenerse en cuenta como indispensable
corolario posterior que explica ciertas intenciones artísticas
de Valle-Inclán.

Recordemos que los dos intelectuales están conversando
cuando comienza el prólogo. Su plática se interrumpe por
la representación del titiritero y luego se reanuda el diálogo
en la forma de un comentario sobre el retablo del Compadre
Fidel. Es aparente que sus muñecos sirven para ilustrar de
manera concreta la estética antes expuesta por don Estrafalario. Por último, en forma muy abreviada, en el epílogo
se retoma, al lado de la condena del romance, la idea de que
la única posible regeneración vendrá del tabanque del
Bululú [20].

---

[19] Hasta donde alcanzan nuestros informes, Brooks parece ser el
primero que se ha ocupado de este diálogo teórico (*ob. cit.*, págs. 157-
159), aunque con anterioridad Torrente Ballester escribió que «la formulación de los principios del género se hizo en *Los cuernos de don
Friolera*...». Cito según la segunda edición de su *Panorama de la literatura española contemporánea* (Madrid, 1961), pág. 168.
[20] Emma Susana Speratti Piñero (*ob. cit.*, pág. 90), al rastrear la

La discusión teórica arranca del descubrimiento que hace don Manolito de un cuadro de Orbaneja, el mal pintor cervantino. En este cuadro, antiacadémico y de técnica deformadora, calificado de malo y absurdo pero con la emoción de Goya y el Greco, aparecen dos figuras: un pecador que se ahorca y un diablo que ríe ante el espectáculo. Las carcajadas de ese diablo («como no los ha soñado Goya, 17») revelan a don Estrafalario que las risas infernales no son de desprecio, sino que en cambio los humanos hacemos mucha gracia al diablo. Aconseja a don Manolito, sin embargo, que no crea en la realidad de ese diablo porque se interesa afectivamente en el sainete humano. Las lágrimas y la risa, según don Estrafalario, «...nacen de la contemplación de cosas parejas a nosotros mismos (19)» [21]. Frente a la estética de amor, «humana», propuesta por don Manolito, recomienda otra que es «una superación del dolor y de la risa (21)». El ideal estético de don Estrafalario sería poder reírse de los defectos humanos desde una perspectiva de desinterés, en que se prescinde de toda sentimentalidad. Esta actitud desinteresada o deshumanizada, si se quiere, se resume en las siguientes palabras: «Yo quisiera ver este mundo, con la perspectiva de la otra ribera (22)». Así el creador se atiene

---

incorporación de peleles y fantoches a la obra de Valle-Inclán, recoge la frase de don Estrafalario y agrega: «Es decir, para que España se duela de sí misma debo hablarle por medio de los fantoches en que sus hombres se están convirtiendo.» De esta manera, pues, Valle quería rebajar la dignidad del hombre para que todos vieran los males de la España contemporánea («el sentido trágico de la vida española»).

[21] Para explicar su afirmación con mayor claridad don Estrafalario toma el ejemplo de los sentimentales que, en la corrida de toros, se duelen de la agonía de los caballos, y demuestran, identificándose con ellos, una sensibilidad pareja de la sensibilidad equina (20).

a una perspectiva supra-humana sin complicidades de ninguna clase.

Vista la tragedia de *Los cuernos de don Friolera,* cuyo tema se aleja visiblemente de la tradición castellana para entroncarse más con el teatro italiano y tal vez latino, prosigue la conversación. Como ya señalamos, se habla mal del retórico teatro español, que se caracteriza según don Estrafalario por su dogmatismo, su crueldad fría y antipática, así como por su «furia escolástica (35)», y se rechazan al mismo tiempo las malas coplas populares. Por primera vez se asevera que la redención vendrá del tabanque del Compadre Fidel, el cual vale más que el Orbaneja por estar «más lleno de posibilidades (37)» y sobre todo porque en el cuadro la risa del diablo comprueba no su desprecio sino su interés sentimental. No existe, pues, el alejamiento que pide la estética de don Estrafalario.

Aunque Valle-Inclán había llamado antes el puñal de don Friolera «la cimitarra de Otelo (30)», ahora se aprovecha del drama inglés, de tema semejante, para ofrecer otra interesante ilustración del mismo credo estético. El Compadre Fidel, según don Estrafalario, es superior a Yago. Ambos provocan un mismo conflicto de celos, pero, en contraste con el motivo de venganza personal que determina la conducta de Yago, lo hace Fidel de modo enteramente desinteresado. Además Shakespeare se identifica con los celos de Otelo, desdoblándose en ellos, y resulta que «creador y criatura son del mismo barro humano (38)». En cambio la superioridad del Compadre Fidel se debe al hecho de que «sólo trata de divertirse a costa de don Friolera... ni un solo momento deja de considerarse superior por naturaleza a los muñecos de su tabanque. Tiene una dignidad demiúrgica (37-38)» [22]. En esos

---

[22] Son frecuentes los textos en que Valle alude a la superioridad del creador con respecto a sus criaturas. Copiamos ahora unas signifi-

términos Valle ha definido teóricamente su actitud de superioridad ante las criaturas de su literatura, pero aquí cabe preguntar si en realidad puede cumplir en todo momento con tal perspectiva teórica.

PALABRAS FINALES

Hasta ahora hemos examinado, con cierto detalle, la composición de *Los cuernos de don Friolera*, con el objeto de demostrar de qué modo las tres versiones del tema, cada una con su forma individual, se parecen y se difieren dentro de una unidad esencial. Luego consideramos las marcadas intenciones satíricas de la obra, sobre todo en lo que respecta a la parodia literaria, para pasar a una breve exposición de las premisas estéticas expresadas en los comentarios de don Estrafalario y don Manolito.

Ahora bien: se nos ocurre la posibilidad de ver el libro como un gran espejo, elemento esencial de todo esperpento,

---

cativas palabras de Valle sobre esta actitud: «La verdad es que no me hubiera gustado vivir la vida de ninguno de mis personajes. Hay que estudiar a los autores en sus tres maneras. Primera, el personaje es superior al autor. La manera del héroe, HOMERO, que no es de sangre de dioses. Segunda, el autor que se desdobla: SHAKESPEARE. Sus personajes no son otra cosa sino desdoblamientos de su personalidad. Tercera, el autor es superior a sus personajes y los contempla como Dios a sus criaturas. GOYA pintó a sus personajes como seres inferiores a él. Como QUEVEDO. Esto nace de la literatura picaresca. Los autores de estas novelas tenían mucho empeño en que no se les confundiera con sus personajes, a los que consideraban muy inferiores a ellos, y este espíritu persiste aún a través de la literatura española, naturalmente. Yo considero también mis personajes inferiores a mí. Mi obra es un intento de lo que quise hacer.» Cito según Francisco Madrid, *ob. cit.*, pág. 104. Para otro texto similar igualmente conocido, cf. Melchor Fernández Almagro, *Vida y literatura de Valle-Inclán* (Madrid, 1943), págs. 211-212.

en que se reflejan sucesivamente tres imágenes distintas de una misma realidad. Según esta hipótesis, el retablo de Fidel será una mera ilusión cómica de la realidad. Prefigura la visión más profunda de la segunda parte, en que se presenta una verdadera realidad que ha irritado a Valle-Inclán. Por último, esta misma realidad llega a su punto de mayor exageración caricaturesca en el romance hiperbólico, que se compara no de modo casual con los libros de caballerías (262). Ciertas palabras de don Manolito que se oyen casi al final del epílogo tal vez confirman este intencionado juego con diferentes conceptos de la realidad. Cuando don Estrafalario pregunta si no considera ridícula y jactanciosa la literatura del romance cantado, contesta aquél: «Indudablemente, en la literatura aparecemos como unos bárbaros sanguinarios. Luego se nos trata, y se ve que somos unos borregos (263)». Es ésta, pues, la exacta diferencia que media entre el don Friolera de la parte central y los otros dos del prólogo y del epílogo respectivamente.

Como ya hemos visto, en el prólogo la representación de Fidel propone una actitud ante la vida y el arte, una postura antes definida por la conversación de los dos intelectuales. Llegan a ser superados el dolor y la risa porque el Bululú es superior a su criatura y no se identifica con el personaje. Lo que se propone don Estrafalario, portavoz de las ideas de Valle-Inclán, es una estética de distanciamiento, antisentimental y deshumanizada, que permite ver sin complicidades afectivas. Esta es, pues, la teoría del esperpento puro, pero en la práctica me atrevo a sugerir que por momentos Valle abandona tan extremada posición. Es verdad que nos coloca en una zona ambigua e indecisa, entre la tragedia y la farsa, donde no quiere que valgan ni el dolor ni la risa, pero más que una total desvalorización de lo trágico parece que hay en los esperpentos, como antes dijimos, una fluctuación entre lo cómico y lo trágico que da a *Los cuernos de don Friolera* una nota tan característica como valiosa. A pesar de la teoría expuesta en términos tan categóricos, ¿logra Valle siempre mantener su desdeñosa distancia frente al espectáculo del mundo? ¿Siempre ve a sus criaturas levantado en el aire? ¿No llega nunca a emocionarse con sus personajes esperpentizados y compartir con ellos la miseria humana? A su pesar, tal vez, no puede menos de proyectarse afectivamente en el destino entre trágico y grotesco de su pobre personaje don Friolera. No es posible que Valle, indignado y resentido por la farsa de una sociedad corrompida (una corrupción total en el sentido de que ni don Friolera puede escaparse de ella por su trato con los contrabandistas), escriba totalmente desde la otra ribera. No es como el Compadre Fidel. Hace más que divertirse. En los instantes en que el autor se desdobla, momentáneamente, en la angustia de don Friolera, incapaz éste de hacer frente a las hipócritas convenciones y a la situación creada por ellas, el lector a su vez tiende a la compasión. Es cierto que no se abandona nunca del todo la tonalidad burlesca, como atestigua el detalle final del coronel cornudo, pero aun así, en determinados momentos, Valle llega a dolerse de su criatura o hace que sus lectores lo compadezcan [23].

---

[23] Muy distinta es la opinión de Torrente Ballester en su caracterización de *Los cuernos*: «...El conjunto compone una farsa despiadada, y todo lo humano: una farsa cuya representación no sería tolerada por ningún público. Ni un solo momento se enternece el alma del autor; no existe en la pieza un personaje que, como el indio Zacarías de *Tirano Banderas*, merezca, a lo menos, su respeto», *ob. cit.*, págs. 168-169.
    A última hora hemos leído un excelente e informativo trabajo del profesor David Bary titulado «Un tango, una farsa y un esperpento» publicado en *Ínsula*, XVII (núm. 191, octubre de 1962), pág. 7. Aquí se estudian con penetración las relaciones que existen entre el tango que narra las hazañas del torero El Espartero, el esperpento

Creemos, pues, que la indiscutible perfección artística
de *Los cuernos de don Friolera* se debe a la correspondencia
integral que hay entre sus tres partes formales y a la riqueza de perspectivas que singularizan tan compleja obra. Al
virtuosismo estético tan aparente en la estructura del libro
se ha añadido también una profunda preocupación ética
y moral, postura ante la vida que en efecto caracteriza la
literatura de Valle en su segunda y definitiva etapa. Indudablemente el esperpento aquí estudiado es una de las realizaciones más logradas del autor y ocupa en su obra, al lado
de *Tirano Banderas*, un nivel muy alto [24].

(1964).

de *Los cuernos de don Friolera*, y la farsa de Pío Baroja, *El horroroso
crimen de Peñaranda del Campo* (1926). El artículo de Bary nos interesa sobre todo por sus observaciones referidas al romance que
Valle incorpora al epílogo de su esperpento. Bary ha visto con acierto
las diferencias que hay entre el don Friolera de la segunda parte y el
héroe más bien calderoniano del romance final; anota el espíritu no
castellano en el retablo de Fidel frente al castizo del romance; y opina
que Valle logra elevar el mal gusto de las coplas populares a una
dignidad estética (lo que no hizo Baroja), al mismo tiempo que satiriza lo popular y lo burgués. Por último quisiéramos transcribir dos
afirmaciones de la nota citada: «...el esperpento de Valle-Inclán ofrece tres de las aventuras del desastrado teniente, ninguna falsa y
ninguna verdadera, todas legendarias y cada cual con vida propia. La
versión esperpéntica, intercalada entre la del Compadre Fidel y la
del ciego, no es más 'verdadera' que éstas»; y luego, hacia finales del
mismo trabajo: «...el verdadero esperpento lo forma el conjunto de
las tres versiones, como si el autor quisiera ilustrar de esta manera su
famosa 'estética del callejón del Gato'. Las tres versiones son tres
espejos cóncavos en los que se refleja el héroe clásico que habría podido ser Don Friolera».

[24] Como nota final añadida al presente trabajo quiero referirme
con cierta extensión al excelente trabajo «De rodillas, en pie, en el
aire» [*Revista de Occidente*, IV (núms. 44-45, noviembre-diciembre de
1966), págs. 132-145], de Antonio Buero Vallejo. El autor comenta con
detenimiento las conocidas declaraciones de Valle hechas a Martínez
Sierra sobre los tres modos o posturas en que el dramaturgo mira a

sus criaturas, y, en cuanto a la manera muy española (Quevedo, Cervantes y Valle mismo), afirma: «...Es difícil admitir, por ejemplo, que Valle-Inclán creyese realmente en aquella afirmación suya de que Cervantes *jamás* se emocionó con Don Quijote *a pesar de su grandeza*, pues la grandeza que don Ramón percibe en el héroe cervantino procede asimismo de la pluma de Cervantes (135-136)». Buero recuerda que menos se ha fijado la crítica en «...que la visión 'en pie', e incluso 'de rodillas', se desliza a veces entre sus caricaturas posteriores (136)».

Luego apunta con acierto algunos casos tomados de los esperpentos en los cuales el personaje está a la altura del autor y del espectador: en *Luces de bohemia* el anarquista preso, la mujer con el niño muerto y a veces el propio Max Estrella; en relación con *Las galas del difunto* y la compasión que tiene Valle por el inocente que sufre escribe: «pese a su aire fantochesco, el drama de la 'daifa' es real y nos conmueve acaso más que la romántica desventura de la virginal doña Inés. El escritor no se ríe de su criatura, ni la condena, cuando ella relata el motivo de haberse prostituido (137)». Sigue diciendo que tampoco se ve a Juanito Ventolera desde el aire cuando habla de la guerra: «La contienda es esperpéntica, mas no el personaje que la enjuicia. Y es que quien habla entonces es el propio autor: un hombre del 98 (137)».

Y con respecto a don Friolera Buero Vallejo dice: «Pero el teniente habla también de sus cincuenta y tres años averiados, de que se reconoce un calzonazos, de que bastante tiene con su pena el ciudadano que ve deshecha su casa, de resolverse a no saber nada... Es un hombre auténtico —y digno de piedad— quien piensa en voz alta, comentando con justas razones la disparatada moral social que le atenaza. Esperpentizado por las circunstancias, en ese momento [el del monólogo inicial] ya no es esperpéntico Don Friolera. Y no es casual que el autor se sirva de un monólogo para tan curiosa trasmutación: el monólogo es el vehículo revelador por excelencia del hombre interior (137-138).» Finalmente me permito reproducir la siguiente síntesis acertada: «...Pero el hecho es evidente: en el frondoso 'martes de carnaval' que viene a ser el conjunto de esperpentos de Valle, las máscaras deformadoras caen a menudo y descubren rostros de hermanos nuestros que lloran. Los esperpentos de don Ramón son buenos —repitámoslo— porque no son absolutos... ¿Por qué obras tan ricas y matizadas como los esperpentos fueron definidas por su autor de forma tan rígida?... Escritor rebelde, Valle-Inclán volcó en sus afirmaciones teóricas toda la exasperación que le causaba la visión crítica de una sociedad envilecida. Como teórico, quiso ser juez inconmovible y propuso el esperpento absoluto. Pero como artista fue juez comprensivo y, a veces, compasivo... (139-140)».

SOBRE *LUCES DE BOHEMIA* Y SU REALIDAD LITERARIA

LA GÉNESIS DE «LUCES DE BOHEMIA»

Entre las cartas que se conocen de Valle dirigidas a Rubén Darío hay una de 1909 que tiene excepcional importancia porque aclara la génesis de *Luces de bohemia*[1]:

> Querido Darío:
> Vengo a verle después de haber estado en casa de nuestro pobre Alejandro Sawa. He llorado delante del muerto, por él, por mí, y por todos los pobres poetas. Yo no puedo hacer nada; usted tampoco, pero si nos juntamos unos cuantos algo podríamos hacer.
> Alejandro deja un libro inédito. Lo mejor que ha escrito. Un diario de esperanzas y tribulaciones.
> El fracaso de todos sus intentos para publicarlo y una carta donde le retiraban una colaboración de sesenta pesetas que

---

[1] Ya nos hemos ocupado de esta carta en una nota titulada «Sobre la génesis de *Luces de bohemia*» [*Ínsula* (núms. 236-37, julio-agosto de 1966), pág. 9] y, con anterioridad, en unas páginas más extensas con título de «Las cartas de Valle-Inclán a Rubén Darío» [*El Nacional*, núm. 1.000, 29 de mayo de 1966]. Hemos visto ahora que también Guillermo Díaz-Plaja ha llamado la atención sobre su importancia en *Las estéticas de Valle-Inclán* (Madrid, 1965), nota 17, págs. 268-269. Ver también mi ensayo «Rubén Darío y Valle-Inclán: historia de una amistad literaria», recogido en este libro.

tenía en *El Liberal*, le volvieron loco en los últimos días. Una
locura desesperada. Quería matarse. Tuvo el final de un rey de
tragedia: loco, ciego y furioso [2].

La sentida reacción y sincero dolor de Valle-Inclán ante la
muerte patética de Alejandro Sawa, *ciego* y *loco*, informará
la elaboración en 1920 de su primer esperpento. La carta es
además un vivo testimonio sobre el proceso creador de
Valle: en este caso (como en otros) parte de una realidad
experimentada para luego, con su gran inventiva, enrique-
cerla y transformarla en *Luces de bohemia*.

Algunos de los lastimosos detalles dados en la carta a
Rubén Darío parecen haber entrado de manera directa en la
obra. Se sabe que Alejandro Sawa, quien por lo menos en
parte le sirve de modelo a Valle al trazar el personaje de
Max Estrella, muere pobre, loco y ciego. Ciertas curiosas y
tristes circunstancias que concurren en la muerte de Max
(escenas XII-XIII) parecen ser corroboradas porque de ellas
se ocupa en forma semejante Pío Baroja en las páginas que
dedica a la muerte de otro escritor bohemio, de nombre Vi-
llasús, en *El árbol de la ciencia*.

En la primera escena de *Luces de bohemia* Max, el poeta
de clásico perfil, ha recibido una carta del Buey Apis y ave-
riguamos que por ella queda cesante. Ha perdido, pues, los
veinte duros que le pagaban por sus colaboraciones. Hasta
piensa, al conversar con su mujer, en la posibilidad de un
suicidio colectivo. Max Estrella, el poeta ciego, que trae ecos
de Homero y de Edipo, está atrapado en el espejo defor-
mante del callejón del Gato, retorciéndose y degradándose

---

[2] El primero que reproduce esta carta es Oliver Belmás [*Este otro
Rubén Darío* (Barcelona, 1960), pág. 187] y después se recoge también
en el libro de Dictino Álvarez, *Cartas de Rubén Darío* (Madrid, 1963),
págs. 70-71.

en sucesivas posturas indignas. No dudamos de la sinceridad de Valle cuando dice que ha llorado «por él [Sawa], por mí, y por todos los pobres poetas».

Max conserva, sin embargo, algo de su grandeza trágica, pero poco a poco las circunstancias exteriores destruyen lo que le queda de dignidad personal, y los golpes de una realidad cruel lo humillan de modo irremediable.

Retengamos las palabras de Valle en la carta transcrita: «Tuvo el final de un rey de tragedia: loco, ciego y furioso». Todo eso es verdad, mas las implicaciones trágicas de la vida y muerte del poeta alcohólico tienden a ser «desvalorizadas» hasta cierto punto por la visión grotesca que nos ofrece Valle del disparatado mundo en que se mueve Max Estrella[3]. Así es que en *Luces de bohemia* el lector sigue al

---

[3] De una entrevista periodística son las siguientes palabras de Valle: «...Cuando ya lo he visto [El personaje] completamente, lo 'meto', lo 'encajo' en la novela. Después, la tarea de escribir es muy fácil... La vida —sus hechos, sus tristezas, sus amores— es siempre la misma, fatalmente. Lo que cambia son los personajes, los protagonistas de esa vida. Antes esos papeles los desempeñaban dioses y héroes. Hoy... bueno, ¿para qué vamos a hablar? Antes, el destino cargaba sobre los hombros —altivez y dolor— de Edipo o de Medea. Hoy, ese destino es el mismo, la misma su fatalidad, la misma su grandeza, el mismo su dolor... Pero los hombres que lo sostienen han cambiado. Las acciones, las inquietudes, las coronas, son las de ayer y las de siempre. Los hombros son distintos, minúsculos para sostener ese gran peso. De ahí nace el contraste, la desproporción, lo ridículo. En *Los cuernos de don Friolera*, el dolor de éste es el mismo de Otelo, y, sin embargo, no tiene su grandeza. La ceguera es bella y noble en Homero. Pero, en *Luces de bohemia*, esa misma ceguera es triste y lamentable porque se trata de un poeta bohemio, de Máximo Estrella.» Francisco Madrid, *La vida altiva de Valle-Inclán* (Buenos Aires, 1943), pág. 114.

Y, hace años, Alfonso Reyes vio en el esperpento esa misma desproporción: «Hay veces en que la seriedad de la vida, en la fatalidad, es superior al sujeto que la padece. Cuando el sujeto es un fantoche ridículo, el choque manifiesto entre su inferioridad y la nobleza del dolor que pesa sobre él produce un género literario grotesco, al

poeta en su eterno rodar de taberna en taberna durante las últimas horas de su vida, hasta que muere tendido ante la puerta de su casa. Y, acostado ya para morir (XII), aparece un perro indiferente que «...encoge la pata y se orina. El ojo legañoso, como un poeta, levantado al azul de la última estrella». Valle ha tomado un hecho de 1909 y lo ha situado en «un Madrid absurdo, brillante y hambriento» de época más tardía.

BREVE SEMBLANZA DE ALE-
JANDRO SAWA (1862-1909) [4]

Cuando Guillermo de Torre consultó a Azorín sobre la posible identidad de los personajes que figuran en *Luces de bohemia*, éste le contestó, en carta de 1961 [5]:

> Precisamente, de todas las personas aludidas en *Luces de bohemia*, yo soy la única que subsiste... He conocido a todos los personajes del libro. Creo, sin embargo, que es inútil buscarles la filiación. La Bruyère, en sus *Caracteres*, traza retratos auténticos; han sido identificados todos. Y lo han sido porque respondían a una realidad histórica. Estarían más o menos acusados, con malicia, los rasgos; pero todos eran exactos. No sucede lo mismo en *Luces*. Nada hay en los retratados que responda a una realidad. Ni Max tiene nada de Sawa...

---

que Valle-Inclán ha bautizado con un nombre harto expresivo: *el esperpento.*» «La parodia trágica», *Simpatías y diferencias*, 2.ª serie (Madrid, 1921), pág. 29.

[4] Tengo en preparación un largo estudio sobre la obra y la persona de este extravagante y pintoresco escritor. Sobre el mismo: Luis S. Granjel, «Maestros y amigos del 98: Alejandro Sawa», *Cuadernos Hispanoamericanos*, núm. 195, marzo de 1966, págs. 430-444.

[5] Guillermo de Torre, «Valle-Inclán o el rostro y la máscara», *La difícil universalidad española* (Madrid, 1965), págs. 140-141. Quizá conviene aclarar aquí que la alusión a Azorín es la conocida frase «viva la bagatela» (escena VII).

Estas palabras de Azorín, quien de paso aclara en la citada comunicación varias frases y señala pistas para el estudio crítico de *Luces*, merecen tenerse en cuenta, por supuesto, pero al mismo tiempo Valle debe de haber recordado muy vívidamente, hasta en ciertas particularidades exteriores, la figura del amigo Sawa al trazar libremente el personaje principal de su obra de 1920 [6].

A estas alturas es en verdad difícil recrear con absoluta fidelidad la persona de Alejandro Sawa, sobre todo por la estela de anécdotas que siempre lo ha rodeado, siendo la del beso de Víctor Hugo la más conocida. Si hemos de creer sus propias palabras, no nació Sawa de antecedentes griegos, en Málaga, donde fue criado, sino en Sevilla en 1862 [7]. Entre sus hermanos había al menos dos, Miguel y Manuel, recordados en las memorias de la época. De hecho, como Max Estrella, Sawa estaba casado con una francesa, Juana Poirier, y tenían una sola hija, de nombre Elena. El suicidio colectivo de la esposa e hija de Max aludido en la escena última de *Luces* no se ajusta a la realidad. Quisiera recordar aquí que el profesor Zahareas me ha comunicado que, debido a la gentileza de Carlos Valle-Inclán, pudo hojear un cuaderno donde don Ramón señalaba una cantidad mensual para la viuda de su amigo. Si nos atenemos a los juicios de los memorialistas de la época que conocían a Sawa, sobre todo a Baroja, aquél era un hombre de gestos eminentemente

---

[6] En las páginas que siguen completo algunos datos sumarios dados ya por Guillermo de Torre sobre Alejandro Sawa [*Ibid.*, págs. 138-140], y agrego otros de mi propia cosecha para redondear la presentación de este personaje estrafalario.

[7] Alejandro Sawa, *Iluminaciones en la sombra* (Madrid, 1910), página 178.

hiperbólicos y teatrales. Gómez de la Serna, por ejemplo, lo recuerda así [8]:

Con luces de divino fracaso les [a Darío y a Valle] enternecía porque su habla no era trivial, ni chabacana ni indigna de la aspiración inmortal en contraste con la de todos los otros. Yo vi pasar... a ese abanderado invicto y le contemplé en su éxtasis de ciego de café.

Era nazareno y como tal con la nariz aguileña, la melena crecida y la barba cuadrada, separándose los bigotes de ella con esa nota sobresaliente y arisca que toman los bigotes así.

Su mirada primero soñadora y después con los sueños cristalizados de la ceguera, miraba siempre a lo alto ya que la cabeza de Alejandro Sawa es de las que se echan hacia atrás, como si su contrapeso estuviese en el encéfalo.

Aunque dipsómano impenitente, lograba mantener cierta dignidad, a pesar de la franca y lamentable miseria en que vivía. De aspecto imponente, era una figura pintoresca y rebelde de la bohemia madrileña de principios del siglo actual, enamorado del arte e intransigente. Sobre los últimos días de Sawa, tenemos el testimonio de un admirador incondicional, el novelista Iglesias que lo considera un «genio truncado» [9]:

Hoy, que la inteligencia de Alejandro Sawa —algo desordenada, si queréis, pero compatriota del Genio—, se abrazó con su hermana gemela la Locura; hoy, digo, ya puedo hablar sinceramente de este hombre, cuyo cuerpo sobrevive a su alma.

El día 18 de febrero del año actual, Alejandro Sawa amaneció completamente loco. El día anterior el enfermo presintió la catástrofe. Y este presentimiento, aunque tiene mucho de

[8] Ramón Gómez de la Serna, *Don Ramón María del Valle-Inclán* (Buenos Aires, 1944), pág. 39.
[9] Prudencio Iglesias, «Alejandro Sawa», *De mi museo* (Madrid, 1909), págs. 91-92. Debo la consulta de esas páginas a la bondad de mi amiga Ángeles Prado.

emocionante, no es extraordinario, si se piensa en las cualidades de vidente de este genial perturbado.

Alejandro Sawa siempre tuvo un plano de su espíritu vuelto
completamente hacia la Locura. En los momentos de exaltación —y Alejandro Sawa se exaltaba por todo—, aquel hombre tomaba el aspecto imponente de un loco. En los momentos
de intimidad, el Sawa que con voz sorda hablaba de sus abstracciones, hacía pensar al que le escuchaba si aquella poderosa
inteligencia no se hallaría a muy escasa distancia de la Locura...

En vista de las palabras transcritas de Prudencio Iglesias,
es tal vez significativo recordar aquí cómo en *Luces de bohemia* Max Estrella tiene dos alucinaciones. En la primera
recobra la vista momentáneamente (escena I), y en la segunda, un poco antes de morir, se transporta a París en el momento del entierro de Víctor Hugo (escena XII).

Como se sabe, Sawa residió por muchos años en París.
Fue amigo de Verlaine, cuya sombra aparece en el Café Co-
lón de *Luces*, y de todo el equipo de poetas simbolistas. De
Verlaine tenía un poema autógrafo e inédito, según decía [10].
Y dentro del caso es importante recordar aquí las palabras

---

[10] Sawa, *ob. cit.*, pág. 179. En efecto, se trataba del soneto titulado
Féroce, fechado en 1894. Aunque publicado el poema, poseía Sawa
otra copia autógrafa con variantes. También en *Iluminaciones en la
sombra*, libro rico en alusiones al poeta francés, Sawa, con motivo de
las traducciones de Verlaine por Manuel Machado, dice textualmente
de él: «Manuel Machado, el exquisito voluptuoso del ritmo en el habla
y en la vida, ha pagado garbosamente a las letras españolas una es-
tupenda contribución de gracia y señoría, por la que todos le debemos haber. Señor poeta: gracias por los nuevos rayos de luz que apor-
táis a nuestro miserable mundo espiritual» (pág. 255).
Gómez Carrillo ha reproducido una carta de 1892, en la cual Sawa
le habla de cómo Verlaine recibió el folleto que el cronista guatemal-
teco había escrito sobre él, un ejemplar del cual había mandado a
París, para que Sawa se lo diera. *Almas y cerebros* (París, 1925), página 184.

de Manuel Machado quien se refiere al regreso de Sawa a
España hacia 1896, trayendo consigo el culto a Verlaine [11]:

> Allá por los años de 1897 y 98 no se tenía en España, en
> general, otra noción de las últimas evoluciones de las literatu-
> ras extranjeras que la que nos aportaron personalmente algu-
> nos ingenios que habían viajado. Alejandro Sawa, el bohemio
> incorregible, muerto hace poco, volvió por entonces de París
> hablando de parnasianismo y simbolismo y recitando por la
> primera vez en Madrid versos de Verlaine. Pocos estaban aquí
> en el secreto...

Vale la pena mencionar que Rubén Darío conoció a Sawa en
su primer viaje a París, en 1893, y el español era su compañero asiduo en la vida nocturna del Barrio Latino. De aquellos años dice Darío en su *Autobiografía* [12]:

> Carrillo, muy contento de mi llegada, apenas pudo acompa-
> ñarme por sus ocupaciones; pero me presentó a un español
> que tenía el tipo de un gallardo mozo, al mismo tiempo que
> muy marcada semejanza de rostro con Alfonso Daudet. Llevaba
> en París la vida del país de Bohemia, y tenía por querida a
> una verdadera marquesa de España. Era escritor de gran talento
> y vivía siempre en su sueño. Como yo, usaba y abusaba de los
> alcoholes; y fue mi iniciador en las correrías nocturnas del
> Barrio Latino. Era mi pobre amigo, muerto no hace mucho
> tiempo, Alejandro Sawa. Algunas veces me acompañaba también
> Carrillo, y con uno y otro conocí a poetas y escritores de Pa-
> rís, a quienes había amado desde lejos.

Frecuentes en verdad son las alusiones a Sawa en la obra de
Darío, como luego veremos, y hasta es posible conjeturar que
por Sawa empezó hacia 1899 la larga y duradera amistad entre Darío y Valle-Inclán.

11 Manuel Machado, *La guerra literaria* (Madrid, 1913), págs. 27-38.
12 Rubén Darío, *Autobiografía, Obras completas*, I (Madrid, 1950),
pág. 103.

Alejandro Sawa era frecuente colaborador en las revistas e infinitos periódicos de la época. Inclusive su firma aparece en revistas de cierta importancia literaria como *Helios, Renacimiento* y *Alma Española*, y en otras de menos exigencia intelectual como *Blanco y Negro* y *Cuento Semanal*. Era autor también de varias novelas naturalistas, a la manera de Zola, escritas a partir de 1885 [13], y el 21 de enero de 1899 se estrenó, en el Teatro de la Comedia, una adaptación suya de *Los reyes en el destierro* de Daudet [14]. Se ha dicho varias veces que Valle-Inclán desempeñó un papel en la pieza, pero no encuentro en el libro mismo ninguna comprobación del dato varias veces recogido por la crítica. La publicación póstuma de *Iluminaciones en la sombra*, obra que pronto nos ocupará, completa la escasa producción en libro de Alejandro Sawa.

---

[13] De sus obras novelescas, que corresponden a su juventud literaria, tengo a la vista las siguientes: *La mujer de todo el mundo, Declaración de un vencido, Noche* y *Crimen legal*. Otra novela corta de Sawa se titula *Historia de una reina*, editada años después en 1907. Hubo por lo visto una continuación de *Noche*, con título de *Alborada*, pero no sé si llegó a publicarse. Tengo noticias indirectas sobre otras dos novelas del mismo: *Criadero de curas* y *La sima de Iguzquiza*.

[14] Sobre este estreno dice Rubén Darío lo siguiente: «...Autor de la pieza y gozador del triunfo y del provecho, Alejandro Sawa. De Sawa también os he hablado desde París... Él fue quien me presentó a Jean Carrere, cuando la *émeute* de los estudiantes y los escándalos del café D'Arcourt, en el 93. Allá en París hacía Sawa esa vida, hoy ya imposible, que se disfrazó en un tiempo con el bonito nombre de Bohemia. Es más parisiense que español y sus aficiones, sus preferencias y sus gustos tienen el sello de Quartier Latin. Lo que no obsta para que sea casado, hombre de labor de cuando en cuando —y querido de todos en Madrid. A su vuelta, después de muchos años, de Francia, ha sido recibido fraternalmente, y la suerte buena no le ha sido esquiva, pues con el arreglo que ha hecho ahora para el teatro, ha obtenido una victoria intelectual y positiva... Sawa ha logrado hilvanar bien su *scenario* y tejer su juego con habilidad y con el talento que todo el mundo le reconoce.» «Notas teatrales», *España contemporánea, Obras completas*, III, pág. 57.

En la carta ya transcrita de Valle a Darío, en 1909, se alude al libro inédito que había dejado Sawa como «un diario de esperanzas y tribulaciones». Con el título significativo de *Iluminaciones en la sombra*, este libro se publicó un año después de la muerte del autor y lleva amistoso prólogo de Darío, páginas nunca recogidas en sus *Obras completas*. El lector curioso que lea esas crónicas misceláneas (retratos literarios, recuerdos de París, comentarios de libros, y sobre todo confesiones alusivas a su «iconografía personal»), redactadas en fechas muy diversas desde aproximadamente 1901 en adelante, verá que Valle acierta al llamarlas «un diario de esperanzas y tribulaciones», aunque para decir la verdad pocas notas esperanzadas han de encontrarse en este libro, que sirve más que nada para completar el triste retrato del desdichado escritor. Por su valor de intimidad, quisiera transcribir ahora unas apreciaciones tomadas del mencionado prólogo de Darío, en cuyo sentimiento influye en parte, creo, una actitud de arrepentimiento por su propia conducta con Sawa en los últimos años de su existencia [15]:

---

[15] No es dato ignorado que Darío, en momentos de crisis y de enfermedad hacia finales de su vida, solía valerse de sus amigos (Nervo, Bazil y seguramente otros) para cumplir con sus compromisos en *La Nación*. Tal fue por lo visto el caso de Sawa, quien por la estrechez económica en que vivía siempre, le reclamaba pago por ciertas páginas por él escritas. Sobre este tema y las circunstancias bajo las cuales llegó a publicarse por fin su libro póstumo, son indispensables las páginas de Dictino Álvarez, quien reproduce el significativo epistolario y reúne un buen acopio de datos sobre Sawa, *ob. cit.*, páginas 57-73.

Como se sabe, muchas veces Sawa firmaba sus cartas «Alex». La razón por la cual menciono este hecho aquí es que, en la escena octava de *Luces*, figura el siguiente diálogo:

EL MINISTRO: ...¿Qué fue de tu hermana?
MAX: Entró en un convento.
EL MINISTRO: ¿Y tu hermano Alex?
MAX: ¡Murió!

Sawa andaba por el Barrio como un habitual personaje de
él. Sus compañeros eran notorios... Su cabellera negra se coro-
naba con el orgullo fantasioso de un sombrero de artista, de
un *rembrandt* de anchas alas. Su sonrisa era semidulce, semi-
irónica. Estaba impregnado de literatura. Hablaba en libro.
Era gallardamente teatral. *Poor Alex!* Recorríamos el país latino, calentando las imaginaciones con excitantes productores de
paraísos y de infiernos artificiales. ¡El ángel-diablo del alcohol!
...Sawa fue de los que buscaron el refugio del «falso azul noc-
turno» contra las amarguras cotidianas y las pésimas jugadas
de la maligna suerte. Mucho daño le hizo el ejemplo del pobre
y «mauvais maître» que arrastraba su pierna y su mitad inocente y su mitad perverso genio por los cafés de la orilla iz-
quierda del *morne Sena* [16].

Después de recordar la leyenda de Sawa («...él siempre vivió
en leyenda, y que, siendo, como fue, de una gran integridad
y sinceridad intelectuales, pasó su existencia golpeado y hasta apuñalado por lo real en la perpetua ilusión de sí mismo») [17] y su historia literaria, Darío elogia su talento de gran
actor que sólo representó «la propia tragicomedia de su
vida» [18], y recuerda lo triste de sus últimos años para luego
decir:

Amaba el excelente escritor la belleza, la Nobleza, la Bondad, todas las sagradas cualidades mayúsculas. Se asomaba a
perspectivas de eternidad; mas siempre se distraía en lo momentáneo, e hizo del Arte su religión y su fin...

Yo le he visto en mil instantes. Hombre jovial, compañero
risueño de una voz ya ruidosa, ya como medio velada con una
gasa de seda, sutil narrador de anécdotas, noctámbulo, revelador de felicidades paradójicas y descubridor de fatamorganas.

El dato es interesante, porque el lector puede creer que en la
figura de Max hayan intervenido rasgos de otro de los hermanos Sawa.

[16] Rubén Darío, prólogo a *Iluminaciones en la sombra*, págs. 8-9.
[17] *Ibid.*, pág. 9.
[18] *Ibidem.*

Ceremonioso y escénico, a punto de que su simple entrada en un café era un espectáculo. Amigo de hacer visible y retórica su superioridad mental, con actitudes y con tropos... Ciranesco, quijotesco, d'aurevillyesco, todo en una pieza, llevó siempre, eso sí, aun en las mayores angustias y caídas, levantado e incólume su penacho de artista. Intransigente, prefirió muchas veces la miseria a macular su pureza estética. Su pureza no era blanca, era azul [19].

Bellas en verdad son esas páginas de Darío que rinden tributo final al recién desaparecido amigo español, y sus últimas palabras son las siguientes: «*Bonne nuit, pauvre et cher Alexandre!*» [20].

A pesar de tantas aparentes coincidencias entre Alejandro Sawa y Max Estrella, hay que insistir en que la figura protagónica de *Luces de bohemia* también tiene mucho de Valle mismo. El ambiente literario en que se mueve Max es precisamente el que tan bien conocía el escritor gallego, y de ahí su inconfundible sello de autenticidad. Las penurias económicas, la lucha con libreros y editores, la detención y otras alusiones a ese mundo de aquel entonces traen indefectible eco de Valle y de las peripecias de su propia vida. Recordemos de paso que el Marqués de Bradomín dice en la penúltima escena: «Estoy completamente arruinado desde que tuve la mala idea de recogerme a mi Pazo de Bradomín. ¡No me han arruinado las mujeres, con haberlas amado tanto, y me arruina la agricultura!» Gómez de la Serna, cuyas páginas sobre Sawa son buenas, parece haber visto el mismo desdoblamiento de Valle en Max cuando escribe, por ejemplo [21]:

---

[19] *Ibid.*, págs. 10-12.
[20] *Ibid.*, pág. 15.
[21] Gómez de la Serna, *ob. cit.*, pág. 41 y pág. 45. Sobre el mismo tema, escribe Guillermo de Torre: «...Para Valle-Inclán fue una suerte de personaje catártico; por su intermedio se libertó de una obsesión juvenil, sin perjuicio de incurrir parcialmente hacia el final de sus

Sawa imbuyó en Valle-Inclán la idea de que en la miseria pura con atisbos de lo poético, hay algo muy grande que no tiene que ser secundado ni por el acierto ni por el éxito. Valle soportaba más su vida difícil, porque se vio desdoblado en este inacabado literato que sólo tenía el lamento y el aullido del grande hombre pisado, poseyendo además la delectación de los ojos elevados hacia la cabalgata de los grandes ideales.

Enseñaba así a los demás, pasando de una acera a otra al ciego ungido de orgullo artístico, a que cuando a él le llegase la hora alguien le sirviese de lazarillo.

Se debate y vive sobreponiéndose a su miseria porque cree en la superioridad de los superiores, por caídos que estén.

....

A Valle le enamoró, sobre todo en Alejandro Sawa, el ver en mayor penuria, en más quebrada canosidad y ceguera, lo que él era y por eso le elevaba, le oía exaltándole y le llevaba del brazo a su casa.

...Por eso Alejandro Sawa era —porque él lo quería— su parigual y su testigo.

Alejandro Sawa, leyenda y realidad, es un escritor marginal indudablemente menor en cuanto a sus realizaciones literarias. Hay que admitir que su fama póstuma se debe de modo especial a la inmortalización de su persona en *Luces de bohemia*. Y esta tragedia no fingida de la bohemia y el orgullo con que aguantaba los duros golpes de la vida hacen de él una figura arquetípica, que ha pasado a la ficción y a las memorias de la época. Para terminar esta breve semblanza del pobre escritor, nada mejor que transcribir el conocido epitafio que escribe Manuel Machado sobre tan curioso personaje:

_____

días en la mimesis de aquel arquetipo grotesco y grandioso», *ob. cit.*, pág. 140.

Jamás hombre más nacido
para el placer, fue al dolor
más derecho.
Jamás ninguno ha caído
con facha de vencedor
tan deshecho.
Y es que él se daba a perder
como muchos a ganar.
Y su vida,
por la falta de querer
y sobra de regalar
fue perdida.
  ¿Es el morir y olvidar
mejor que amar y vivir,
y más mérito el dejar
que el conseguir...?

«LOS EPÍGONOS DEL PARNASO MO-
DERNISTA» Y OTROS PERSONAJES

Como parte integral del drama personal de Max Estrella
y la «trágica mojiganga» de España, en *Luces de bohemia*
Valle nos presenta con suma maestría la crónica de todo
aquel abigarrado mundo literario de los primeros decenios
del siglo actual, confundiendo a propósito fechas y acontecimientos reales. En ese cuadro vasto, hay toda una galería
de rostros de escritores, periodistas y libreros, algunos reconocibles y otros no, que constituyen el fondo movido ante el
cual se desarrolla la acción. No creo que Valle-Inclán siempre haya tenido presente un modelo exclusivo y concreto al
representar a los que integran el grupo de escritores llamados por él «los epígonos del Parnaso modernista». Por eso
no son menos reales. Valle evoca a esos individuos según un
procedimiento combinatorio, lo cual implica la dificultad

de identificarlos con absoluta seguridad. Hace ya varios años Azorín apuntaba la necesidad de una edición crítica de *Luces de bohemia*, en la cual se identificara a los personajes y se aclarara el sentido exacto de ciertas frases del diálogo. Así no resultaría con el tiempo ininteligible el libro, perdidos los rastros auténticos de aquel mundo [22]. No cabe duda alguna de que el lector enterado de las intimidades de aquella época percibirá hábiles ecos intencionados, los cuales permiten apreciar con qué pericia Valle combina su ficción con la realidad en su recreación de la España de las primeras décadas del siglo XX.

El que más precisiones nos ha ofrecido sobre la filiación de esas caras de la bohemia madrileña es Guillermo de Torre (*ob. cit.*, págs. 136-137). De sus informativas páginas, nos aprovechamos ampliamente aquí aunque al mismo tiempo nos permitimos agregar unos cuantos datos más. El librero Zaratustra, cómplice de don Latino y personaje que recibe la máxima esperpentización, es el conocido editor de los modernistas Gregorio Pueyo. Se recordará que se suma a la tertulia don Peregrino Gay, y la clave para identificarlo como el curioso y andarín Ciro Bayo se da en las siguientes palabras escritas con intención: «Es el extraño don Peregrino Gay, que ha escrito la crónica de su vida andariega en un rancio y animado castellano, trastrocándose el nombre en don Gay Peregrino...» [23]. En la taberna de Pica Lagartos se presenta la golfa Enriqueta la Pisa-Bien, que trae eco de una conocida vendedora de billetes de lotería de nombre

---

[22] Azorín, prólogo a *Obras completas de don Ramón del Valle-Inclán*, I, 3.ª ed. (Madrid, 1954), págs. XXII.

[23] Importante para el tema de Ciro Bayo y Valle-Inclán es el buen artículo de Joseph A. Silverman, «Valle-Inclán y Ciro Bayo», *NRFH*, XIV (1960), págs. 73-88.

«Ojo de plata» [24]. Cuando en la cuarta escena llegan Max y don Latino, ya ebrios, a la Buñolería se encuentran con los epígonos del modernismo, entre los cuales se destaca uno, Dorio de Gádex («jovial como un trasgo, irónico como un ateniense, ceceoso como un cañí, mima su saludo versallesco y grotesco»), quien acoge a Max con un verso de Darío: «¡Padre y Maestro Mágico, salud!» Dorio de Gádex era el seudónimo con que Eugenio de Ory, autor gaditano de un libro sobre Darío, solía firmar sus novelas [25]. En la escena VIII Valle hace una lograda caricatura del Ministro de *Desgobernación*, de gestos teatrales y afectados, y en ella se han visto rasgos del periodista Julio Burell. Su Excelencia no sólo da dinero a Max, sino que también siente nostalgia por las letras, y transcribo aquí lo que dice de Max Estrella, palabras que a su vez podrían relacionarse con el mismo Sawa:

> EL MINISTRO: Querido Dieguito, ahí tiene usted un hombre a quien le ha faltado el resorte de la voluntad! Lo tuvo todo: Figura, palabra, gracejo. Su charla cambiaba de colores como las llamas de un ponche.
> DIEGUITO: ¡Qué imagen soberbia!
> EL MINISTRO: ¡Sin duda, era el que más valía entre los de mi tiempo!
> DIEGUITO: Pues véalo usted ahora en medio del arroyo, oliendo a aguardiente, y saludando en francés a las proxenetas.

---

[24] Madrid, *ob. cit.*, págs. 283-284.

[25] En cuanto a las novelas de Dorio de Gádex, he aquí por lo menos unos títulos: *Tregua* (1908), *Un cobarde* (1909) y *Lolita Acuña* (1909). Sobre las figuras episódicas, que luego pasarán a ser fantoches algunos de ellos, ha escrito Guillermo de Torre lo siguiente: «...Figuras episódicas... como 'Rafael de los Vélez (¿Rafael Lasso de la Vega?), 'Lucio Vero' (¿Juan José Llovet?), 'Gálvez' (¿Pedro Luis de Gálvez?), 'Clarinito' y 'Pérez', no admiten ni necesitan más que entre interrogantes una identificación precisa; son la golfemia —mezcla de golfería y bohemia—, o si se quiere, dicho más noblemente, componen el antiguo coro de las tragedias y zarzuelas, y en él se mezclan figuras de la generación de Villaespesa con otras posteriores», *ob. cit.*, página 137.

Muerto Max Estrella, entra en el velorio grotesco «...un hombre alto, abotonado, escueto, grandes barbas rojas de judío anarquista y ojos envidiosos, bajo el testud de bisonte obstinado. Es un fripón periodista alemán, fichado en los registros policíacos como anarquista ruso y conocido por el falso nombre de Basilio Soulinake» (escena XIII). Este sujeto es indudablemente Ernesto Bark, que de verdad era un escritor ruso anarquista que pertenecía a la «golfemia» de principios del siglo [26]. Por último, ¿a qué realidad posible co-

---

[26] Me gustaría ocuparme brevemente aquí de Ernesto Bark. Ese escritor ruso anarquista, recordado en las memorias de la época, pertenecía a la fauna bohemia de principios del siglo, y, entre otras cosas, escribió *Wanderungen in Spanien und Portugal* 1881-1882 (Berlín, 1883), *Los vencidos. Novela política contemporánea* (Alicante, 1891), y tengo noticias de otra novela del mismo titulada *Filosofía del placer. La invisible (novela contemporánea)*, Pueyo, 1908. Publicó también varios pequeños volúmenes de ensayos.

En *Iluminaciones en la sombra*, Sawa habla de él y dice: «Ernesto Bark me envía un libro suyo, que intitula novela, del que yo resulto protagonista; yo, mi ser físico, mi pobre envoltura material, en unión de un esqueleto. No me quejo de la compañía... Ernesto Bark, que lleva una llama por pelos en la cabeza, y cuyos ojos árticos lanzan miradas de fuego que ignoran las más ardientes pupilas meridionales, me produce, por efecto puramente material, por sensación física, el efecto de un hombre de los trópicos que con el cerebro en fuego viniera a comunicarnos sus ígneas impresiones arreboladamente... Nació en Riga o en Dorpart, allá por las vecindades del Polo, y a mí se me antoja, por su perenne fantasear, un ciudadano de nuestras tierras solares del Mediodía... Y siempre, perdurablemente, fue un gran exagerado del pensamiento en acción... De mí dice cosas bellas y generosas también, y algunas que son como la expresión de una cólera malsana: las llamas son así... en estas líneas, quizás testamentarias, yo quiero dejar dicha mi amistad por un hombre al que mi rostro social no fue antipático y que es inmensamente hombre de corazón y de cerebro, el peregrino apasionado de la Verdad y de la Justicia» (págs. 237-239).

Quisiera recordar también que en su carta a Guillermo de Torre dice Azorín: «...ni Ernesto Bark es tal Ernesto Bark. En los días en que se publicó el libro tuve ocasión —casualmente— de ver cuán irritado, indignado, estaba Bark», *ob. cit.*, pág. 141.

rresponde don Latino de Hispalis, cuyo nombre se explica
parcialmente en el texto (escena VII)? Su identidad no la
puede precisar Azorín [27]; Torrente Ballester cree percibir
en él algo de Diego San José [28]; y por nuestra parte nos preguntamos si se ha de ver, quizás, en este amigo de Max,
siempre calificado de perro, alguna vaga alusión a los perros
que solían acompañar a Sawa por las calles de Madrid. También don Latino encierra otros rasgos genéricos del escritor
de aquel entonces: había hecho periodismo en París y llevaba
mala literatura de entregas.

ALGO MÁS SOBRE EL TEMA DE LA LITERATURA EN «LUCES»

Luces de bohemia abunda en los más variados contextos
literarios, y hay que recordar, una vez más, con qué frecuencia Valle solía hacer literatura de la literatura. Era en él
un modo de composición, enteramente legítimo, mediante el
cual se dirige al lector iniciado, ofreciéndole la oportunidad
de ser cómplice del creador mismo. Así es que Valle tenía
la inveterada costumbre de incrustar en su obra intencionados y voluntarios recuerdos textuales de otros autores. A
veces lo hacía con el fin de hacer la sátira más punzante
(*Los cuernos de don Friolera*, *Las galas del difunto*, *Tirano*

Por lo demás, en *La lámpara maravillosa* dialoga con el autor un
tal *Pedro Soulinake* («un polaco místico y visionario» y «de barbas
apostólicas y claros ojos de mar»). Díaz-Plaja ve en ese personaje un
trasfondo barojiano, *ob. cit.*, págs. 282-283.

[27] En su tantas veces citada carta, escribe Azorín: «...Se me escapa
Latino Hispalis; pero debe de ser un tipo imaginario. La carpeta de
revistas que lleva consigo, ¿qué significa? ¿Repartidor de revistas?»,
ob. cit., pág. 141.

[28] Gonzalo Torrente Ballester, «Historia y actualidad en dos piezas
de Valle-Inclán», *Ínsula* (núms. 176-177, julio-agosto de 1961), pág. 6.

Banderas), otras veces para ofrecer, como decía, auténtica documentación sobre épocas y ambientes no conocidos (*Sonata de primavera*). También es lícito pensar que a Valle le gustaba burlarse de los eruditos y despistar a los críticos miopes que con tanto afán se dedican a descubrir en sus obras esas fuentes directas [29]. Como en ninguna otra obra de Valle, *Luces de bohemia* recoge múltiples motivos literarios que tienen función orgánica en el libro, porque contribuyen con eficacia a completar el retrato auténtico que nos da de todo aquel mundo de los primeros veinte años del siglo xx.

Sin ánimo de agotar el tema, quisiera ocuparme brevemente ahora de algunas de las muchas alusiones literarias en *Luces*. Es, por ejemplo, rico en citas textuales incorporadas al diálogo mismo. Ya señalamos que el saludo de Dorio de Gádex recuerda el primer verso del «Responso a Verlaine» y luego en boca del periodista don Filiberto, cuyas palabras recrean todo su propio pasado literario de poeta de Juegos Florales, se escuchan versos de «Canción de otoño en primavera». En otro diálogo («¡Que haya un cadáver más, sólo importa a la funeraria!») resuena un eco irónico de Espronceda, y una aparente alusión clásica asoma (San Juan de la Cruz) cuando el chico de la taberna irá «como la corza herida» a empeñar la capa de Max. Y nuevamente recuerdo la frase, cuya paternidad se ha discutido [30]: «...Hay alguno de ustedes, de los que ustedes llaman maestros, que se atreve a gritar viva la bagatela. ¡Y eso no en el café, no en la tertulia de amigos, sino en la tribuna de la Docta Casa!» Se dice que Max está ciego «Como Homero y como Belisario», palabras que parecen provenir de un verso de Víctor Hugo.

[29] Emma Susana Speratti Piñero, *La elaboración artística en «Tirano Banderas»* (México, 1957), págs. 36-37.
[30] Sobre «viva la bagatela», Díaz-Plaja, *ob. cit.*, págs. 127-129.

En *Luces*, Max (¿Valle?) se refiere también a los ultraístas como unos farsantes [31], al periodismo en Francia, a problemas con editores, a las penurias de los pobres poetas cuya obra no se cotiza y a infinitos temas parecidos. Como en otras obras de Valle (por ejemplo, *Farsa italiana de la enamorada del rey*), la sátira de la academia es particularmente acerba, y no se pierde ocasión para burlarse de los académicos. A menudo el autor alude a otros escritores, españoles y extranjeros, en *Luces de bohemia*, designándolos con sus propios nombres. Habría que recordar entre ellos a Pérez Galdós y su muerte (IV), los Quintero y su teatro banal (XIV), Unamuno y su falta de humor (VII), Villaespesa y sus revistas efímeras (IX), Víctor Hugo, Verlaine, Shakespeare, etc. [32]. El papel activo que desempeña Rubén Darío en la obra merece mayor atención aquí.

Rubén Darío figura en dos escenas significativas de *Luces*: primero, dialoga con Max y don Latino en el Café Colón (escena IX), y luego, en el cementerio, después del entierro de Max, habla en un ambiente de evidente factura shakesperiana con el viejísimo Marqués de Bradomín sobre la muerte (para Darío es *Ella*) y la literatura (escena XIV). El retrato que nos da Valle del meditabundo Darío es auténtico: el bebedor silencioso de ajenjo que repite y repite la ya famosa palabra «admirable». Y hasta en lo físico: «su máscara de ídolo» y «el gesto de ídolo, evocador de terrores y misterios... sale de su meditación con la tristeza vasta y enorme esculpida en los ídolos aztecas». En el Café Colón

---

31 Con respecto a esta alusión a los ultraístas, son importantes las páginas de Guillermo de Torre, *ob. cit.*, págs. 133-135.

32 Quisiera mencionar aquí por lo menos uno de los curiosos anticipos de obras posteriores de Valle que se halla en *Luces*. En la escena segunda, llega una chica a la «cueva» de Zaratustra, y solicita la entrega semanal d'*El hijo de la difunta* para *Doña Loreta la del coronel*.

recita Darío además los versos finales de «Peregrinaciones», poema escrito, según dice, con motivo de la carta de despedida que había recibido del Marqués de Bradomín, que había ida o morir en su tierra. De mayor importancia literaria, sin embargo, es en la misma escena la conversación entre los dos bohemios y Darío sobre la Gnosis, la Magia, Pitágoras y temas del espiritismo. Estas preocupaciones constituyen una clave para entender ciertos aspectos de la obra de Darío y de Valle mismo, ambos escritores emparentados por su interés en el mundo estérico de la teosofía y las matemáticas celestiales [33].

(1968).

---

[33] Instructiva es la parte de su libro que dedica Díaz-Plaja al espiritismo en Valle [*ob. cit.*, pág. 95 y subsiguientes], y en mi artículo ya citado sobre Darío y Valle estudio brevemente el tema, que en verdad merece mayor exploración. Finalmente quisiera insistir de nuevo en la importancia del ejemplar y exhaustivo libro de Alonso Zamora Vicente [*La realidad esperpéntica. (Aproximación a «Luces de bohemia»)*, Madrid, 1969], que estudia con penetración «la raíz vital» de la obra, aclarando fuentes y elementos del trasfondo social y político. En efecto, con una gran riqueza de detalles pertinentes Zamora Vicente llega a recrear todo el clima, real y literario, de aquel mundo y, dentro del presente contexto, interesan sobre todo los capítulos «Literatura paródica (págs. 25-53)», «Literatización (págs. 62-76)», y las primeras páginas (págs. 128-130) de «La lengua, reflejo de la vida» dedicadas al tema *hablar en libro*.

III

UNAS RELACIONES LITERARIAS

RUBÉN DARÍO Y VALLE-INCLÁN:
HISTORIA DE UNA AMISTAD LITERARIA *

Con motivo del doble centenario de Rubén Darío y Valle-
Inclán, nos proponemos precisar en parte las firmes relacio-

---

* Estando en prensa el presente artículo, me han llegado últimamente algunos nuevos datos vinculados con el tema de las relaciones
literarias y amistosas entre Darío y Valle, y sobre ellos quisiera
llamar la atención en esta nota que ahora se agrega.
Debido a la gentileza del autor, Antonio Odriozola, he recibido su
página titulada «Una desconocida dedicatoria de Valle-Inclán a Rubén
Darío» [*ABC*, 11 de julio de 1967], en la cual se reproduce la dedicatoria impresa de la segunda edición de la *Sonata de estío* (Madrid,
1906). Esta dedicatoria, suprimida luego, dice: «A Rubén Darío: con
toda mi admiración y mi amistad». Y con ella, como anota Odriozola,
Valle corresponde al poeta por el envío, desde París, del «Soneto
autumnal al Marqués de Bradomín», poema que a su vez se imprime
al frente de la segunda edición de *Sonata de otoño* (1905).
De mayor importancia es un texto prácticamente desconocido que
es por lo visto de 1899 ó 1900, en el cual Rubén Darío da una muy
temprana semblanza de su amigo español. Esta página es, desde luego, anterior al conocido comentario «Algunas notas sobre Valle-Inclán», y en ella Darío no sólo evoca la personalidad de Valle, sino
también ofrece interesantes puntualizaciones sobre la novedosa prosa
artística de *Epitalamio* («...librito *bijou*, cuyo defecto sería quizá
el demasiado culto a D'Annunzio y la exageración de la delicadeza») y
de *Femeninas* («Es la primera vez que sobre la castiza narración castellana pasa la sombra de un vuelo de pájaros franceses»). También
alude a la preparación de otras dos obras: *Tierra caliente* («recuerdos
e impresiones de viajes por América») y *Adega*, en cuyos capítulos
ya publicados en revista halla Darío «...las mismas calidades de ma-

nes literarias y amistosas que existieron entre ambos escritores desde el momento de sus primeros encuentros en España, hacia 1899, hasta 1914, fecha en que partió Darío para América en su último y definitivo viaje. Hasta ahora lo que se ha dicho sobre esta entrañable amistad, bien conocida de todos, no pasa de planteos generales, y, por lo tanto, aspiramos a puntualizar aquí, con mayor rigor y a base de la documentación correspondiente, el alcance de su mutua admiración, que se manifiesta, como luego veremos, en múltiples formas.

Íntimamente unidos por su suprema devoción al Arte y por las mismas inquietudes estéticas, Darío y Valle-Inclán son esencialmente creadores de un estilo propio. Es verdad que el escritor español llega relativamente tarde a la literatura y que elabora una porción de su obra temprana bajo la clara influencia de la renovación que trajo el modernismo. Pronto y progresivamente, sin embargo, se aleja de un estilo ya hecho, superando la exquisitez aristocrática heredada de Darío y de otros modelos de la época, para forjar el suyo propio, el estilo de los esperpentos posteriores que pertenecen a su última y más decisiva etapa. Y son precisamente los escritores como Unamuno, Juan Ramón Jiménez y Alfonso Reyes quienes se dieron cuenta de la creación lingüística de Valle-Inclán. Decir que inicia una parte de su obra con una reconocible impronta modernista no es negar la gran originalidad de su talento, ya evidente desde sus primeros libros, y así da nuevas notas en un arte que será personal y

---

nera, las mismas preocupaciones de plasticidad y ritmo, los conocidos procedimientos y la gracia de la melodía d'annunziana».

El aludido texto olvidado lo ha reproducido Dionisio Gamallo Fierros en su artículo «Aportaciones al estudio de Valle-Inclán», *Revista de Occidente*, IV (2.ª época, núms. 44-45, noviembre-diciembre de 1966), páginas 362-363.

modernista al mismo tiempo. A pesar de esta filiación, Valle-Inclán se aparta de la herencia modernista en lo que tenía de más exterior para entrar en el terreno de su propia tradición regional y milenaria. No se nos oculta la dificultad de sintetizar adecuadamente la trayectoria estética de un escritor tan complejo como Valle-Inclán. Tan sólo vale como aproximación la fórmula cómoda: del modernismo al esperpentismo. O esta otra: del impresionismo al expresionismo. Es decir, una evolución que parte de un aristocratismo estético y del preciosismo exquisito de una literatura que se inspira más en el arte que en la vida (las *Sonatas*) para luego desembocar en una expresión más trascendente y más humana, menos gratuita y menos frívola (los Esperpentos). Atenerse de modo estricto a esas dos fórmulas simplistas sería pasar por alto ciertas significativas etapas intermedias: la eglógica de *Flor de santidad* (1904) y *Aromas de leyenda* (1907), la de las primeras comedias bárbaras (*Águila de blasón*, 1907; *Romance de lobos*, 1908), la de las tres novelas históricas del ciclo carlista que interesan sobre todo por el proceso que llevará con el tiempo al *Ruedo Ibérico*, y, por último, ciertos cuentos, de fecha diferente, que se relacionan, o con la modalidad legendaria y mítica, o con la más bien violenta y bárbara. Tampoco debiéramos de olvidarnos de las nuevas incursiones en un escenario todavía modernista y versallesco en *Cuento de abril* (1909) o en *La marquesa Rosalinda* (1913), obra esta última de transición por su tonalidad burlesca que anticipa en cierto sentido las nuevas actitudes que van a aparecer con toda claridad en 1919 con la publicación de *La pipa de kif*, riguroso antecedente de las modalidades expresivas y preocupaciones temáticas de Valle en su último período. Por otra parte, hay quienes ven la obra del escritor español como una progresiva esperpentización de la realidad, espigando desde tiempos atrás ciertos elementos dispersos que luego llegarán a cuajarse y ocupar un primer plano en la creación del género esperpéntico.

Pero a lo largo de los años y a pesar de los muchos cambios en su obra, Valle-Inclán permanece siempre fiel a su profunda amistad con Darío, desaparecido éste precisamente en el momento en que iba a cambiarse el rumbo de la literatura de su amigo español. Quisiéramos recordar aquí un testimonio que comprueba la perduración del respeto y la admiración que Valle-Inclán sentía por el poeta americano. Ángel Lázaro evoca cómo, en las altas horas de la madrugada, él y Rivas Cherif solían acompañar a Valle-Inclán a su casa. Cuando se le preguntó si seguía admirando a Darío a pesar de la evolución poética desde el modernismo hasta aquellos años, contestó [1]:

> Rubén Darío es nuestro gran poeta lírico. Hasta él no lo habíamos tenido en nuestra lengua. Teníamos, sí, grandes poetas dramáticos con Calderón y Lope; pero un poeta lírico de esa misma dimensión, un poeta lírico como Petrarca, o como Dante, no lo teníamos hasta que aparece Rubén Darío, con su gran orquestación. Darío —lo dijo él— es toda la lira.

Pasamos ahora a ver los comienzos de tan íntima amistad personal y literaria.

ALGUNOS ENCUENTROS: TESTIMONIOS Y ANÉCDOTAS

Llega Rubén Darío por segunda vez a España el 1.º de enero de 1899, comisionado por *La Nación* de Buenos Aires para comentar en sus crónicas, luego recogidas en el volumen *España contemporánea* (1901), la situación del país a raíz del desastre nacional de 1898. Pensemos un momento

---

[1] Ángel Lázaro, *Semblanzas y ensayos*, Puerto Rico, 1963, pág. 94.

en la fecha de su llegada a la Península. Ya se había consolidado el triunfo del modernismo: Darío mismo había publicado tres libros deslumbrantes y la juventud americana se le había adherido en forma casi incondicional. Era, pues, en aquel entonces una figura consagrada de la nueva literatura, y pronto su magisterio fue reconocido por los escritores españoles, quienes a su vez y por caminos propios, iban a revolucionar un poco después las letras peninsulares. Otro gran amigo de Darío y de Valle-Inclán, Juan Ramón Jiménez, quien, dicho sea así de paso, ha escrito algunas de las más profundas páginas que se conocen sobre el maestro americano, recuerda la época de la segunda estancia de Darío en España [2]:

> Pero Rubén Darío, síntesis de toda esta novedad poética de Francia, amaba a España como un niño, y vino a España cargado de lo que le podía dar: poesía... Rubén Darío vive en Madrid con el mismo rango de cronista que Martí, su antecesor en *La Nación* o en España; nuevo Martí, era otro enamorado de España, revuelto en cuerpo y alma contra la injusticia. Rubén Darío fue considerado como amigo y maestro por una parte de la jeneración del 98, influida de algunos de *los raros*, de Rubén Darío y otros raros: Ibsen, Nietzsche, Maeterlinck... Jacinto Benavente, príncipe entonces de aquel renacimiento, lo admiraba francamente; Ramón del Valle-Inclán lo leía, lo releía, lo citaba y lo copiaría luego; los demás, con los pintores correspondientes, lo rodeaban, lo mimaban, lo querían, lo trataban como a un niñote jenial y extraño. Los más jóvenes aspirantes a poetas lo buscaban. Villaespesa le servía de paje, y yo lo reparaba un poco más de lejos. Rubén Darío mismo nos iba dando los libros que recibía de sus amigos modernistas de América...

---

[2] Juan Ramón Jiménez, *El trabajo gustoso*, México, 1961, págs. 227-228.

El crítico y biógrafo de Valle-Inclán Fernández Almagro asimismo no deja de advertir la importancia que tuvo la presencia de Darío en Madrid, y relaciona al poeta nicaragüense con Valle-Inclán, como también lo hizo Juan Ramón Jiménez en el fragmento antes citado [3]:

> Presente en todas las conversaciones de los escritores que en ronda volante formaban las tertulias del Café de Madrid o del Inglés, de Fornos o de la Horchatería de Candela, estaba de continuo Rubén Darío. Sus *Prosas profanas* llegan de Buenos Aires en ondas de extraordinaria sonoridad. Hay quien le conoce personalmente desde el primer viaje del poeta a Madrid, en 1892, con ocasión de las fiestas conmemorativas del descubrimiento de América. Y todos lo conocerán cuando en los primeros días de 1899 vuelve a Madrid... Feliz revelación para Valle-Inclán la de este peregrino amigo. Se reconocen mutuas inclinaciones estéticas, a la vez que en la impasible sencillez del español de Nicaragua encuentra un saludable contrapeso el impulsivo español de Galicia.

En sus largos años de residencia en Europa, Darío tuvo muchos amigos españoles [4], y entre ellos ninguno quizá más fraternal y estrecho que Valle, que tanto admiraba al poeta americano. Seguramente se conocieron en 1899, año en que se quedó manco el escritor gallego, y es muy posible que los haya acercado otro amigo mutuo, el malogrado escritor y figura pintoresca de la bohemia finisecular Alejandro Sawa, ya de vuelta en España después de varios años de residencia en Francia. Sawa, amigo de Verlaine y los poetas del simbolismo, había sido, con Gómez Carrillo, el asiduo compañero

---

[3] Melchor Fernández Almagro, *Vida y literatura de Valle-Inclán*, Madrid, 1943, págs. 50-51.

[4] Sobre el tema de Rubén Darío y sus amistades españolas, son especialmente útiles las páginas de Antonio Oliver Belmás (*Este otro Rubén Darío*, Barcelona, 1960, págs. 141-194) y las de Dictino Álvarez Hernández (*Cartas de Rubén Darío*, Madrid, 1963, págs. 47-106).

de Darío en sus aventuras nocturnas del Barrio Latino durante su primer viaje a París en 1893 [5]. Darío, inicialmente desilusionado por las lamentables condiciones de la literatura española, habla años después en su autobiografía de los primeros días pasados en la corte, y rememora a sus antiguos compañeros, así como a los nuevos amigos, destacando a Benavente, Baroja, Maeztu, Ruiz Contreras y, entre los jóvenes, a los hermanos Machado, Palomero, Villaespesa, Juan Ramón Jiménez, etc. [6]. Quizás sorprenda que no se haya mencionado en esta primera nómina a Valle-Inclán, pero, tras evocar a Campoamor, la Pardo Bazán, Valera y otros conocidos de antes, dice un poco más adelante Rubén Darío: «...Teníamos inenarrables tenidas culinarias, de ambrosias y sobre todo de néctares, con el gran don Ramón María del Valle-Inclán, Palomero, Bueno...» [7]. No está de más mencionar aquí que, paseándose con Valle-Inclán en los alrededores de la Casa de Campo de Madrid, Darío llega a conocer por primera vez, en la primavera de 1899, a Francisca Sánchez, la humilde campesina que iba a ser la fiel compañera del distinguido poeta por tantos años. Y establecido su piso en la calle Marqués de Santa Ana, Valle-Inclán visitaba con regularidad la casa [8].

A pesar de las frecuentes ausencias de Darío y de Valle-Inclán de Madrid, en épocas distintas, muchos debieron de haber sido los encuentros en los cafés madrileños, cuyas reuniones literarias tuvieron tanta influencia ya reconocida en la evolución de las letras españolas del siglo xx. Coincidie-

[5] Rubén Darío, *Autobiografía*, en *Obras Completas*, I, Madrid, 1950, páginas 102-104.
[6] *Ibid.*, págs. 141-142.
[7] *Ibid.*, pág. 144.
[8] Para detalles más completos sobre ese significativo encuentro, véase Carmen Conde, *Acompañando a Francisca Sánchez*, Managua, 1964, páginas 10-12.

ron, sin duda, en el Café de Madrid, en el Nuevo Café de Levante, en el Colonial y en tantos otros que ahora no mencionamos. Ambos escritores, como es sabido, tenían singular devoción por la vida de café, el uno silencioso y bebedor, el otro más bien agresivo e hiperbólico en el habla y en el gesto. Por medio de los recuerdos de otros contertulios es relativamente fácil documentar los encuentros de Darío y Valle en los divanes del café, pero nos contentamos aquí con señalar solamente unos pocos testimonios fidedignos que comprueban esos amistosos contactos. De Juan Ramón Jiménez, a cuyas páginas de memorialista sobre el período es indispensable acudir, tenemos una importantísima prosa, nunca suficientemente elogiada no sólo por ser un precioso documento de época sino también por su gran mérito estilístico. Nos referimos, por supuesto, a «Castillo de quema», impresionante retrato lírico de Valle-Inclán que publica el poeta de Moguer en 1936, año de la muerte de su amigo. De tan sustanciosa y hermosa prosa veamos algunos fragmentos. Primero, Juan Ramón recrea una característica reunión de escritores hacia 1899, cuyos actores principales son Darío y Valle-Inclán [9]:

> Valle... está leyendo, declamando, en un número de *La Ilustración Española y Americana*, los alejandrinos parnasianos de *Cosas del Cid* de Rubén Darío... Lo único bueno, al parecer, es el alcohol en sus múltiples destilaciones y etiquetas. Rubén Darío pide una vez y otra «whisky and soda», coñac Martell tres estrellas. Personajes todos, sin duda, pero J. R. J. sólo se fija en Rubén Darío, que oye estático, y en Valle, que recita metido... Rubén Darío estalla sus galas con brillo; a Valle la gala opaca funeral le sobra y le cae por todas partes. Rubén Darío, botarga, pasta, plasta, no dice más que «admirable» y sonríe un poco, linealmente, más con los ojillos mongoles que

---

[9] Juan Ramón Jiménez, «Ramón del Valle-Inclán (Castillo de quema)», *Pájinas escojidas. Prosa*, Madrid, 1958, págs. 133-134.

con la boca fruncida. Valle, liso, hueco, vertical, lee, sonríe
abierto, habla, sonríe, grita, sonríe, aspavienta, sonríe, se levanta, sonríe, va y viene, sonríe, entra y sale. Salen. Los demás
repiten «admirable, admirable» con vario tono. «Admirable»
es la palabra alta de la época; «imbécil», la baja. Con «admirable» e «imbécil» se hizo la crítica modernista. Rubén Darío,
por ej., admirable; Echegaray, por ej., imbécil.

Juan Ramón luego se refiere a los años 1901-1902 cuando
estuvo en el Sanatorio del Rosario y a los escritores, entre
ellos Darío y Valle-Inclán, que allí lo visitaban, e incorpora
a su prosa importantes consideraciones literarias sobre su
libro *Rimas*, publicado en 1902, y el cambio estético que representaba. Afirma otra vez la ascendencia de Darío y Valle-
Inclán, diciendo: «...Y Valle influye ya en todos, como Rubén Darío y con Rubén Darío, que tanto influye en él, que él
respeta, comunica, contagia tanto...»[10].

Y la ocasión descrita ya por Juan Ramón Jiménez no era
desde luego la única en que Valle-Inclán declamaba versos
del maestro. En una época posterior, otoño del año de 1905,
se ha recordado cómo Darío solía asistir a la tertulia del
Café Colonial, donde se reunía con viejos amigos, entre ellos
el impenitente dipsómano Sawa, y cómo una vez más Valle-
Inclán se daba a recitar, ahora directamente de las pruebas
de galera de *Cantos de vida y esperanza*, las cuales se co-
rregían en la mesa del café, las estrofas de «Canción de

---

[10] *Ibid.*, pág. 136. Estas páginas de Juan Ramón Jiménez son ricas
en intimidades literarias y estéticas, las cuales se han convertido ya,
con el tiempo, en historia literaria. En relación con el tema que nos
ocupa ahora, no queremos dejar de mencionar el amor que tenía
Valle por la obra de Espronceda (si bien lo satiriza despiadadamente
en *Tirano Banderas*), quien lo salvó de D'Annunzio, como proclamaba
Valle. Juan Ramón agrega también que Galicia libró a Valle del modernismo exotista. Y, por fin, ¡cómo no recordar las finísimas apreciaciones sobre el estilo y la lengua de Valle que se deben al poeta de
Moguer!

otoño en primavera» y «Marcha triunfal» [11]. Finalmente, otro testimonio servirá para completar el tema de Darío y Valle-Inclán en el café. Es el de Ricardo Baroja. Si bien parece haberse equivocado ligeramente en la fecha, Baroja ha recreado una típica escena en el Café de Madrid con las siguientes palabras [12]:

—Y todos los que van llegando ¿son poetas?
—Todos. Unos escriben en los papeles, otros inventan novelas y cuentos. Total... poetas —y el camarero, después de su sentencia, se acercó al personaje de la luenga barba, que llamaba dando golpes con el bastón sobre el mármol de la mesa, con riesgo de hacerlo añicos.

El joven de la melena merovingia era don Ramón del Valle-Inclán, según supe más tarde.

Habían entrado en el café y sentádose junto al poeta y en las mesas contiguas unos cuantos jóvenes.

....

Otro señor de alguna más edad entra y, andando con cierto muelle balanceo característico de los nacidos en clima tropical, se dirige al grupo. Es corpulento, de cabeza gruesa. El cabello negro tiene tendencia ligera a arrollarse en pasa. Brazos cortos, manos y pies breves. Se sienta en lugar principal. Desde mi sitio, enfrente del recién llegado, le observo. En su tez aceitunada apenas se entreabren los ojos pequeños, negrísimos, velados por esa vaga nostalgia que presta el sol ecuatorial a los hombres de raza negra. Sus ademanes son tardos; parece anquilosado bajo el chaleco y el chaqué que le oprime el torso. Apenas habla, parece que tampoco escucha; pero cuando Palomero lanza, con su voz cavernosa, algún sarcasmo; cuando Benavente hace algún epigrama o Valle-Inclán sentencia, el paralizado personaje murmura:

—¡Admirable! ¡Admirable! —y torna a su inmovilidad de Buda en éxtasis.

---

[11] Juan Antonio Cabezas, *Rubén Darío. Un poeta y una vida*, Madrid, 1944, págs. 235-236.
[12] Ricardo Baroja, *Gente del 98*, Madrid, 1952, págs. 17 y 19.

Entre los labios gruesos de su boca silenciosa pasan hacia dentro ríos de cerveza, y a medida que la mesa se llena de botellas vacías los ojos del bebedor son más opacos. El incansable bebedor es el poeta Rubén Darío.

Si bien los homenajes poéticos y el epistolario de Valle-Inclán, temas que pronto examinamos, vienen a ser clara comprobación menos anecdótica de la sostenida admiración entre los dos escritores, no hemos querido cerrar este apartado sin puntualizar otros datos que a su vez son útiles para medir el alcance de sus relaciones literarias y amistosas. Por ejemplo, Francisco Contreras, amigo y biógrafo del poeta americano, habla de sus visitas a Darío hacia 1910 en Madrid y luego afirma [13]:

> ...Una tarde que volvía a verlo, acompañado de Valle-Inclán, se mostró más animado... Fue un momento de charla muy agradable, pero en la cual dominó, por cierto, la elocuencia española del marqués de Bradomín. Recuerdo que al retirarnos, en la penumbra verdosa de la prima noche, Valle-Inclán me decía: Rubén es un genio. Su observación no tiene nada que ver con la de los otros escritores comunes, como Blasco Ibáñez, por ejemplo. Él percibe la relación misteriosa de las cosas...

Por razones que más adelante veremos, quisiéramos subrayar la frase en la cual Valle alude a la extraordinaria capacidad de su amigo para percibir *la relación misteriosa de las cosas*. Otras palabras también del escritor gallego reafirman e insisten en esa excepcional cualidad de Darío para penetrar el misterio [14]:

---

[13] Francisco Contreras, *Rubén Darío. Su vida y su obra*, Santiago de Chile, 1937, pág. 129.

[14] Francisco Madrid, *La vida altiva de Valle-Inclán*, Buenos Aires, 1943, pág. 292. Por su parte, Pedro Henríquez Ureña («Don Ramón del Valle-Inclán», *Obra crítica*, México, 1960, pág. 685), recuerda las siguien-

Darío era un niño. Era inmensamente bueno. Vivía en un santo temor religioso. Sin cesar veía cosas del otro mundo. No había cosas, mejor dicho, que no se le proyectaran allá. Repito que era un niño. Ni orgulloso, ni rencoroso, ni ambicioso. No tenía ninguno de los pecados angélicos. Lejos como nadie de todo pecado luzbélico, él no conocía otros pecados que los de la carne. Su alma era pura, purísima.

Dentro del caso interesan asimismo ciertas observaciones de Valle hechas a raíz de la muerte del nicaragüense y recogidas por Sassone [15]:

> ¿Ha leído usted? ¡Pobre Rubén!
> Don Ramón del Valle-Inclán me daba la noticia funesta, enrojecidos por el llanto los ojos brujos.
> —¡Es horrible! ¿Con quién comentaré ahora mi *Lámpara maravillosa*? Rubén hubiera tomado su whiskey, yo mi píldora de cáñamo índico, y nos hubiéramos internado en el misterio. Él era un hombre que estaba en contacto con lo misterioso.
> Y mientras así decía el maestro de las *Sonatas*, unas lágrimas brillaron en los cristales de sus quevedos, y la ambigüedad de sus barbas tembló bajo la voz doliente.

A no dudarlo, la muerte de Rubén Darío dolió profundamente a Valle-Inclán. Melchor Fernández Almagro recuerda cómo conoció a Valle personalmente el 7 de febrero de 1916 y cómo, en su tertulia del café del Gato Negro, rendía íntimo homenaje al poeta recién desaparecido: «...toda la conversación fue llevada por Valle-Inclán hacia los más inflamados encomios de la persona y de la obra de Rubén Darío, expresándose él... en términos de suma emoción, y nada me im-

---

tes palabras de Valle-Inclán referidas a Darío: «... (Era esencialmente bueno —conversaba don Ramón—. Tenía fallas de hombre. Pero ninguno de los pecados del ángel: ni ira, ni soberbia, ni envidia).»

[15] Felipe Sassone, «El lírico de la raza latina», *La ofrenda de España a Rubén Darío*, Editorial América, 1916, pág. 61. El mismo dato lo recoge Juan José Llovet, «Ha muerto el pontífice...», *ibid.*, pág. 114.

presionó tanto, entre lo mucho que don Ramón dijo, como
el dolorido acento sincerísimo y buen arte declamatorio con
que recitó el 'Responso a Verlaine'...» [16]. En el mismo año
de la muerte de Rubén Darío, Valle-Inclán va a París. Le
servía de cicerone Pedro Salinas, y se ha recordado que insis-
tió en que lo llevara a ver la casa en que vivió Darío en la
calle d'Herchelle y así rendir otro homenaje póstumo a la
memoria de su gran amigo [17].

HOMENAJES POÉTICOS

En más de una ocasión Rubén Darío reveló su gran talento para el retrato poético en verso. Todos nos acordamos,
por ejemplo, de los hermosos versos que logran expresar con

---

[16] Melchor Fernández Almagro, «Valle-Inclán, de cerca», *Índice*, IX,
núms. 74-75, abril y mayo de 1954, págs. 1 y 19.
[17] Fernández Almagro, *Vida y literatura de Valle-Inclán*, pág. 188.
El mismo amigo de Valle también ha dicho: «...Valle-Inclán se siente
herido muy en lo hondo del corazón. A ningún escritor de su tiempo
ha querido y admirado tanto. Federico Oliver, el autor de *La Neña*, y
un joven poeta, Luis Fernández Ardavín, proponen, desde las columnas
de *El Liberal*, un homenaje a la memoria del 'poeta y maestro mágico' de tantos y tantos; Valle-Inclán, celoso de su prioridad en el culto,
se apresura a replicarles, con su característica viveza, en el mismo
periódico, para hacer constar que ya funcionan sendas Comisiones en
todas las Repúblicas americanas, en Francia y en España. Esta última
—dice— 'está constituida por don Enrique Gómez Carrillo, don Rufino
Blanco Fombona, don Pedro Emilio Coll, don Amado Nervo y otro
escritor, que soy yo, aunque indigno'. 'Sin duda —agrega—, al nom-
brarme tuvieron en cuenta, más que mis méritos, el recuerdo que
guardo del poeta, la admiración que siento por su obra y la amistad
que tuve en vida con aquel gran niño.' ...Unidos, en efecto, pasan a
la Historia de la literatura Rubén Darío y Valle-Inclán, creadores en
colaboración de un estilo poético, en prosa o en verso, que no sólo da
existencia al modernismo, puesto que también informa, directa o indirectamente, en porción cuantiosa, el lenguaje que se escribe luego:
un cierto lenguaje, que en los secuaces acaba siendo franco amanera-
miento (págs. 178-179)».

singular fortuna la íntima esencia del cada día más admirado poeta Antonio Machado, y no resistimos la tentación de copiar del mismo poema un fragmento inicial:

> Misterioso y silencioso
> iba una y otra vez.
> Su mirada era tan profunda
> que apenas se podía ver.

Y no se nos olvida que en sendos poemas le correspondía el poeta español. También a Darío se deben tres sinceros homenajes en verso a Valle-Inclán, los cuales a su vez no sólo captan de modo acertado ciertos aspectos de su obra, sino que también evidencian una profunda admiración por el hombre y su literatura. Célebre es el «Soneto autumnal al Marqués de Bradomín» (1904) recogido en *Cantos de vida y esperanza*, composición cuyos versos admirables merecen transcribirse aquí íntegros. En ellos, desde París, Rubén acompaña a su amigo en su evolución de escritor y afirma su solidaridad estética con él. Esta es la poesía en que el poeta, según dice años más tarde, exalta la aristocracia del pensamiento de un gran ingenio de las Españas [18].

Menos logrado nos parece el segundo soneto que dedicó a Valle-Inclán, el a veces llamado «iconográfico» aparecido en *El canto errante* (1907), pero de él leamos algunos versos:

---

[18] Rubén Darío, «Historia de mis libros», *Obras completas*, I, página 222. Es curioso notar que años más tarde, en *Los cuernos de don Friolera*, Valle-Inclán se acuerda por lo visto de un verso de esta composición para incorporarlo al diálogo entre don Manolito y don Estrafalario. Dice éste, en la conversación teórica del prólogo a dicha obra, lo siguiente: «Los sentimentales que en los toros se duelen de la agonía de los caballos, son incapaces para la emoción estética de la lidia: Su sensibilidad se revela pareja de la sensibilidad equina, *y por caso de cerebración inconsciente*, llegan a suponer para ellos una suerte igual a la de aquellos rocines destripados...».

Tengo la sensación de que siento y que vivo
a su lado una vida más intensa y más dura.

Este gran don Ramón del Valle-Inclán me inquieta,
y a través del zodíaco de mis versos actuales
se me esfuma en radiosas visiones de poeta,

o se me rompe en un fracaso de cristales.

Esta poesía de Darío para el señor Marqués de Bradomín no llega a expresar la complejidad de su persona en la opinión del autor mismo [19], pero aparece en el primer libro de versos de Valle-Inclán, *Aromas de leyenda* (1907), obra que se articula con *Flor de santidad* prolongando en un fondo místico y legendario, cristiano y eglógico, ciertos motivos galaicos ya presentes en la prosa de Valle. Por su musicalidad y la vaga sugestión lírica, más simbolista que parnasiana, así como por la esmerada elaboración formal, los versos de *Aromas* revelan un modernismo asimilado y muy personal, lejos ya de las meras exterioridades exóticas y ornamentales. Además Valle-Inclán utiliza ciertas formas métricas y estróficas puestas de moda en el modernismo como, por ejemplo, los eneasílabos y los tercetos monorrimos. Se asoma ahora al alma milenaria de Galicia en lo que tiene de misterio poético; percibe sensorialmente, a través de todos los sentidos, el paisaje natal; revela su simpatía por los desvalidos y los humildes pobladores de Galicia; y, en esta poesía sencilla, de tono menor, se recogen materiales vernáculos y se patentiza una actitud franciscana ante las cosas. Poesía suave, sin violencia, de tonalidad nostálgica. Es en el buen sentido de la palabra regionalista, sin que Valle-Inclán abandone nunca su posición de artista. Cuando Darío escribe sus «Notas

---

[19] Rubén Darío, «Algunas notas sobre Valle-Inclán», *Obras completas*, II, págs. 578-579.

sobre Valle-Inclán» nos da la siguiente visión de la obra total de su amigo [20]:

> Todo lo que en la poemática labor de Valle-Inclán parece más fantástico y abstruso, tiene una base de realidad. La vida está ante el poeta, y el poeta la transforma, la sutiliza, la eleva, la multiplica; en una palabra, la diviniza, con su potencia y música interior. El que no tiene el «daimon», no puede hacer eso; y por tanto, he sostenido la superioridad de Unamuno, sobre otros puramente formales o virtuosos en la lírica.

En las mismas páginas, que revelan gran simpatía por Valle-Inclán y su creación artística, Darío cita y comenta en términos muy favorables la poesía de *Aromas,* anotando sus suavidades exquisitas y gestos rítmicos.

Más tarde, en 1911, siendo Rubén director de *El Mundial,* en circunstancias tristes de las cuales luego hablaremos, para *Voces de gesta* de Valle manda el poeta nicaragüense, nuevamente desde París, el tantas veces solicitado prólogo en verso, la «Balada laudatoria a don Ramón del Valle-Inclán», poema que figura con título levemente cambiado en las ediciones modernas del mencionado drama poético. Es significativo retener que en dicho poema el autor puntualiza algunos temas y tonos característicos de la obra de su amigo, con quien está unido, según dice, por la sacra influencia de Apolo y la Luna. Por su valor de caracterización, nos permitimos transcribir aquí las primeras estrofas de la balada laudatoria:

> Del país del sueño, tinieblas, brillos,
> donde crecen plantas, flores extrañas,
> entre los escombros de los castillos,
> junto a las laderas de las montañas;
> donde los pastores en sus cabañas
> rezan, cuando al fuego dormita el can,

---

[20] *Ibid.,* pág. 579.

y donde las sombras antiguas van
por cuevas de lobos y de raposas,
ha traído cosas muy misteriosas
don Ramón María del Valle-Inclán.

Cosas misteriosas, trágicas, raras,
de cuentos obscuros de los antaños,
de amores terribles, crímenes, daños,
como entre vapores de solfataras,
caras sanguinarias, pálidas caras,
gritos ululantes, pena y afán,
bajo la amenaza del gerifalte,
dice en versos ricos de oro y esmalte
don Ramón María del Valle-Inclán.

Muerto ya Rubén Darío, en 1919 Valle-Inclán publica *La pipa de kif*, libro revolucionario que marca significativo hito en su evolución literaria. Es aquí donde habla por primera vez de la «musa moderna», de la nueva estética de deformación y caricatura que va a predominar en toda su obra posterior. Con su notoria capacidad de renovación, Valle se impone nuevas normas: se interna en lo callejero y recrea un abigarrado ambiente de circo y feria, poblado de farandules, criminales y otros tipos de ambiente popular. Quedan atrás las suntuosidades lingüísticas, y el lenguaje se hace estridente, pintoresco y plebeyo. El tono es irónico e ingenioso, y el poeta toma posición ante las disonancias del mundo. Es, pues, una obra que apunta hacia la vanguardia y los juegos de los años de 1920 en adelante. A pesar de tan grandes cambios de tema y tono, es significativo que Valle no se olvide de Rubén Darío, nombrándolo directamente en dos poemas del libro [21]. En la composición «Aleluya», el escritor se bur-

---

[21] Además de «Aleluya», composición que nos ocupa en el texto, a la Clave V, titulada «Bestiario», pertenecen los siguientes versos referidos al elefante: «Meditaciones eruditas / Que oyó Rubén alguna

la de los académicos y los puristas que se van a espantar
por sus novedosos versos funambulescos y sus cabriolas líricas. En este momento él a su vez saluda a Rubén Darío, diciendo:

> Darío me alarga en la sombra
> Una mano, y a Poe me nombra.
>
> Maga estrella de pentarquía
> Sobre su pecho anuncia el día.
>
> Su blanca túnica de Esenio
> Tiene las luces del selenio.
>
> ¡Sombra del misterioso delta,
> Vibra en tu honor mi gaita celta!
>
> ¡Tú amabas las rosas, el vino
> Y los amores del camino!
>
> Cantor de Vida y Esperanza,
> Para ti toda mi loanza.
>
> Por el alba de oro, que es tuya,
> ¡Aleluya! ¡Aleluya! ¡Aleluya!

y, en los versos transcritos, van incrustadas, desde luego, varias citas textuales de Darío. Entre paréntesis, quisiéramos
advertir también que Valle incorpora a *La pipa de kif* su
propia «sinfonía en gris mayor»[22], ajustada a la musa mo-

---

vez: / Letras sánscritas / Y problemas de ajedrez». Es posible que
aquí rememore Valle-Inclán el poema «Danza elefantina» incluido en
El canto errante.

[22] En su conferencia sobre «El arte de escribir», dictada en Buenos
Aires en 1910, Valle-Inclán se refiere a esta composición de Darío y
cita de ella una estrofa, diciendo: «Nadie entendió como Zorrilla,
que hay palabras y hay construcciones que por su valor griego, latino,
gótico, arábigo tienen un prestigio. Y sólo a su igual puede ponerse
Rubén Darío, que a las palabras de remoto abolengo ha sabido unir
las palabras nuevas de idiomas extranjeros...». Las reseñas periodísticas de esas conferencias las ha recogido Francisco Madrid, *ob. cit.*,
páginas 184-201.

derna. Se trata de la composición titulada «Marina norteña»,
y de ella copiamos los versos significativos dentro del caso:

> Escruta el mar con la mirada quieta
> Un marinero desde el muelle. Brilla
> Con el traje de aguas su silueta
> Entre la boira gris, toda amarilla.
>
> Viento y lluvia del mar. La luna flota
> Tras el nublado. Apenas se presiente,
> Lejana, la goleta que derrota
> Cortando el arco de la luz poniente.
>
> Se ilumina el cuartel. Vagas siluetas
> Cruzan tras las ventanas enrejadas,
> Y en el gris de la tarde las cornetas
> Dan su voz como rojas llamaradas.
>
> ....
>
> Las olas rompen con crestón de espuma
> Bajo el muelle. Los barcos cabecean
> Y agigantados en el caos de bruma
> Sus jarcias y sus cruces fantasean.
>
> La triste sinfonía de las cosas
> Tiene en la tarde un grito futurista:
> De una nueva emoción y nuevas glosas
> Estéticas, se anuncia la conquista.

Dentro de la variedad temática y formal de los poemas de
El Pasajero (1920), todavía se perciben claras huellas modernistas en algunos de ellos, y sobre todo las composiciones aquí recogidas se vinculan estrechamente con las doctrinas esotéricas formuladas en *La lámpara maravillosa*. Como
más adelante veremos, otro importante contacto entre Darío
y Valle-Inclán se afianza por ese rumbo del ocultismo. Y aquí

no resisto la tentación de copiar el soneto «Rosa de melancolía», que —recogiendo obvios ecos de Darío— representa bien la nota intimista de la obra:

> Era yo otro tiempo un pastor de estrellas,
> Y la vida, como luminoso canto
> Un símbolo eran las cosas más bellas
> Para mí: la rosa, la niña, el acanto.
>
> Y era la armoniosa voz del mundo, una
> Onda azul que rompe en la playa de oro,
> Cantando el oculto poder de la luna
> Sobre los destinos del humano coro.
>
> Me daba Epicuro sus ánforas llenas,
> Un fauno me daba su agreste alegría,
> Un pastor de Arcadia, miel de sus colmenas.
>
> Pero hacia el ensueño navegando un día,
> Escuché lejano canto de sirenas
> Y enfermó mi alma de melancolía.

LAS CARTAS DE VALLE-INCLÁN A RUBÉN DARÍO

Nos proponemos en este apartado ocuparnos sumariamente de lo que se ha publicado hasta ahora del epistolario de Valle, cuyas cartas confirman una vez más la cordialidad que siempre caracterizó las relaciones personales entre los dos escritores. Como pronto veremos, una de estas comunicaciones rebasa el mero tema de la amistad, porque en ella se dan a conocer preciosos datos sobre la verdadera génesis de *Luces de bohemia* de Valle-Inclán. En 1943 el escritor argentino Alberto Ghiraldo publicó cuatro cartas que Valle-Inclán escribió a Darío [23], y, más recientemente, Dictino Álva-

---

[23] Alberto Ghiraldo, *El archivo de Rubén Darío*, Buenos Aires, 1943, páginas 419-421.

rez Hernández, que tenía a su disposición los documentos
pertenecientes al Seminario-Archivo Rubén Darío de Madrid,
ha enriquecido este epistolario, dando a conocer otras siete
cartas de Valle-Inclán, y cuatro de su esposa Josefina Blanco,
todas ellas dirigidas al poeta nicaragüense [24]. Tal vez deba-
mos anotar aquí que el mencionado archivo, riquísimo en
cartas a Darío, es en cambio relativamente parco en cuanto
a la correspondencia del poeta mismo.
La mayor parte de las cartas que constituyen este breve
epistolario se ocupan de asuntos editoriales. En la primera
carta reproducida por Ghiraldo, sin fecha, se trata de una
presentación a favor de M. Chaumier, traductor de *Romance
de lobos* y Cónsul General de Francia en España. Por lo visto,
en una época anterior Valle había escrito a Darío para que
influyera en Remy de Gourmont con el fin de asegurar la
publicación de la obra en *Le Mercure de France*. Efectivamente, unos años más tarde, en 1914, con el título de *La
geste des loups: Comédie barbare en trois journées*, apareció
en esa revista francesa. Vale la pena recordar que, al pre-
sentar a M. Chaumier, escribe Valle: «...en quien hallará usted un profundo conocedor de nuestras letras, que sabe buscar hasta el fondo esotérico de los versos de usted, que tan
arcanos se le presentan a tantos de nuestros académicos,
críticos y poetas» [25]. Otras dos comunicaciones de 1907 [26] revelan hasta qué punto intentó intervenir Valle en la publicación de *El canto errante*. Por una carta del editor Gregorio
Pueyo, fechada el 10 de agosto de 1907 y recogida por Ghiraldo [27], sabemos que Darío mismo había escrito a Valle-Inclán,
sobre el particular. En sus gestiones Valle se empeñaba mu-

---

[24] Dictino Álvarez Hernández, *ob. cit.*, págs. 70-71; 136-137; y 187-190.
[25] Ghiraldo, *ob. cit.*, pág. 419.
[26] Álvarez, *ob. cit.*, págs. 136-137.
[27] Ghiraldo, *ob. cit.*, págs. 130-131.

cho en colocar los originales del libro con el editor Pueyo, y
además pensaba él encargarse de la edición proyectada. Re-
sultó, sin embargo, que la nueva obra de Darío se editó por
fin en la casa de Pérez Villavicencio, la que en postal de fecha posterior Valle-Inclán califica de «una sociedad de ladro-
nes» que le había estafado mil pesetas [28].

En 1911 se inicia la publicación del *Mundial Magazine*,
empresa que tantos dolorosos problemas le iba a traer a
Darío en su calidad de director de tan flamante revista. Dos
de las cartas copiadas por Ghiraldo [29] y varias publicadas
por Álvarez [30] tratan precisamente de la inserción en el
Mundial de *Voces de gesta* y del correspondiente pago, cuyo
importe dejaba el autor al arbitrio de Darío. Las tres jorna-
das de la obra se publicaron, en efecto, en aquella revista
que se editaba en París. En esa correspondencia Valle-Inclán,
repetidas veces, le pide con urgencia a Darío el prometido
prólogo en verso para su libro. Por algún tiempo hasta quedó suspendida la impresión de la lujosa edición que planeaba
Valle-Inclán, porque la invocación que iba a ir en el primer
pliego no llegaba. Aunque no nos ha sido posible comprobar
el dato, sospechamos que la primera edición de *Voces de
gesta* (1911) salió sin los versos de Darío, pero luego se in-
cluyó en la segunda, del año siguiente, la «Balada laudatoria
que envía al autor, el alto poeta Rubén».

De mayor interés literario y verdaderamente sensacional
por razones que se explicarán en seguida es una carta que
Valle-Inclán escribe a Darío en 1909. El primero que la reproduce es Oliver Belmás [31] y después se recoge también en

---

[28] Álvarez, *ob. cit.*, pág. 137.
[29] Ghiraldo, *ob. cit.*, págs. 420-421.
[30] Álvarez, *ob. cit.*, pág. 187.
[31] Oliver Belmás, *ob. cit.*, pág. 187.

el citado libro de Dictino Álvarez[32]. Copiamos ahora tan interesante texto:

> Querido Darío:
> Vengo a verle después de haber estado en casa de nuestro pobre Alejandro Sawa. He llorado delante del muerto, por él, por mí, y por todos los pobres poetas. Yo no puedo hacer nada; usted tampoco, pero si nos juntamos unos cuantos algo podríamos hacer.
> Alejandro deja un libro inédito. Lo mejor que ha escrito. Un diario de esperanzas y tribulaciones.
> El fracaso de todos sus intentos para publicarlo y una carta donde le retiraban una colaboración de sesenta pesetas que tenía en *El Liberal*, le volvieron loco en los últimos días. Una locura desesperada. Quería matarse. Tuvo el final de un rey de tragedia: loco, ciego y furioso.

Ahora bien: ni Oliver ni Álvarez parecen haber visto la importancia literaria de esas sinceras líneas motivadas por las tristes circunstancias de la muerte de Sawa, amigo como ya indicamos de ambos escritores. He aquí, pues, la verdadera génesis, en 1909, de *Luces de bohemia*, obra esperpéntica que Valle publicó años después en 1920. Se ha creado sobre una auténtica realidad y se ha inspirado Valle en un hecho concreto y doloroso que de veras le conmovió profundamente[33].

La acción de la obra transcurre en «un Madrid absurdo, brillante y hambriento», y Valle-Inclán nos presenta con suma maestría la crónica de todo ese abigarrado mundo literario que tan bien conocía, permitiéndose por supuesto mu-

---

[32] Álvarez, *ob. cit.*, págs. 70-71.
[33] Ya hemos comentado esta carta y sus implicaciones para la obra en «Sobre *Luces de bohemia* y su realidad literaria», artículo que se recoge en el presente volumen. También figura en el mismo texto nuestro una breve semblanza de Alejandro Sawa (1862-1909), lo cual nos exime ahora de mayores datos.

chas libertades con respecto a las fechas y acontecimientos
exteriores. Con muy pocas excepciones [34], la crítica no se ha
ocupado del valor artístico de tan logrado libro, porque ha
preferido llamar la atención sobre la importante conversación teórica de la escena duodécima, en la cual el lector
asiste al bautizo formal de ciertos procedimientos artísticos,
ya presentes algunos de ellos en la obra de Valle-Inclán desde tiempos atrás, que vienen ahora a cuajarse plenamente
en el esperpento. En *Luces de bohemia* hemos de ver, en una
forma u otra, muchos rasgos estilísticos que caracterizan la
estética que predominará en sus últimas obras: la actitud
amarga y el resentimiento producido por la farsa de la realidad española; la técnica de caricatura y la sistemática deformación de seres y cosas; y el lenguaje violento y popular
de las clases bajas. Hasta el poeta clásico y ciego, que trae
eco de Homero y Edipo, está atrapado en el espejo defor-
mante, retorciéndose y degradándose en sucesivas posturas
indignas. Esa obra, despiadada en su sátira mordaz, ha tenido su verdadero origen en el dolor personal, en una toma
de conciencia ante las incongruencias del mundo, y ha llorado Valle, como dice, «por él, por mí, y por todos los pobres
poetas». En ese espectáculo teatral Max Estrella conserva
algo de su grandeza trágica, pero poco a poco las circunstancias exteriores destruyen su dignidad, y se queda por fin
irremediablemente humillado por los golpes de una realidad cruel. Sin embargo, retengamos las palabras de Valle-
Inclán en la carta transcrita: «Tuvo el final de un rey de

---

[34] Quisiéramos mencionar aquí dos trabajos significativos de Anthony N. Zahareas: «La desvalorización del sentido trágico en el esperpento de Valle-Inclán», *Insula*, núm. 203, octubre de 1963, y «The
Esperpento and Aesthetics of Commitment», *Modern Language Notes*,
vol. 81, núm. 2, marzo de 1966, págs. 159-173. Últimamente hemos leído
el trabajo de Gonzalo Sobejano, «*Luces de Bohemia*, elegía y sátira»,
Papeles de Son Armadans, IX, núm. 127, octubre de 1966, págs. 89-106.

tragedia: loco, ciego y furioso». Todo eso es verdad, mas las implicaciones trágicas de la vida y la muerte del pobre poeta, borracho y rechazado por casi todos, tienden a ser «desvalorizadas» hasta cierto punto por la visión grotesca que nos ofrece Valle-Inclán de Max Estrella y del mundo disparatado en que se movía. No estaría de más citar una frase de Valle en que se refiere a su propio protagonista: «...La ceguera es bella y noble en Homero. Pero, en *Luces de bohemia,* esa misma ceguera es triste y lamentable porque se trata de un poeta bohemio, de Máximo Estrella»[35].

Luces de bohemia se nutre desde luego de los más variados motivos literarios. Toda una galería de rostros (escritores, periodistas, libreros y editores), algunos reconocibles y otros no, figuran en el cuerpo de la obra. No menos frecuentes son las alusiones a autores que no actúan directamente en el libro, e incorpora Valle al diálogo intencionados juicios estéticos y citas textuales[36]. Dentro del tema que ahora nos ocupa, tan sólo quisiéramos llamar la atención sobre el papel activo que tiene Rubén Darío en algunas escenas. Como personaje, figura en la escena novena, que transcurre en el Café Colón, y conversa con Max y don Latino acerca de temas literarios, de modo especial sobre las matemáticas celestes y la teosofía. Son significativas las siguientes palabras:

> RUBÉN: Yo también estudio las matemáticas celestes.
>
> DON LATINO: ¡Perdón entonces! Pues sí, señor, aun cuando

---

[35] Madrid, *ob. cit.,* pág. 114.

[36] Además de la alusión a ciertos poemas de Darío («Canción de otoño en primavera», «Peregrinaciones»), nos interesa recoger aquí otra cita directa del poeta americano incrustada en el diálogo de *Luces.* Dorio de Gadex (escena cuarta) saluda a Max Estrella con unas palabras tomadas del primer verso del «Responso» a Verlaine, diciendo «¡Padre y maestro mágico, salud!». Para más datos sobre aquella realidad literaria, véanse, en el presente volumen, las páginas correspondientes del citado trabajo sobre *Luces de bohemia.*

> me veo reducido al extremo de vender entregas, soy un adepto
> de la Gnosis y la Magia.
> RUBÉN: ¡Yo lo mismo!
> DON LATINO: Recuerdo que alguna cosa alcanzabas.
> RUBÉN: Yo he sentido que los Elementos son Conciencias.

Además se recitan unos versos de «Peregrinaciones» (¿1914?),
poema no recogido en libro por Darío y en el cual aparece
el Marqués de Bradomín. Vuelve a presentarse el poeta nicaragüense en la escena decimocuarta de *Luces de bohemia.*
Se trata del cortejo fúnebre y el entierro de Max, y en esa
ocasión dialoga sobre el tema de la muerte con el ya ancia-
no Marqués de Bradomín. Auténtico también es el retrato
de Darío: su mutismo y las lacónicas contestaciones de «admirable». Hasta en lo físico: «su máscara de ídolo» y su
«tristeza vasta y enorme esculpida en los ídolos aztecas».
Significativa en su contenido literario y personal es, pues, la
generosa carta que Valle-Inclán dirige a Darío, en 1909, sobre
la muerte patética de Alejandro Sawa, aquel desdichado
escritor finisecular, cuya figura en parte legendaria y al margen de la renovación literaria llevada a cabo por los autores
de mayor talento, no está del todo desprovista de interés [37].

HUELLAS DE DARÍO EN LA OBRA DE VALLE-INCLÁN

Vistos ya en el largo camino recorrido hasta ahora los
muchos testimonios, algunos de ellos meramente anecdóti-
cos y otros más bien literarios, útiles para precisar el alcance de las relaciones literarias y amistosas entre Darío y Valle-

---

[37] Álvarez, *ob. cit.*, pág. 198, reproduce una carta de Javier Bueno
a Darío, fechada el 9 de marzo de 1912, mediante la cual manda al
poeta un artículo elogioso de Valle. No sabemos de qué texto se trata.

Inclán, es de cierto interés señalar cómo varios recuerdos concretos de la obra del poeta nicaragüense sirvieron a Valle-Inclán para enriquecer su propia literatura. Los calcos léxicos son innumerables y hasta los temáticos ofrecen cosecha abundante [38]. Al advertir algunas de esas reminiscencias, no se nos escapa la posibilidad de una influencia mutua, pero por el momento nos limitamos a ver unos cuantos casos que parecen derivarse de una influencia de Darío sobre el escritor español [39]. Insistimos en que ahora no nos proponemos un estudio tradicional de fuentes literarias, sino destacar un modo de composición en Valle y un procedimiento legítimo mediante el cual se dirige el autor al iniciado, ofreciéndole la oportunidad de ser cómplice del creador mismo. Como bien se sabe, Valle solía incrustar en su obra intencionados y voluntarios recuerdos textuales de otros autores. A veces lo hacía con el fin de lograr una sátira más punzante, como en el caso de *Los cuernos de don Friolera, Las galas del difunto* y *Tirano Banderas.* Otras veces lo hacía para crear ambiente y ofrecer auténtica documentación sobre épocas no conocidas, como en el ya famoso caso de la acusación de plagio hecha por Casares [40], que encontró en la *Sonata de primavera* fragmentos tomados directamente de las memorias de Casanova, una fuente confesada por el mis-

---

[38] En su mencionado libro sobre Valle-Inclán, Díaz-Plaja se nos ha anticipado al registrar algunos de esos mismos recuerdos temáticos y verbales que aquí se recogen. *Ob. cit.*, págs. 259-270.

[39] Arturo Marasso (*Rubén Darío y su creación poética*, La Plata, 1934, págs. 403-404) cree, por ejemplo, que los arcaísmos del poema de Darío «Los motivos del lobo» provienen del drama poético *Voces de gesta* del escritor gallego.

[40] Sobre este procedimiento característico de Valle son de indispensable consulta las páginas de Alfonso Reyes, «Las fuentes de Valle-Inclán», *Simpatías y diferencias*, México, 1945, II, págs. 60-61, y las de Amado Alonso, «Estructura de las *Sonatas* de Valle-Inclán», *Materia y forma en poesía*, Madrid, 1955, págs. 292-293.

mo Valle en el texto de la obra[41]. Por otra parte, es lícito
pensar, como ha afirmado Emma Susana Speratti Piñero,
quien ha estudiado tan finamente ciertas fuentes y su aprove-
chamiento por Valle, que a él le gustaba también burlarse
de los eruditos y despistar a los críticos miopes que con tanto afán se dedican a descubrir en su obra esas fuentes directas[42]. Es decir, en más de una ocasión hacía Valle literatura
con literatura, de modo voluntario, confesando muchas veces
con indicaciones sutiles la paternidad de los textos ajenos
utilizados en el gran mosaico de su obra.

Como ya dijimos, en su primera etapa ciertas obras de
Valle, sobre todo las *Sonatas*, evidencian, sin merma de la
propia personalidad del autor, una clara y decisiva influencia modernista. Esta coincidencia se prolonga, si bien con
importante cambio de actitud, en obras posteriores como
Cuento de abril, *La cabeza del dragón*, *La marquesa Rosalinda* y otras más. De los cuentos de Valle anteriores a las *Sonatas*, de tan compleja elaboración como ha comprobado
Emma Susana Speratti Piñero en lo que respecta a la de
Otoño[43], el que más se acerca al mismo estilo sensualista y
voluptuoso, rebosante de alusiones artísticas, es «Augusta»,
páginas recogidas luego en *Corte de amor*.

---

[41] En la obra de Valle es muy frecuente la sátira dirigida a la Academia y a sus miembros, pero aquí quisiéramos recordar tan sólo el
retrato burlón que se ofrece, en la *Farsa de la enamorada del Rey*, del
ampuloso y retórico don Facundo (don Furibundo). Díaz-Plaja ha visto
en la traza de ese personaje erudito unas alusiones inequívocas a
Julio Casares, recién elegido en 1919 a la Academia. *Ob. cit.*, nota 28,
página 74.

[42] Emma Susana Speratti Piñero, *La elaboración artística en «Tirano
Banderas»*, México, 1957, págs. 12-39 y 136-137. Para las fuentes de Valle-
Inclán es importante también el trabajo de Joseph H. Silverman,
«Valle-Inclán y Ciro Bayo», *NRFH*, XIV, núms. 1-2 (1960).

[43] Emma Susana Speratti Piñero, «Génesis y evolución de *Sonata
de otoño*», *RHM*, XXV (núms. 1-2, enero-abril de 1959), págs. 57-80.

No se le olvida a nadie el ambiente refinado y cortesano en que se mueven con toda languidez los personajes de las *Sonatas*; a la deliciosa frivolidad y la suma elegancia se agregan los típicos decadentismos finiseculares, así como la constante búsqueda de sensaciones raras y exquisitas; cultiva Valle la característica mezcla de lo profano y lo piadoso, motivo tan querido de los modernistas cuyos dos extremos están presentes en composiciones como «El reino interior» e «Ite missa est» de Darío; y, por fin, está embellecida la realidad mediante múltiples procedimientos esteticistas. Y, como todos sabemos, a esta literatura que se inspira más en el arte que en la vida, asoman muchos motivos decorativos del modernismo, los cisnes y los pavos reales, y no sería dato perdido recordar aquí que sobre esta prosa preciosista, esencialmente poemática y musical, escribió una vez Darío: «A Valle-Inclán le llaman decadente porque escribe una prosa trabajada y pulida, de admirable mérito formal...» [44]. Con todo, las *Sonatas* son pequeñas obras maestras escritas en un estilo tal vez pasado de moda ahora, del cual años más tarde se burla Valle-Inclán mismo, y en ellas pagó acaso el autor un excesivo tributo a la literatura formalista de la época. No ha de sorprendernos, pues, que mucho se debía a la ascendencia de Darío y a los escritores franceses cono-

---

[44] Rubén Darío, «El modernismo», *Obras completas*, III, págs. 302-303. Nos permitimos recoger aquí un juicio de Valle-Inclán sobre prosa y verso, que data de 1934 y que interesa aquí sobre todo por la alusión a Darío. Conversando con Gerardo Diego dice Valle-Inclán: «No hay diferencia esencial entre prosa y verso. Todo buen escritor, como todo verdadero poeta, sabrá encontrar número, ritmo, cuantidad para su estilo. Por eso los grandes poetas eliminan los vocablos vacíos, las apoyaturas, las partículas inexpresivas, y se demoran en las nobles palabras, llenas, plásticas y dilatadas. Así Rubén Darío: 'Ínclitas razas ubérrimas, sangre de Hispania fecunda, espíritus fraternos, luminosas almas, ¡salve!...'», *Poesía española contemporánea*, Madrid, 1962, página 85.

cidos de ambos. Alguna que otra imagen parece recordar más o menos directamente a Darío. Por ejemplo, en la *Sonata de invierno* escribe Valle: «...Entre el cálido coro de los clarines se levantaban encrespados los relinchos, y en el viejo empedrado de la calle las herraduras resonaban valientes y marciales, con ese noble son que tienen en el romancero las armas de los paladines». Inmediatamente se percibe cómo esta imagen sinestésica, varias veces reelaborada en la misma obra y en otras posteriores [45], se relaciona con unos versos del poema de Darío «Marcha triunfal» [46]. Otros fragmentos, desde luego, traen eco de Darío y de los motivos modernistas puestos en circulación por el poeta americano. Veamos algunos de los muchos que podrían señalarse [47]:

1) ...Desde el salón distinguíase el jardín, inmóvil bajo la luna, que envolvía en pálida claridad la cima mustia de los cipreses y el balconaje de la terraza, donde otras veces, el pavo real abría su abanico de quimera y de cuento. (*Sonata de primavera.*)

2) El aire suave y gentil, un aire a propósito para llevar suspiros, pasaba murmurando, y a lo lejos, entre mirtos inmóviles, ondulaba el agua de un estanque... (*Sonata de primavera.*)

3) ...El salón era dorado y de un gusto francés, femenino y lujoso. Amorcillos con guirnaldas, ninfas vestidas de encajes,

---

[45] El primero que llama la atención sobre ese parecido verbal es César Barja («Valle-Inclán», *Libros y autores contemporáneos*, Madrid, 1935, nota 7, pág. 381), pero lo más interesante es ver cómo Valle se encariña con la misma imagen, reelaborándola en varias formas. Hemas notado los siguientes ejemplos: *Sonata de invierno*, Austral, 4.ª ed., págs. 104 y 149; *El resplandor de la hoguera*, Austral, 2.ª ed., págis. 53-117 y 123. Y, por último, en *Tirano Banderas* escribe Valle: «...encendían su roja llamarada las cornetas de los cuarteles».

[46] De «Marcha triunfal» son estos versos: «Los claros clarines de pronto levantan sus sones, / su canto sonoro, / su cálido coro, / que envuelve en un trueno de oro / la augusta soberbia de los pabellones.»

[47] Alonso Zamora Vicente ha notado estos y otros ejemplos del mismo contagio en su libro *Las Sonatas de Ramón del Valle-Inclán*, Buenos Aires, 1951.

galantes cazadores y venados de enramada cornamenta, pobla-
ban la tapicería del muro, y sobre las consolas, en graciosos
grupos de porcelana, duques pastores ceñían el florido talle de
marquesas aldeanas... (*Sonata de primavera.*)
4) ...Aquella noche rugió en mis brazos como la faunesa antigua... (*Sonata de invierno.*)

Además en la *Sonata de estío*, donde hay claras alusiones a
Bécquer y a Silva, escribe Valle: «...con aquella sonrisa que
un poeta de hoy hubiera llamado estrofa alada de nieve y
rosa». ¿Es que hay aquí un recuerdo directo de Darío?

En 1904 Valle publica *Flor de santidad.* Tiene consciencia
de haber hecho algo diferente, y lo ha explicado en una carta
a su amigo Torcuato Ulloa [48]. El mundo aristocrático de las
Sonatas ha desaparecido, y lo sustituye otro primitivo, elemental, popular y milenario. El fondo es galaico, de paisaje
casi siempre tétrico; constantes son los motivos supersticiosos y sobrenaturales; el regionalismo es artístico y evocador,
no descriptivo; y el eje estructural de la breve novela es el
contraste que se establece entre el alma piadosa de Adega
y la más bien sensual, vengativa del peregrino. Aunque en
Flor de santidad retrocede lo meramente literario y parna-
siano, no cabe duda de que la prosa de Darío sigue influyen-
do en la de Valle como muy bien lo vio Raimundo Lida [49].
Más poema que novela, un mismo ideal de perfección estilística, ahora al servicio del tema gallego, continúa, y un modernismo esencial, en vías de transformación, se revela sobre
todo en el sostenido embellecimiento lírico del paisaje y de
la figura de Adega. En tan lograda obra se encuentra un

---

[48] Para la génesis y elaboración de *Flor de santidad*, véase el análisis de la novela que se incorpora al presente tomo, donde se reproduce inclusive la aludida carta a Torcuato de Ulloa.
[49] Raimundo Lida, «Cuentos de Rubén Darío», *Letras hispánicas*,
México, 1958, págs. 233-234.

pequeño trozo que nos interesa ahora, porque parece traer
un eco de la «Sinfonía en gris mayor» de Darío:

> Continuaron en silencio. El camino estaba lleno de charcos
> nebulosos, donde se reflejaba la luna, y las ranas que bajo la
> luz de plata cantaban en la orilla su solo monótono y senil,
> saltaban al agua apenas los pasos se acercaban...

El estilo de las tres novelas de la *Guerra Carlista* (1908-
1909), cuyo interés mayor estriba en ser un primer paso que
llevará años después a las grandes novelas de *Ruedo Ibérico* [50], no prolonga por lo general el modernismo de ciertas
obras anteriores y otras posteriores. Sencillamente las exigencias temáticas eran diferentes. Sin embargo, quisiéramos
llamar la atención ahora sobre una interesante reminiscencia de Darío que figura primero en *El resplandor de la hoguera* y luego en *Gerifaltes de antaño*, última obra de la tri-
logía cuyo título se deriva directamente de un verso de Darío [51]. En la primera novela mencionada el mariscal de campo don Enrique España se traslada con su estado mayor al
palacio de Redín, propiedad de la anciana condesa del mismo nombre. En unas páginas, ya de tonalidad más modernista, Valle nos lleva al interior del palacio donde conocemos
a la nieta Eulalia que acompaña a su venerable abuela. Desde luego, no es por primera vez que aparece tal nombre en
la obra de Valle, pero son interesantes las siguientes palabras:

> Eulalia, si algún momento quedaba sin escolta, mirábase al
> espejo, se prendía una flor, y en el clavicordio de la abuela

---

[50] Emma Susana Speratti Piñero, «Cómo nació y creció *El Ruedo
Ibérico*», *Ínsula*, XXI, núms. 236-237 (julio-agosto de 1966), págs. 1 y 30.
[51] Darío escribió en «Los cisnes, I», poema de *Cantos de vida y esperanza*: «Nos predican la fuerza con águilas feroces, / gerifaltes de
antaño revienen a los puños...»

tocaba un vals, que había bailado mucho en otro tiempo, cuando sus padres daban fiestas en su palacio de Madrid...

y luego un poco más adelante:

¡Oh, música ligera que el viejo clavicordio desgrana lleno de pesadumbre! Eulalia la tenía olvidada, y de pronto creyó oírla muy lejana, con vaguedad de sueño, bajo la mirada de un húsar que luce sobre el dormán la cruz de Santiago... Sin terminar el vals, inclina la frente sobre el marfil del clavicordio, que produce un largo gemido:
—¡Qué loco! ¡Qué loco!... ¡Y se ha casado!

Obvios son los recuerdos de Darío: el poema «El clavicordio de la abuela», composición escapada de *Prosas profanas* y luego recogida en *Poema del otoño y otros poemas* (1910), cuya protagonista la marquesita Rosalinda le dará luego a Valle el título de su farsa dieciochesca en época posterior. Y, para que no se nos escape el cruce de recuerdos, en la última obra de la serie el duque de Ordax llama a la nieta «divina Eulalia», cuyo epíteto nos traslada otra vez a «Era un aire suave» [52].

Entre 1909 y 1914 Valle-Inclán publica una serie de libros independientes, pero a la vez relacionados entre sí por ser obras de teatro en verso. Si bien *Voces de gesta* (1912) es de entonación algo solemne, de aliento trágico y épico, las demás obras (*Cuento de abril*, 1909, y *La marquesa Rosalinda*, 1912) de aquella época intermedia revelan, en grado e intención distintos, cierto residuo modernista, sobre todo en lo que respecta a su fondo decorativo. En el delicioso *Cuento de abril*, por ejemplo, se pone de manifiesto todo un ambiente refinado y cortesano: los jardines provenzales propi-

---

[52] A pesar de una leve incorrección mecánica, Díaz-Plaja ha advertido ese mismo calco temático, en lo que respecta solamente a *El resplandor de la hoguera, ob. cit.*, pág. 266, nota 13.

cios al amor, las fuentes cerca de las cuales abren su cola
los pavos reales, el coro de azafatas que juegan en ese mundo exótico y artificioso. Aunque el motivo dramático principal, muy débil por cierto, es la oposición pronto estable-
cida entre las costumbres ascéticas de Castilla y las sen-
suales de la Corte de Amor presidida por la Princesa Imberal, de mayor interés es la fina y elegante atmósfera lírica,
de discreteo y galantería palaciegos, cuya filiación con ciertos aspectos de *Prosas profanas* es patente. Las siguientes
estrofas, por ejemplo, del «Preludio» anticipan ya la tonalidad de tan ligera y graciosa obra teatral [53]:

> La divina puerta dorada
> del jardín azul del ensueño
> os abre mi vara encantada
> por deciros un cuento abrileño.
> ....
> Bajo un vuelo de abejas de oro,
> las gentiles rosas de Francia,
> al jardín azul y sonoro,
> dan el tesoro de su fragancia.
>
> Fragancia de labios en flor,
> que al reír modulan un trino,
> labios que besa el ruiseñor
> con la luz de su trino divino.
>
> ¡Oh, la fragancia de la risa,
> fragante escala musical,

---

[53] En un interesante trabajo, quizá todavía inédito, que he visto
gracias al autor, el profesor Gerard G. Flynn ha comparado «El palacio del sol», relato de Darío incorporado a *Azul...*, con *Cuento de abril*
de Valle. Encuentra Flynn huellas gnósticas en ambas obras, y se ocupa detenidamente de la lucha entre Cristo y Cibeles, diosa pagana de
la Tierra, lucha representada en *Cuento de abril* por el ascético Infante de Castilla y la amorosa princesa Imberal de Provenza, país
azul y del arte.

que al alma leve de la brisa,
le brinda su verso de coral!

....

¡Oh, rosa de la risa loca,
que rima el teclado de su son
con la púrpura de la boca
y las fugas del Ave-Ilusión!

En esa etapa de transición se destacan dos obras capitales pero en verdad poco estudiadas de Valle: *La marquesa Rosalinda* y *La cabeza del dragón*, esta última pieza escrita en prosa en 1909 aunque no recogida en libro hasta 1914, con leve cambio de título [54]. Lo interesante para fines de este trabajo es advertir que en ambas farsas perduran las decoraciones modernistas que pronto abandonará para siempre

---

[54] El profesor Summer Greenfield ha visto con claridad la importancia de aquella época en la trayectoria de Valle-Inclán, y sobre el particular ha escrito lo siguiente: «Las innovaciones más significativas del período se encuentran en las farsas *La cabeza del dragón* y *La marquesa Rosalinda* —un género nuevo para don Ramón. Aquí se manifiestan numerosos cambios de orientación que se convertirán en características importantes de la literatura valleinclanesca de la postguerra. Sátira, parodia y humor se agregan ahora a la ironía como materia prima del estilo de Valle-Inclán. La estilización de la figura humana, un aspecto vital de su arte en todo período, se inclina por primera vez extensiva y sistemáticamente hacia la deformación física mediante una variedad de formas deshumanizantes, notables entre ellas títeres y elementos grotescos. Sin embargo, vale notar que estas estilizaciones físicas se emplean aquí principalmente por sus valores pintorescos y humorísticos y no con la incisiva intención moral con la cual se usarán más tarde. Varios tipos de personajes de obras más tempranas se encuentran en transición también, señalando el camino hacia su desarrollo final unos diez años después (don Juanes, dueñas viejas, damas enamoradas, cornudos), y aparecen incipientes tipos nuevos que anticipan en manera semejante el porvenir valleinclanesco: rufianes, militares, pomposos ministros de estado y otros miembros de la corte y del gobierno...» «Valle-Inclán en transición: una brujería dialogada», *La Torre*, XIII, núm. 51 (setiembre-octubre de 1965), pág. 177.

Valle-Inclán. Y lo que diferencia a estas obras de las anteriores es la nueva postura del autor. Una decidida actitud
humorista y burlesca matiza el modernismo de *La marquesa
Rosalinda*; la mirada, grotesca y jovial a la vez, se conver-
tirá con el tiempo en el sarcasmo y la mueca de años después. Aun antes, en *La cabeza del dragón*, farsa infantil
como luego la bautizará el autor, han de percibirse claras
indicaciones de nuevos derroteros estilísticos por las notas
francamente caricaturescas y degradadoras, aunque todavía
falta la dimensión moral que aparecerá más tarde. Tampoco
desentona esta farsa, deliciosa sátira literaria de los cuentos
de hadas y las novelas de caballerías, en el tomo *Tablado de
marionetas*, cuyo subtítulo «para educación de príncipes» es
también significativo. Aunque en *La cabeza del dragón* se
anticipan algunos aspectos del estilo esperpéntico, y se pone
de relieve el sentido de humor valleinclanesco, entre cómico
y grotesco, vuelve a aparecer un decorado todavía muy versallesco. Una gran parte de la acción tiene lugar en el fantástico reino del Rey Micomicón, y ciertas acotaciones recuerdan muy de cerca, hasta verbalmente, a Rubén Darío:

> ...Jardín de rosas y escalinatas de mármol, donde abren su cola
> dos pavos reales. Un lago y dos cisnes unánimes...
> En los jardines reales. El pavón, siempre con la cola abier-
> ta en abanico de fabuloso iris, está sobre la escalinata de már-
> mol que decoran las rosas. Y al pie, la góndola de plata con
> palio de marfil. Y los cisnes dulces en la prora bogando, musi-
> cales en su lira curva...

De importancia capital en esa etapa intermedia es, como
antes dijimos, *La marquesa Rosalinda*, estrenada en 1912 y
luego publicada en libro un año después. Los versos de esta
bella farsa son netamente modernistas, tanto en la forma
como en el fondo decorativo. El contagio de Darío es deci-

sivo, en el sentido de que no falta ningún aspecto del refinado ambiente versallesco y, con pasos de minué, se mueven todos los personajes típicos de las fiestas galantes. Se imponen, con maestría, las notas de la despreocupada frivolidad y del discreteo cortesano. Y es fácil apreciar cómo Valle ha incorporado a su farsa «sentimental y grotesca» toda la acostumbrada flora y fauna modernista, pero lo más significativo es advertir que se aparta al mismo tiempo de este camino tan trillado para adoptar una franca tonalidad burlesca. Los eneasílabos del preludio, que es de hecho del año 1911 cuando se publicó en el *Mundial* de Darío, nos indican un intencionado desvío de la solemnidad modernista. Desde luego, las notas banvillescas no faltan en Darío ni en otros modernistas, sobre todo en Lugones, pero veamos cómo, con rimas de cascabeles, nos contará su historieta Valle:

> Y sollocen otros poetas
> sobre los cuernos de la lira,
> con el ritmo de las piruetas
> yo rimo mi bella mentira.
> ....
> Por el sendero la vestía
> la noche, de niebla y armiños,
> y la luciérnaga seguía
> en su falda, haciéndome guiños.
> ....
> Enlazaré las rosas frescas
> con que se viste el vaudeville
> y las rimas funambulescas
> a la manera de Banville.
> ....
> Versalles pone sus empaques,
> Aranjuez, sus albas rientes,
> y un grotesco de miriñaques
> don Francisco Goya y Lucientes.

Advertida esta jovialidad, *La marquesa Rosalinda* es un se-
millero de sugestiones que más tarde aprovechará Valle: el
tema del honor y el teatro calderoniano, así como los personajes convencionales de la comedia dell'arte y sus máscaras
que habían sido resucitados también en el modernismo.
Hasta en el motivo de la luna hemos de ver eco de la ironía
de Laforgue y del admirado Lugones del *Lunario sentimental*. Valgan dentro del caso estos versos dichos por Arlequín:

> ¡Oh, luna de poetas y de orates,
> por tu estela argentina
> mi alma peregrina
> con un ansia ideal de disparates!
> ....
> ¿Quién el poder a descubrir acierta
> de tu cara de plata,
> de tus ojos de muerta
> y de tu nariz chata?
> ....
> ¡Hilandera divina de sonetos!
> El barro de mi alma se aureola
> con tu luz enigmática,
> y te saluda con la cabriola
> de una bruja sabática:
> Luna que de soñar guardas las huellas,
> cabalística luna de marfil
> tú escribes en lo azul moviendo estrellas:
> ¡Nihil!

Sería en verdad contraproducente recoger los infinitos recuerdos, hasta verbales, de Darío en esta obra, pero quisiera
mencionar solamente que a doña Estrella, hermosa hija de
Rosalinda, la tienen encerrada en un convento para que no
le haga sombra a la madre. En una ocasión se escapa *la
mariposa* aunque pronto tiene que volver a su *jaula* a sus-
pirar sus penas y a morir con *la cabeza bajo el ala*. Hasta

exclama «¡Quién fuera pájaro del cielo / para volar, volar, volar!». Y la gracia está en que Valle, en forma de punto y contrapunto, va entremezclando con los arrebatos líricos de doña Estrella los comentarios irónicos de la Dueña y el Marqués. Y tampoco puede faltar el paje enamorado. Como en *Cuento de abril* se repite el motivo de la niña que espera, y, nuevamente, se impone la oposición entre Versalles y España, donde le hicieron mal de ojo al Marqués, que antes se sonreía de los disparates de los maridos del teatro español. Este cambio a castellano heroico lo atribuye Rosalinda a los autos de fe y las comedias de Calderón.

También de ambiente dieciochesco en que se combinan las notas italianas con las más bien clásicas españolas, tanto cultas como populares, es la lograda y compleja *Farsa italiana de la enamorada del rey* (1920). Esta es una obra hecha eminentemente sobre la literatura, de modo especial la cervantina, en la que triunfan por fin las normas de la poesía y la fantasía. Graciosa, en verdad, es la sátira literaria; varios planos de realidad e ilusión se entrecruzan; y, de nuevo, se opone Versalles a la usanza española («Sólo ama realidades esta gente española; / Al indígena ibero, cada vez más hirsuto, / es mentarle la madre mentarle lo Absoluto»). Con acierto Díaz-Plaja [55] ha notado cómo perdura la impronta de Darío en esta farsa, sobre todo en lo que respecta a la parodia de «Sonatina» en los versos de Maese Lotario, los cuales cuentan los amores de Mari-Justina, cuyos sueños «viste / el azul triste del ideal». Por sus novedades francesas y sus «pies excomulgados», los alejandrinos del bululú no se escapan, desde luego, de la censura del erudito y retórico don Furibundo, que a su vez pretende un sillón académico.

---

[55] Díaz-Plaja, *ob. cit.*, pág. 225.

Por el nuevo rumbo que toma su obra, de ahora en adelante Valle-Inclán suele abandonar por supuesto los motivos suntuosos y exotistas derivados de Darío y del modernismo de escuela. Retengamos, sin embargo, que en *La pipa de kif* saluda con respeto al poeta americano y que el mismo figura en dos escenas claves de *Luces de bohemia*. Vale la pena ver, no obstante, cómo Valle-Inclán incrusta en su gran novela esperpéntica *Tirano Banderas* (1926) ecos intencionados de la poesía de Darío. El ilustre gachupín don Celes, barroco y pomposo, adula al tirano y le llama en forma de encomio: «—¡Profesor de energía, como dicen en nuestro Diario!». La fina intención irónica se pone de relieve si se recuerda el poema de Darío «A Roosevelt» que figura en *Cantos de vida y esperanza*. Una vez más para caracterizar la fatuidad del mismo don Celes, Valle-Inclán tiene muy presentes unos versos de «Pórtico» cuando escribe: «El gachupín experimentaba un sofoco ampuloso, una sensación enfática de orgullo y reverencia: Como collerones le resonaban en el pecho fanfarrias de históricos nombres sonoros...», y en otra visita posterior al grotesco Ministro de España: «...desplegaba como el pavo real la fábula de su cola». En las tremendas páginas mediante las cuales Valle-Inclán satiriza al cuerpo diplomático se hallan citas directas de Darío. Primero, Aníbal Roncalí, Ministro del Ecuador, recomienda una reunión bajo la presidencia del Ministro de España, diciendo: «Las águilas jóvenes que tendían las alas para el heroico vuelo, agrupadas en torno del águila materna», y, para colmo, refiriéndose al hecho de que el diplomático español ha concebido una nada sana pasión por el representante del gobierno ecuatoriano, observa más adelante otro colega: «—¡Lírico, sentimental, sensitivo, sensible, exclamaba el Cisne de Nicaragua! Por eso no lograrás vos separar la actuación diplomática y el flirt del Ministro de España». Así es que hasta en su afán de esperpentizar la trágica realidad americana, Valle-Inclán vuelve a adaptar versos de Rubén Darío a un contexto irónico [56].

CONSIDERACIONES FINALES

En las páginas inmediatamente anteriores, hemos visto tan solo algunos de los muchos recuerdos temáticos y verbales de Darío en varias obras de Valle-Inclán. En realidad, esta profunda admiración por el poeta nicaragüense cala mucho más hondo, y se extiende de modo general para abarcar múltiples actitudes ante el mundo y la literatura. Es decir, no se limita al uso de los llamados motivos decorativos del modernismo de escuela, los mismos símbolos esteticistas degenerados en manos de los secuaces sin verdadero talento poético. Por otra parte, los cisnes unánimes y las princesas divinas son intensas formas simbólicas de protesta contra la chata y mezquina realidad que ambos escritores conocían. En toda la complejidad espiritual que implica lo que llamamos modernismo, movimiento de profundo contenido ideo-

---

[56] Las citadas resonancias de Darío en *Tirano Banderas* las ha recogido también la profesora Speratti en su ya mencionado libro *La elaboración artística en «Tirano Banderas»*. Por nuestra parte, quisiéramos notar también cómo en *Farsa y licencia de la reina castiza*, Valle-Inclán parece recordar en un claro contexto irónico a Rubén Darío. Cuando se refiere al grotesco Rey Consorte, ya animalizado, escribe Valle-Inclán: «La vágula libélula de la sonrisa bulle / sobre su boca belfa, pintada de carmín», versos que traen eco, ahora con un tono sarcástico, de otro de «Sonatina» de Darío. Quizá vale la pena citar aquí el último dístico de «¡Aleluya!», segunda clave de *La pipa de kif*: «Llevo mi verso a la Farándula: / Anímula, Vágula, Blándula». Y dentro del mismo contexto en *Las galas del difunto* (escena sexta) Juanito Ventolera irrumpe en la casa de doña Terita y «saltan *con fracaso de cristales*, estremecidas, rebotantes, las puertas del balcón».

lógico, había siempre un anhelo de superar las circunstancias exteriores, creando y afirmando un mundo de eterna belleza artística incontaminado por el materialismo burgués de la época. Darío y Valle-Inclán, al rechazar en su obra los trillados caminos de antes, reaccionaron de manera positiva ante una realidad dominada por la mediocridad, y, valiéndose de esas armas estéticas, combatieron la vulgaridad del momento. Así es que en el fondo ambos son insumisos y, cada uno a su modo, se oponen a los convencionalismos de época, afirmando su desencanto personal con la chabacanería que los rodeaba [57]. Una vez más es la aguda sensibilidad de Juan Ramón Jiménez la que logra captar, en *Prosas profanas*, una dimensión muchas veces menospreciada de Darío, y dice el poeta español en su retrato lírico lo siguiente [58]:

> Hoy, cuando ha vuelto [Darío] con su misma armonía de hierro de oro, con las mismas rosas en su pecho, todos cantaron su marcha triunfal. Al quitarle la armadura, le hemos visto el corazón. Yo ya se lo había visto cuando cantó sus *Prosas profanas*, embriagado de melancolía. Pocos lo han dicho, Rubén es el hombre que siente, sus versos tienen un fondo celeste y triste, aun dentro de las más rojas sedas y de las carnes más fragantes de sol.

En lo que tenía de más perdurable, como fructífera lección estética y como revitalización lingüística, el modernismo no fue solamente un derroche de símbolos vacíos, sino un noble y abnegado gesto pasional para alcanzar la suprema

---

[57] Justo es advertir que la base de esas ideas ha de encontrarse en Ricardo Gullón (*Direcciones del modernismo*, Madrid, 1963, págs. 1-66), que, como es sabido, procede de fuente directa, a saber: Juan Ramón Jiménez, de quien Gullón ha sido y es principal albacea literario.

[58] Juan Ramón Jiménez, *Retratos líricos*, Madrid, 1965, pág. 43. Miguel Enguídanos me ha llamado la atención sobre ese texto significativo.

belleza artística y la aristocracia del pensamiento. Es verdad que Valle empieza, en las *Sonatas* por ejemplo, estilizando por el lado más bello de las cosas, para luego deshacerse de su complejo de princesas, según frase de Salinas [59], y crear una diferente belleza, más comprometida si se quiere, y de signo contrario. Cabe preguntarse, sin embargo, si el procedimiento no es en el fondo el mismo, aunque hacia 1920 ya no le bastaban a Valle las armas de protesta que antes había utilizado. Lo que sí puede afirmarse, con toda seguridad, es que una raíz poética caracteriza siempre la literatura de Valle, y no importa que sean hermosas princesas o deformes fantoches los protagonistas de sus obras, porque en ambos casos se mantiene una clara tensión lírica. En última instancia, pues, lo que hallaba Valle-Inclán en su amigo Darío era una profunda afinidad en cuanto a una concepción del arte, como valor absoluto, y por lo demás un sistema de pensamiento orientado hacia el misterio muy parecido al que expuso el escritor gallego en *La lámpara maravillosa.*

Como todo poeta consciente Rubén Darío tenía una estética del verbo. Quizá no sea ocioso transcribir aquí unas palabras archiconocidas que pertenecen a las «Palabras liminares» de *Prosas profanas.* Son éstas:

> Como cada palabra tiene un alma, hay en cada verso, además de la armonía verbal, una melodía ideal. La música es sólo de la idea muchas veces.
>
> La gritería de trescientas ocas no te impedirá, Silvano, tocar tu encantadora flauta, con tal de que tu amigo el ruiseñor esté contento de tu melodía. Cuando él no esté para escucharte, cierra los ojos y toca para los habitantes de tu reino interior.

---

[59] Pedro Salinas, «Significación del esperpento o Valle-Inclán, hijo pródigo del 98», *Literatura española. Siglo XX,* 2.ª ed., México, 1949, pág. 90.

Al retomar esas mismas ideas en «Dilucidaciones», prólogo a *El canto errante*, dirá Darío: «...he querido ir hacia el porvenir, siempre bajo el divino imperio de la música —música de las ideas, música del verbo—». Dentro de ese contexto recordemos cómo Rubén Darío, con seguro criterio, vio en Unamuno al poeta («poeta es asomarse a las puertas del misterio y volver de él con una vislumbre de lo desconocido en los ojos»), y en esas mismas páginas vaticinadoras dice el poeta americano: «En Unamuno se ve la necesidad que urge al alma del verdadero poeta de expresarse rítmicamente, de decir sus pensares y sentires de modo musical». Rechazada «la legión de pianistas» y abierto el pensamiento a todas las formas de la belleza, en su valorización de Unamuno poeta Darío vuelve a insistir en una musicalidad esencial [60]:

> Lo que resalta en este caso es: la necesidad del canto. Después de fatigar los brazos y mellar las hachas en la floresta de lucubraciones llega un momento en que es preciso buscar un rincón apacible de verdor y frescura donde reposar y en donde se ponga el alma limpia a oír el canto de los ruiseñores. Esos ruiseñores como aquel pájaro de paraíso que oyó cantar el monje de la leyenda, saben de lo eterno, de lo que no tiene que ver con lo cambiante y efímero de nuestra vida terrena y con nuestro rápido paso por la existencia, que es el de una irisada burbuja.
>
> La necesidad del canto: el canto es lo único que libra de lo que llama Maeterlinck lo trágico de todos los días. A medida que el tiempo pasa y a pesar del triunfo de los adelantos materiales, la omnipotencia órfica se acentúa y se hace cada vez más invencible. Y el poeta ve pasar triunfante, al lado del aviador, el vuelo dominante de la oda.

Hacia los últimos años de su vida Darío escribe su muy poco conocida novela autobiográfica *El oro de Mallorca,*

---

[60] Rubén Darío, «Unamuno, poeta», *Obras completas*, II, pág. 791.

cuyo protagonista-espejo es un célebre músico. Puesto al desnudo su espíritu atormentado en tan humano documento, Benjamín Itaspes se dice en uno de sus muchos momentos introspectivos:

> El arte, como su tendencia religiosa, era otro salvavida. Cuando hundía, o cuando hacía flotar su alma en él, sentía el efluvio de otro mundo superior. La música era semejante a un océano en cuya agua sutil y de esencia espiritual adquiría fuerzas de inmortalidad y como vibraciones de electricidades eternas. Todo el universo visible y mucho del invisible se manifestaba en sus rítmicas sonoridades, que eran como una perceptible lengua angélica cuyo sentido absoluto no podemos abarcar a causa del peso de nuestra máquina material. La vasta selva, como el aparato de la mecánica celeste, poseía una lengua armoniosa y melodiosa, que los seres demiúrgicos podían por lo menos percibir: Pitágoras y Wagner tenían razón. La Música en su inmenso concepto lo abraza todo, lo material y lo espiritual, y por eso los griegos comprendían también en ese vocablo a la excelsa Poesía, a la Creadora...

No es casual la mención de Pitágoras y de Wagner, y se hace explícito el afán de sumergirse en la armonía cósmica mediante una serie de correspondencias mágicas y asociaciones poéticas. Otro texto, en este caso uno muy temprano, que se halla en el cuento «El velo de la reina Mab» (*Azul...*) confirma ese mismo deseo de experiencia absoluta e inmersión en el gran todo. Nuevamente se trata de un músico, y habla en los siguientes términos:

> ...Yo escucho todas las armonías, desde la lira de Terpandro hasta las fantasías orquestales de Wagner. Mis ideales brillan en medio de mis audacias de inspirado. Yo tengo la percepción del filósofo que oyó la música de los astros. Todos los ruidos pueden aprisionarse, todos los ecos son susceptibles de combinaciones. Todo cabe en la línea de mis escalas cromáticas.

La luz vibrante es himno, y la melodía de la selva halla un cco en mi corazón. Desde el ruido de la tempestad hasta el canto del pájaro, todo se confunde y enlaza en la infinita cadencia.

Y desde un principio, ¿no se entregaba Valle-Inclán a este poder misterioso de la palabra, con todas su irradiaciones musicales y ultralógicas? ¿No anhelaba él descorrer el velo y acercarse al enigma del mundo visible e invisible por un mismo sistema de pensamiento? En el escritor español existe, pues, esa misma pasión por la palabra musical y emotiva. De 1902 son estas palabras: «Según Gautier, las palabras alcanzan por el sonido un valor que los diccionarios no pueden determinar. Por el sonido, unas palabras son como diamantes, otras fosforecen, otras flotan como una neblina...» [61]. Y dentro del caso se recordará inevitablemente el capitulillo de *La lámpara maravillosa* titulado «El milagro musical». Del mismo libro de estética, un libro lleno de resonancias verbales de Darío y sobre todo de la introducción en verso a *Cantos de vida y esperanza*, copiamos dos fragmentos cuyo claro sentido nos exime de mayor comentario:

1) ...Cabalmente el encanto estriba en el misterio con que se produce. Adonde no llegan las palabras con sus significados, van las ondas de sus músicas... Al goce de su esencia ideológica suma el goce de su esencia musical, numen de una categoría más alta...

2) ...Busquemos la alusión misteriosa y sutil, que nos estremece como un soplo y nos deja entrever, más allá del pensamiento humano, un oculto sentido... Hagamos de toda nuestra vida a modo de una estrofa, donde el ritmo interior despierta las sensaciones indefinibles aniquilando el significado ideológico de las palabras.

---

[61] Citamos según el texto original: «Modernismo», *La ilustración española y americana*, XLVI, núm. 7 (22 de febrero de 1902), pág. 114.

Por otra parte, han sido ampliamente reconocidas las raíces ortodoxas, neoplatónicas y sobre todo gnósticas de *La lámpara maravillosa*. Es allí, en este libro, donde Valle-Inclán confiesa haber caído en la tentación de practicar las ciencias ocultas. No es dato perdido recordar de nuevo que también Darío era un iniciado en los mundos esotéricos del espiritismo y lo cabalístico. Al tener noticias de la muerte del poeta americano, como ya hemos dicho, lamentaba Valle no tener con quien comentar su nuevo libro de estética. En *Luces de bohemia* está, por lo demás, la ya aludida conversación entre don Latino y Rubén Darío sobre sus mutuos estudios teosóficos y las matemáticas celestiales. Es decir, ambos escritores también están emparentados, en una compleja serie de correspondencias, por una corriente de pensamiento que les hiciera posible penetrar el misterio más arcano del universo y lograr, mediante la búsqueda del sentido oculto en todo lo creado, la anhelada comunión con la armonía del Gran Todo. Ante lo indescifrable, los dos se conmovieron e intentaron, a veces por un mismo camino, acercarse al secreto y dar con la clave de esa armonía misteriosa. Escuchemos al Valle de *La lámpara maravillosa*:

...El conocimiento de un grano de trigo, con todas sus evocaciones, nos daría el conocimiento pleno del Universo. ...En este mundo de las evocaciones sólo penetran los poetas, porque para sus ojos todas las cosas tienen una significación religiosa, más próxima a la significación única. Allí donde los demás hombres sólo hallan diferenciaciones, los poetas descubren enlaces luminosos de una armonía oculta. El poeta reduce el número de las alusiones sin trascendencia a una divina alusión cargada de significados. ¡Abeja cargada de miel!

Y un poco más adelante reafirma: «...La espina de la zarza y la ponzoña de la sierpe me decían un secreto de armonía, igual que la niña, la rosa y la estrella». Por lo demás, en la inmensa galería de personajes valleinclanescos, algunos tienen cultura teosófica, y vale la pena recordar aquí por lo menos a uno de ellos, que de hecho pertenece al útimo período de Valle. El contrapunto con el sombrío dictador Santos Banderas es el iluminado don Roque de Cepeda, figura angélica y apóstol de la luz redentora. No olvidemos que para este personaje Valle se inspiró en Francisco I. Madero, a quien se atribuían también ideas teosóficas o espiritistas. El autor nos habla de su profunda religiosidad «forjada de intuiciones místicas y máximas indostánicas», y, retomando unas ideas claves de *La lámpara maravillosa*, dice luego: «Adepto de las doctrinas teosóficas, buscaba en la última hondura de su conciencia un enlace con la conciencia del Universo...». Así es que tanto Rubén Darío como Valle-Inclán, ansiosos ambos de penetrar en el sentido más oculto de las cosas, se orientaban hacia el misterio, y buscaban precisamente esa misma unidad entre su propia conciencia y la del Universo [62].

En las páginas anteriores creemos haber ofrecido amplias pruebas testimoniales y literarias sobre la mutua admiración que existía entre Darío y Valle y sobre los múltiples modos en que cada uno correspondía al otro. Los dos eximios escritores, unidos en una duradera amistad y en la suprema aventura del arte, han logrado ya su porción de inmortalidad artística, y, por último, constituyen un oportuno epílogo a

---

[62] Octavio Paz cree que un sentimiento básico del poeta modernista es precisamente «la nostalgia de la unidad cósmica» y «su fascinación ante la pluralidad en que se manifiesta». Sorprendido el mismo Paz de que se les haya tachado a los poetas modernistas de superficiales, resume su pensamiento crítico diciendo: «el modernismo se inicia como una estética del ritmo y desemboca en una visión rítmica del universo». «El caracol y la sirena (Rubén Darío)», *Cuadrivio* (México, 1965), págs. 28-29.

este modesto homenaje los siguientes versos de Rubén Darío, cuyo sentido íntimo podría relacionarse igualmente con la personalidad del escritor español [63]:

¡Yo soy el amante de ensueños y formas
que viene de lejos y va al porvenir!
(*El canto errante*, «La canción de los pinos»).

(1967).

---

[63] En una nota final quisiera llamar la atención sobre tres ensayos que son muy útiles para complementar el estudio del tema aquí presentado.

Ildefonso-Manuel Gil publica un excelente ensayo titulado «Rubén Darío en la prosa de Valle-Inclán» [*Cuadernos Hispanoamericanos*, núms. 212-213, agosto-septiembre de 1967, págs. 472-480], en el cual puntualiza ciertas presencias de Darío en Valle, y sobre todo interesan estas páginas por el lúcido análisis de la actuación de Darío y El Marqués de Bradomín en *Luces de bohemia*, aspecto importante de la obra apenas comentado hasta ahora.

Abundante y preciso es el trabajo de Raimundo Lida, «Desde Rubén (Apuntes y antología)» [*Asomante*, vol. 23, núm. 2, 1967, páginas 7-21], que se completa con un desarrollo mayor, inclusive notas y bibliografía, en «Darío, Lugones, Valle-Inclán», *Ramón del Valle-Inclán. An Appraisal of his Life and Works* (Nueva York, 1968), páginas 424-441. Después de citar varios tributos a Rubén y reflejos de su obra en la de Valle, escribe Lida: «...Ni parodia burlesca ni plagio. El escritor cuenta con que sus lectores distinguen el tema ajeno y la variación original. Cuenta con el placer del reconocimiento, como Garcilaso y Góngora esperaban, cada uno muy a su manera, que a través de sus versos se percibiese la falsilla virgiliana y ovidiana o petrarquesca; sólo que aquí el modelo por reconocer, el clásico, es un poeta nicaragüense, coetáneo del español que lo cita y transforma, o más joven aún. Contará con que, en el variado juego especular de sus saludos a Darío, sepamos percibir con exactitud. El lector de *Tirano Banderas* deberá advertir que no es don Ramón del Valle-Inclán, sino un grotesco Ministro sudamericano, quien cita (equivocadamente) al 'Cisne de Nicaragua': '¡Lírico, sentimental, sensitivo, sensible! (pág. 436).»

ALGO MÁS SOBRE ANTONIO MACHADO
Y VALLE-INCLÁN

*Ni un seductor Mañara, ni un Bradomín
he sido.*

(Retrato, «Campos de Castilla».)

En la revista *Cuadernos Hispanoamericanos* (núm. 160, abril de 1963, págs. 6-17), Alfredo Carballo Picazo publicó una interesante e inteligente nota sobre las relaciones literarias y amistosas que existieron entre Antonio Machado y Valle-Inclán. Aunque el autor del aludido trabajo ha logrado reunir la documentación más significativa y cumplir así con su tarea de crítico, quisiéramos agregar aquí unos detalles más sobre el tema.

Primero veamos en qué consiste el aporte de Carballo Picazo. Sin duda la novedad bibliográfica de mayor importancia en su bien documentado estudio es la reproducción íntegra (págs. 14-17) del prólogo que en 1938 hizo Antonio Machado para la edición barcelonesa de *La corte de los milagros*, de Valle-Inclán [1]. No deja de transcribir, por lo de-

---

[1] En una nota final (pág. 17), Carballo Picazo se refiere a un texto de Machado titulado «Valle-Inclán», que se publicó en *Novedades* (año XXI, núm. 5.504, 13 de mayo de 1956, pág. 3), y que no ha podido examinar. Conviene señalar aquí que el texto reproducido en el dia-

más, la importantísima carta en la cual Machado se dirige a Valle, en 1916, para acusarle recibo de *La lámpara maravillosa* [2]. Carballo Picazo recuerda también los conocidos homenajes poéticos de Antonio Machado a Valle («Esta leyenda en sabio romance campesino», «Yo era en mis sueños, don Ramón, viajero» e «Iris de luna») [3]; se copian algunos

rio mejicano es el mismo prólogo de Antonio Machado a *La corte de los milagros*.

Guillermo de Torre, al ocuparse de ciertos escritos de Machado sobre libros recién aparecidos («Teorías literarias de Antonio Machado», *La Torre*, XII [núms. 45-46, enero-junio de 1964, págs. 297-312]), alude a este mismo prólogo «de circunstancias» (pág. 303), y más adelante dice «un escrito todavía más ocasional, o menos espontáneo que otros, fue el prólogo que escribió para una reedición de *La corte de los milagros*, de Valle-Inclán, y que en rigor se reduce a una semblanza donde reaparecen algunos de los rasgos y anécdotas ya conocidos» (pág. 305). Se reproduce también un pequeño fragmento del texto en cuestión (págs. 305-306).

[2] Se recordará que esta carta apareció en *Índice*, IX (núms. 74-75, abril-mayo de 1954), pág. 23.

[3] Hace bien Carballo Picazo en reproducir el poema tal como aparece en *La Pluma*, lo cual permite cotejar con facilidad la versión primitiva con la definitiva que figura con título de «Iris de la noche» en las varias ediciones modernas de las *Poesías completas*, de Machado.

Al estudiar ciertas dedicatorias desaparecidas o cambiadas, en «Amistades de Antonio Machado», *Insula*, XIV [núm. 158, enero de 1960], págs. 3 y 15, Oreste Macrí llama la atención sobre el «maestro» que se suprime de la dedicatoria de «Iris de la noche», y, sobre el particular, escribe: «Admiración quedó, sí, mucha, y otra prueba es el estupendo soneto (en la CLXIV), titulado 'A Don Ramón de Valle-Inclán...'» (pág. 15). Por lo demás, al citar la última estrofa de esta poesía, en la cual aparece el verso «Por qué faltó mi voz en tu homenaje», afirma el crítico: «Toda la CLXIV tomó parte de *Nuevas canciones*, que se publicaron en 1925 (*sic*), pero llevan las fechas 1917-1920. Yo no sé si hubo en este tiempo algún homenaje colectivo, al cual don Antonio no pudo o no quiso participar, en el caso de que los versos aludan a tal acto. Si no lo hubo, creo que hay referencia —no sólo a la exclusión de la dedicatoria de «Canciones» en *Soledades* y del título de «Maestro» en la dedicatoria de «Iris de la noche»—, sino también a otra señal de descuido por parte de Machado, lo que debió de irritar a tal campeón del *irritabile genus*...» (*Ibidem*). Sin

importantes textos de Machado tomados de *Juan de Mairena*
y *Los complementarios*[4]; y, por último, basándose en las
biografías de Valle por Melchor Fernández Almagro y por
Gómez de la Serna, el autor del trabajo que glosamos puntualiza varios encuentros literarios de diversa índole (las
tertulias en el nuevo Café de Levante y en otro punto de
reunión con Rubén Darío; el manifiesto que ambos firmaron
contra Echegaray; el documento de 1915, mediante el cual
ciertos escritores expresaron su apoyo a los aliados, etc.),
inclusive el viaje que hicieron los dos a Granada para asistir a la representación de la versión de *Andrea Doria*, por
Valle, y en la cual actuaba Ricardo Calvo[5]. En esta forma,

olvidarnos de la pequeña discrepancia en cuanto a las fechas, nos
preguntamos si en el verso transcrito del soneto Antonio Machado no
se refería al homenaje que los escritores ofrecieron a Valle el 1 de
abril de 1922, en Fornos, a raíz de su regreso de Méjico. Así parece
creerlo también Carballo Picazo (pág. 10). No hemos podido precisar
si asistió o no Antonio Machado a este banquete.

Quisiéramos agregar aquí un juicio de Juan Ramón Jiménez sobre
esta composición dedicada a Valle: «Toda esta noche de luna alta,
luna que viene de España y trae a España con sus montes y su Antonio Machado reflejados en su espejo melancólico, luna de triste dia-
mante azul y verde en la palmera de rozona felpa morada de mi puer-
tecilla de desterrado verdadero, he tenido en mi fondo de despierto
dormido el romance «Iris de la noche», uno de los más hondos de
Antonio Machado y uno de los más bellos que he leído en mi vida...».
Citamos, según Ricardo Gullón, «Prosa y verso de Juan Ramón Jiménez a Antonio Machado», *La Torre*, VII, núm. 25, enero-marzo de
1959, pág. 215.

[4] Atinadamente, Carballo Picazo afirma: «Carecería de sentido enu-
merar las veces que Machado cita a Valle-Inclán en sus obras» (página 12). Tan sólo recordamos otras dos mínimas alusiones a Valle
no recogidas por el crítico, y su importancia nos parece nula. Cf. *Los
complementarios y otras prosas póstumas*, Buenos Aires, 1957, páginas 199 y 240.

[5] De Oreste Macrí, *Poesie di Antonio Machado*, Milán, 1959, toma
Carballo Picazo el dato sobre este viaje e indica que era de 1903.
En cambio, Miguel Pérez Ferrero, el biógrafo de los hermanos Macha-
do, se refiere al mismo viaje a Granada, emprendido a invitación de

pues, Carballo Picazo ha estudiado el duradero afecto y admiración que Antonio Machado tuvo por Valle-Inclán. Se nos ha ocurrido ahora recoger unos cuantos datos más sobre la amistad que existía entre ambos escritores, tan diferentes al menos en los aspectos más visibles de su obra y de su personalidad humana, y añadir a la vez unos breves comentarios sobre los textos correspondientes.

No sabemos con exactitud cómo y en qué fecha comenzó esta amistad. Después de la muerte del escritor gallego, en su artículo de 1936, Antonio Machado afirma: «Juan de Mairena conoció a Valle-Inclán hacia el año 95; escuchó de sus labios el relato de sus andanzas en Méjico, y fue uno de los tres compradores de su primer libro, *Femeninas...*»[6]. No está de más recordar otro texto de Machado, en que dice haber conocido a Valle, después del primer viaje de éste a Méjico (1892), «cuando él era un hombre en plena juventud, y yo poco más que un adolescente»[7]. Luego, en el mismo

---

Valle, pero, según él, debiera fecharse hacia finales de 1902. Además, Pérez Ferrero afirma que el primer libro de Antonio Machado se publicó en 1902, durante su ausencia en Granada, con fecha adelantada de 1903. Miguel Pérez Ferrero, *Vida de Antonio Machado y Manuel*, Madrid, 1947, pág. 108.

Por su parte, Gabriel Pradal Rodríguez recuerda el mismo viaje y escribe que Antonio Machado «...no regresa a Madrid hasta entrado el año de 1903». «Antonio Machado: Vida y obra», *Revista Hispánica Moderna*, XV, núms. 1-4, enero-diciembre de 1949, pág. 15.

Sin embargo, Machado mismo, en su conocida nota autobiográfica de 1931, dice: «De 1903 a 1910, diversos viajes por España: Granada, Córdoba, tierras de Soria, las fuentes del Duero, ciudades de Castilla, Valencia, Aragón.»

Que sepamos, los biógrafos de Valle-Inclán no hacen mención de este viaje con Machado a Granada.

[6] *Juan de Mairena*, II, Buenos Aires, 1942, pág. 15.
[7] Esta frase se halla en el ya aludido prólogo a *La corte de los milagros*, de Valle. No parece lógico hacer remontar un primer encuentro entre los dos escritores a la primera época madrileña de Valle-Inclán (1890-1892), y los textos citados confirman que se conocieron

escrito, recuerda un encuentro posterior en el antiguo Café Colonial, presentado por Manuel Sawa, hermano del pintoresco Alejandro. Con excepción hecha de las ya citadas palabras de Antonio Machado, no conocemos otros testimonios sobre los primeros contactos entre los dos escritores. Pensamos, sin embargo, que los encuentros se hicieron más frecuentes y que esta amistad se estrechó hacia 1900, si no un poco antes, una vez que Valle se radica definitivamente en Madrid. Tratemos de reconstruir algunos hechos pertinentes que remontan a aquellos años, época en que empezó a formarse el núcleo de escritores que pronto iban a renovar con tanta fortuna las letras peninsulares.

Los hermanos Machado, al estallar la guerra de 1898 se hallaban en Sevilla, pero pronto regresan a Madrid. De aquella época Pérez Ferrero, en su biografía de los Machado, recuerda cómo se había formado una reunión de jóvenes en el Lion d'Or, y luego nos hace el retrato de uno de los contertulios: Ramón del Valle-Inclán [8]. Cabe preguntarnos si también coincidieron en el Café de Madrid, allá por 1897 ó 1898, escenario de las reuniones evocadas por Ricardo Baroja, cuyos asistentes pronto se dividieron en dos grupos con sede en la Cervecería Inglesa y la Horchatería de Candela [9]. Sea lo que fuere, quisiéramos señalar otro testimonio significativo que data de los primeros años de la amistad entre Machado

---

después del primer viaje de Valle a Méjico (1892). Recordemos aquí que Valle vivió de 1893 a 1896 en Pontevedra, donde se publica su primer libro, y es probable que no regresara definitivamente a Madrid hasta el invierno de 1896-1897.

[8] Miguel Pérez Ferrero, *ob. cit.*, págs. 85-86.

[9] Ricardo Baroja, *Gente del 98*, Barcelona, 1952, págs. 16 y sigs. Notamos que el autor no menciona a los hermanos Machado entre los contertulios de este grupo de artistas, pero sí figuran, por supuesto, sus nombres entre los literatos que iban a las reuniones del Café de Levante (págs. 49-50).

y Valle. En 1901, después de haberse herido en el pie de un pistoletazo en circunstancias archisabidas, Valle tiene que guardar cama por unos meses. A esta herida alude Machado en su prólogo a *La corte de los milagros*. Por lo visto, iba a visitarle con cierta frecuencia y cuenta Valle lo siguiente:

> ...Estuve tres meses en cama, me olvidé de las minas de la Mancha y escribí unas *Memorias*... Se las leí a Antonio Machado y a Francisco Villaespesa. Éste, no bien hube terminado la última cuartilla, dijo alborozado: «¡Eso se parece a *La Virgen de la Rosa*, de D'Annunzio!» Y Machado añadió: «¡Es magnífico!» Antonio me aconsejó que publicase mis cuartillas cuanto antes. Aquellas *Memorias* son *Sonata de Otoño*. Escribí con facilidad. Tenía un sentido literario y sentía un vivo desprecio por quienes escribían sin saber hacerlo y a quienes los diarios trataban de «maestros»... [10].

No vemos, en este caso, motivo alguno para dudar de la veracidad de estos recuerdos de Valle-Inclán.

Otra posibilidad, quizá algo indirecta e hipotética, para puntualizar las tempranas relaciones literarias entre Machado y Valle sería indicar con toda brevedad las revistas renovadoras, cuyas páginas se enriquecieron con las firmas de los que en aquel entonces eran noveles escritores. Basándonos en las normales fuentes de consulta sobre las revistas de fines de siglo y principios del actual, destacamos que ambos colaboraron en *Electra* (1901), importante órgano del primer modernismo, aunque su título se deriva de la obra de Galdós recién estrenada, y al año siguiente sus firmas aparecen también en *La revista Ibérica* (1902), de Villaespesa. Valle, como bien se sabe, mandaba sus cuentos y fragmentos de prosa varia a otras revistas del período (*Germinal, La Vida Literaria, Revista Nueva, Juventud, Alma Española*), pero

---

[10] Francisco Madrid, *La vida altiva de Valle-Inclán*, Buenos Aires, 1943, pág. 62.

menos frecuente en las revistas de la época es el nombre de
Antonio Machado, lo cual se debe, por lo menos en parte, a
sus ausencias de España en 1899 y 1902, hasta la aparición
en 1903 de *Helios*, publicación animada por Juan Ramón Jiménez, en la cual falta la firma de Valle, aunque por lo visto
había prometido al editor colaboración gratuita.

A partir de 1907, año en que Antonio Machado se traslada
a Soria, su presencia en Madrid se hace seguramente menos
regular, pero de la época anterior a la fecha de su partida
para ocupar su cátedra en el Instituto soriano datan otros
contactos entre los dos escritores. Sin duda coincidieron de
vez en cuando en sus visitas a Juan Ramón Jiménez, recluido
en aquel entonces (1901-1903) en el Sanatorio del Rosario, en
Madrid [11]. Otro dato significativo no mencionado por Carballo
Picazo, al recordar las composiciones poéticas de Machado
que llevan dedicatoria a Valle, es el siguiente: en la edición
de 1903 de *Soledades*, la sección llamada «Canciones» en ediciones posteriores, cuyo título primitivo era «Salmodías de
Abril», estaba dedicada a don Ramón del Valle-Inclán. La dedicatoria, así como el título original y varias poesías, desaparecen en las ediciones definitivas de la poesía de Antonio
Machado [12]. Para completar los testimonios de la estima en

---

[11] Juan Ramón Jiménez recuerda cómo en aquel entonces le visitaban varios escritores, entre ellos los Machado y Valle-Inclán. Cf.
«Ramón del Valle-Inclán (Castillo de quema)», artículo publicado en
El Sol (1936), que citamos según *Páginas escogidas. Prosa*, Madrid,
1958, pág. 135.

[12] Dámaso Alonso advierte el dato al reproducir algunas composiciones olvidadas de Machado en su estudio «Poesías olvidadas de Antonio Machado», *Poetas españoles contemporáneos*, Madrid, 1952, página 126, nota 16. Cf. también Oreste Macrí: «Amistades de Antonio
Machado» (pág. 15). En su trabajo «Antonio Machado's *Soledades*
(1903): a critical study», *Hispanic Review*, XXX, 1962, págs. 194-215,
el hispanista inglés Geoffrey Ribbans no menciona esta dedicatoria, ni
su eliminación posterior.

que Machado tenía a Valle hacia aquellos primeros años del siglo actual, no olvidemos que el conocido soneto escrito para *Flor de santidad* puede fecharse en 1903 ó 1904 [13]. Finalmente, hay testimonio de que se encontraron, hacia 1906, en el Café Europeo, otro de los muchos que frecuentaba Valle [14]. Como advierte Carballo Picazo, la vida separaba y unía en años posteriores a los dos amigos. Machado estaba en Soria, en Baeza y en Segovia; Valle había ido a la Argentina, otra vez a Méjico y en distintas épocas se ausentaba de Madrid para vivir en Galicia. Indudablemente, se carteaban y se mandaban libros. Elocuente testimonio es la carta de 1916, ya mencionada, y en ella también alude Machado a una visita proyectada a Valle en Galicia, la cual no pudo realizarse por un asunto familiar.

Vistas las muchas expresiones de afecto y admiración por Valle que aparecen en la obra de Antonio Machado y, sobre todo, en los textos elogiosos de *Juan de Mairena* y de *Los complementarios*, ¿correspondió Valle en igual forma a las citadas muestras de amistad por parte de Machado? En el caso de Valle-Inclán, no muy pródigo en sus alabanzas de otros escritores, no disponemos de la necesaria documentación para comprobar con citas textuales la admira-

---

[13] Como recuerda Macrí en el ya citado trabajo «Amistades de Antonio Machado», este soneto figura en *Soledades* (1907), pero no aparece en «Elogios», de *Campos de Castilla* (1912), ni en las *Páginas escogidas* (1917). Luego se pregunta Macrí: «¿Fue éste el motivo por el que se enojó cada vez más aquel hombre tan ufano, raro y magnífico? Si es así, don Antonio, el mismo 1917 de *Páginas escogidas*, tuvo que recoger el soneto en *Poesías completas* y empezó a escribir el soneto, que apareció, se ha visto, en *Nuevas canciones* (pág. 15)». Ricardo Gullón, por su parte, logra demostrar con claras pruebas cómo Machado solía traspapelar poemas al preparar las ediciones de sus obras. Cf. «Mágicos lagos de Antonio Machado», *Papeles de Son Armadans*, VII, núm. LXX, enero de 1962, págs. 26-61.

[14] Pérez Ferrero, *op. cit.*, pág. 115.

ción que seguramente tenía por el poeta Machado. Además, no siempre están al alcance del investigador páginas ocasionales (entrevistas, conferencias) del escritor gallego donde pudiera haber incluido elogios sobre la obra y la persona del poeta. Recordemos, no obstante, dos breves alusiones que se encuentran entre las páginas dispersas de Valle-Inclán. En Buenos Aires, adonde había ido en 1910, Valle dictó cuatro conferencias, y de la que dedicó al tema del modernismo copiamos el siguiente fragmento, que también interesa por la alusión a Galdós [15]:

---

[15] En su prólogo a *La corte de los milagros*, de Valle, Machado también se refiere en dos ocasiones a Pérez Galdós. Primero, menciona brevemente las adaptaciones escénicas del novelista y luego continúa diciendo: «...Don Ramón, que escribe para la posteridad y, por ende, para los jóvenes de hoy, olvida a veces lo que nunca olvidaba Galdós: mostrar al lector el esquema histórico en el cual encuadraba las novelas un tanto frívolas de sus *Episodios nacionales*. Pero don Ramón, aunque menos pedagogo, es mucho más artista que Galdós, y su obra es, además, mucho más rica de contenido histórico y social que la galdosiana.»
Si bien rebasa el modesto intento de la presente nota, nos parece de gran interés el estudio de las relaciones literarias entre Valle-Inclán y Pérez Galdós, aunque a estas alturas es sumamente difícil de reconstruir con completa fidelidad las opiniones a veces contradictorias y arbitrarias de Valle. El comentario de Carballo Picazo (pág. 16, nota 20) se limita a la mención de ciertas páginas de Fernández Almagro y Gómez de la Serna, en las cuales ambos hablan de cómo se metió con Galdós por lo de *El embrujado*, y Fernández Almagro cita la tantas veces repetida frase despectiva «don Benito el Garbancero» (*Luces de bohemia*, escena cuarta).
Como decíamos, éste no es el lugar más apropiado para ocuparnos del tema. No cabe duda que Valle atacaba con frecuencia a Galdós, pero, por otra parte, ciertos textos tienden a revelar que a veces sus ideas sobre el novelista se acentuaban de modo algo contradictorio. Cronológicamente, habrá que recordar la reseña, más o menos benévola, que Valle escribe sobre *Ángel Guerra (Publicaciones periodísticas de don Ramón del Valle-Inclán anteriores a 1895)*, Méjico, 1952, páginas 56-59, y sobre este mismo escrito véase el penetrante comentario de José F. Montesinos, *NRFH*, VIII (núm. 1, 1954, págs. 93-94). Ultimamente, Emma Susana Speratti Piñero («Los últimos artículos de

En la literatura, Unamuno, Benavente, Azorín, Ciges Aparicio, Baroja, los Machado, Marquina y Ortega y Gasset tienen un sentido nuevo de patria. Aman la novela regional, en su tradición, no en aquellos de sus hombres, que nada valen y que nada representan. El patriotismo consiste en imponer lo grande y no en dejar que la audacia vanidosa se imponga. Tal fuerza anima y vive en la obra de los nuevos escritores.

Aparecen en un momento agitado en España y traen el sentido de la patria, no la patria bravucona y pendenciera, que oculta los defectos y se lía la manta a la cabeza, sino la de los que se imponían por criterio único ser los mejores. Su patriotismo no es el de la ascensión.

Entre los precursores del modernismo hay que señalar a Pérez Galdós. Galdós marca los senderos de la tradición y va contra los «patriotas» que reniegan de la historia para ver tan sólo las acciones de los hombres [16].

Años más tarde, cuando hubo vacante en la Academia de la Lengua por la muerte de Gómez de Baquero, Valle escribe estas palabras, en las cuales vuelve a figurar el nombre de

---

Valle-Inclán», tirada aparte de las *Actas del Primer Congreso Internacional de Hispanistas*, 1964) alude a «su marcadísima antipatía hacia Benito Pérez Galdós» (pág. 6), y luego afirma, refiriéndose al mismo texto temprano de Valle: «...Indudablemente, por lo menos, la figura de Galdós que nos presenta Valle en su último artículo difiere mucho de la que había presentado años atrás» (pág. 7).

Del libro de Francisco Madrid (*op. cit.*, pág. 296) transcribimos el siguiente fragmento: «En otra ocasión, hablando de Pérez Galdós, apuntó don Ramón: —Don Benito es pintoresco e intenso. La misma exuberancia de sus obras ha perjudicado el valor intrínseco de las mismas. Pero a pesar de eso, Galdós ha sido el redentor de nuestro teatro. Nadie antes que él había llevado a la escena los vastos problemas. *Realidad* fue el preludio de una renovación gloriosa. Reinando Echegaray, todo era arbitrariedad ampulosa y vana retórica. ¡Lo que tendría que luchar Galdós con los cómicos! *Alma y vida*, tan fresca y tan delicada, fue verdaderamente escarnecida por quienes la estrenaron...». Y estos elogios del Galdós dramaturgo parecen coincidir con lo que recuerda C. R. C. (Cipriano Rivas Cherif) en su nota «Más cosas de Don Ramón», *La Pluma*, núm. 32, enero de 1923, pág. 94.

[16] Francisco Madrid, *ob. cit.*, págs. 200-201.

Machado en una nómina: «...En la Academia hay ahora
tres nobles escritores electos: Benavente, Pérez de Ayala y
Antonio Machado. Y fíjense. Retardan cuanto pueden leer
sus discursos. Benavente acaba de insinuar que no lo leerá
nunca...»[17].

Si bien los textos en cuestión demuestran el alcance de
una sincera amistad y admiración literaria entre Antonio Machado y Valle-Inclán, lo más significativo para nosotros es
que revelan de nuevo la necesidad de no insistir demasiado
con esquemas simplistas en la dicotomía tantas veces estable-
cida entre noventayochistas y modernistas[18]. En este caso,
las apreciaciones de Machado sobre Valle tienen para la crítica la innegable importancia de contribuir, en grado mínimo
quizá, al estudio íntegro y no disociador de una significativa
etapa en el desarrollo de las letras españolas. Frente a la
tesis discriminatoria y escisionista, ciertos críticos autoriza-
dos, como Del Río y, últimamente, Ricardo Gullón, han em-
pezado ya a revisar la historiografía literaria del período, lo
cual nos permite una mayor comprensión del panorama
total. Aunque los escritores no siempre se veían con mutua
estima, habrá que tener en cuenta los fecundos contactos
espirituales y literarios que existían muchas veces entre artistas clasificados, de modo convencional, bajo los rótulos
distintos de la generación del 98 y el modernismo. Así es que
el modernismo quedó reducido a sus elementos más exteriores, superficiales y pasajeros. No olvidemos que en sus ya
clásicas definiciones, Federico de Onís y Juan Ramón Jimé-

---

[17] *Ibid.*, pág. 335.
[18] La carta de Machado a Valle reproducida en el ya citado número
de *Índice* le ha sugerido a J. A. Valente una breve pero acertada nota
titulada «Modernismo y 98», en que combate también los fáciles esquemas que dividen de modo tajante a los escritores de la época en dos
grupos antagónicos. *Índice*, IX, núms. 74-75, mayo-junio de 1954, páginas 22-23.

nez proponían unas fórmulas amplias para caracterizar con mayor fidelidad el complejo y fluido fenómeno que llamamos modernismo. También en su libro reciente, *Direcciones del modernismo*, Ricardo Gullón, con gran acierto, parte precisamente de Juan Ramón Jiménez, que consideraba el modernismo como una actitud y como una época. He aquí, pues, que Antonio Machado y Valle-Inclán, que suelen ser clasificados en los antípodas de este movimiento literario, están esencialmente emparentados en más de un aspecto, aunque su literatura, vista superficialmente, parece en ocasiones tomar rumbos opuestos[19]. [1965].

---

[19] Quisiera añadir ahora unos cuantos datos más sobre la amistad entre Antonio Machado y Valle-Inclán. Últimamente José Tudela [«Textos olvidados de Antonio Machado», *Ínsula*, XXV, núm. 279, febrero de 1970] ha publicado cuatro nuevas prosas de Machado aparecidas en la prensa de Soria. En el mes de julio de 1912 el poeta publicó, sin firma y en *El porvenir castellano*, cuatro reseñas sobre escritores y amigos de la generación del 98 (Unamuno, Azorín, Valle-Inclán y Pío Baroja), y a la presentación hecha por Machado seguía un texto del autor en cuestión como muestra de su obra. El 11 de julio se inserta el brevísimo fragmento sobre Valle, el más breve de todos probablemente por el estado crítico en que se encontraba Leonor, y se reproduce una crítica de Valle sobre *La casa de Aizgorri* de Baroja. En su artículo, Tudela recoge solamente el texto de Machado: «Honramos hoy nuestras columnas con un trabajo de don Ramón del Valle-Inclán, el autor insigne de *Voces de gesta*. Valle-Inclán es uno de los autores contemporáneos que más brillo han dado al habla castellana, por su estilo, limpio como un crisol diamantino, por su pureza y por su casticismo. Para él ha escrito el altísimo poeta Rubén Darío estos magníficos versos...». En el texto se recogen algunos versos de la «Balada laudatoria» (1911).

Se ha publicado una carta de Corpus Barga [*La Estafeta Literaria*, núm. 343, 7 de mayo de 1966] en la cual recuerda lo que en 1938 le decía Antonio Machado sobre las anécdotas valleinclanescas: «...¿No cree usted que le hemos perjudicado a Valle-Inclán contando tantas historias suyas? No se ha escrito en serio sobre su obra. Pero es que le ocurrían cosas... Pero no hay que contar las historias de Valle-Inclán, ni de las que él contaba ni de las que se contaban sobre él. Ya es hora de que se estudie su obra y nos demos cuenta de la importancia que tiene.»

ANTONIO MACHADO Y RUBÉN DARÍO

*A don Ramón Martínez López, en la
hora de su jubilación, como testimonio
de amistad.*

Para encabezar la parte de la presente antología dedicada a las relaciones de Antonio Machado con algunas de las
grandes figuras de la época *, me propongo estudiar brevemente la firme amistad, tanto personal como intelectual,
que lo unía con el querido y admirado maestro Rubén Darío. Así lo llamaba Machado en las pocas cartas que de él
se conservan. Sus relaciones, siempre incólumes y sin sombras de desafecto, no fueron tan íntimas y sostenidas como
las del poeta americano con Manuel Machado (quien durante el año de 1909 le sirvió de secretario durante una temporada), pero siempre las caracterizó una actitud de generosa
y mutua admiración, pese a que la poesía de Antonio Machado quiso tomar, con el tiempo, rumbo distinto al seguido
por Darío [1].

---

* Se trata de una antología de estudios críticos sobre AM, que edi-
tamos Ricardo Gullón y yo para la Editorial Taurus.

[1] Antonio Oliver Belmás recuerda sus conversaciones sobre los
hermanos Machado con Francisca Sánchez y escribe: «...Su simpatía
personal, me dijo la abulense, en estas o parecidas palabras, iba para
Manolo; pero su admiración profunda para Antonio.» *Este otro Rubén
Darío*, Barcelona, 1960, pág. 184.

Notorias son las amistades de Rubén Darío con los escritores españoles que conoció en los muchos años de su residencia en Europa, a partir de los primeros días de 1899, año de su segunda llegada a la península, comisionado por *La Nación* de Buenos Aires. Casi desaparecida, o caída en decadencia creadora la vieja generación de escritores a quienes conociera en su primer viaje (1892), Darío no tardó mucho en relacionarse con otros más jóvenes, con los que pronto iban a revolucionar las letras españolas. Los más viejos de este grupo eran Unamuno y Valle-Inclán. Sus relaciones con Unamuno no siempre fueron enteramente cordiales (a veces por intervención de las malas lenguas), mientras nada empañó la íntima amistad de Rubén y Valle-Inclán [2]. Bien conocidos son las críticas y mal entendidos entre Darío y Unamuno, cruzados en cartas y artículos de tipo polémico [3]. Sin embargo, no debiera olvidarse que aquél admiraba mucho a éste y que lo descubrió como poeta, antes que nadie, cuando en 1907 comentó su primer libro de versos. Al morir el poeta americano, don Miguel a su vez escribió un noble artículo necrológico, lleno de auto-reproches y remordimientos por su actitud anterior. Aquí me permito transcribir dos fragmentos de los últimos textos, porque me parecen muy significativos para la más amplia comprensión de la estética modernista y de la época literaria que aquí me concierne, y no sé si fueron alguna vez confrontados. De Unamuno, dice Darío [4]:

---

[2] Me he ocupado de las relaciones literarias entre Darío y Valle-Inclán en el ensayo «Rubén Darío y Valle-Inclán: historia de una amistad literaria», *Revista Hispánica Moderna*, XXXIII, núms. 1-2, enero-abril, 1967, págs. 1-29, texto recogido en el presente volumen.

[3] Sobre Darío y Unamuno es muy útil el ensayo de José Luis Cano, «Unamuno y Darío», en *Poesía española del siglo XX*, Madrid, 1960, págs. 15-27.

[4] Rubén Darío, *Obras completas*, Madrid, 1950, vol. II, págs. 787-788 y 790.

...es uno de los más notables removedores de ideas que hay hoy, y, como he dicho, según mi modo de sentir, un poeta. Sí, poeta es asomarse a las puertas del misterio y volver de él con una vislumbre de lo desconocido en los ojos. Y pocos como ese vasco meten su alma en lo más hondo del corazón de la vida y de la muerte. Su mística está llena de poesía, como la de Novalis. Su pegaso, gima o relinche, no anda entre lo miserable cotidiano, sino que se lanza siempre en vuelo de trascendencia. Sed de principios supremos, exaltación a lo absoluto, hambre de Dios, desmelenamiento del espíritu sobre lo insondable, tenéis razón si me decís que todo eso está muy lejos de las mandolinas...

y un poco más adelante, ya afirmada la necesidad de todo poeta de expresarse rítmicamente, se leen estas palabras sobre la nueva estética, en las que se plantea más que una cuestión formal:

...No es, desde luego, un virtuoso, y esto casi me le hace más simpático mentalmente, dado que, tanto en España como en América, es incontable, desde hace algún tiempo a esta parte, la legión de pianistas. Él no da tampoco superior importancia a la forma. Él quiere que se rompa la nuez y vaya uno a lo que nutre. Que se hunda uno en el pozo de su espíritu y en el abismo de su corazón para buscar allí tesoros aludínicos...

Ahora escuchemos a quien —tardíamente— quiso ser justo y bueno con el amigo desaparecido [5].

Nadie como él nos tocó en ciertas fibras; nadie como él sutilizó nuestra comprensión poética. Su canto fue como el de la alondra; nos obligó a mirar a un cielo más ancho, por encima de las tapias del jardín patrio en que cantaban, en la enramada, los ruiseñores indígenas. Su canto nos fue un nuevo horizonte, pero no un horizonte para la vista, sino para el

---

[5] Miguel de Unamuno, «¡Hay que ser justo y bueno, Rubén!». Cito según Manuel García Blanco, *Don Miguel de Unamuno y sus poesías*, Salamanca, 1954, pág. 45.

oído. Fue como si oyésemos voces misteriosas que venían de
más allá de donde a nuestros ojos se juntaban el cielo con la
tierra, de lo perdido tras la última lontananza. Y yo, oyendo
aquel canto, me callé. Y me callé porque tenía que cantar, es
decir, que gritar acaso, mis propias congojas, y gritarlas bajo
tierra, en soterraño. Y para mejor ensayarme me soterré a donde no oyera los demás.

Como se ve en estas citas no se trata, ni mucho menos, de un
modernismo exotista sino de uno ya interiorizado, esencial.
Y es en esta línea intimista donde convendría situar a Antonio Machado.

Darío —dijimos— llegó a España en 1899. En las crónicas
de *España contemporánea* (1901) y en la *Autobiografía* posterior (1912) se advierte su desilusión por el estado desolador
de las letras españolas. Pronto pensará de otro modo cuando
comienza a relacionarse con los escritores noveles. En esas
páginas, y en otras, son frecuentes las alusiones a Benavente
y a Unamuno; no olvida a Azorín, Maeztu, Valle, Palomero,
amén de las palabras elogiosas siempre dedicadas a Galdós
y a la Pardo Bazán. La amistad de Darío con el grupo de
poetas más jóvenes es algo posterior; data de los primeros
años del siglo: los hermanos Machado, Juan Ramón Jiménez, Pérez de Ayala y otros muchos de menor categoría [6].

Rubén Darío y Antonio Machado se conocieron por primera vez en París, año de 1902, cuando el poeta español des-
empeñaba un cargo de poca importancia en el Consulado
de Guatemala, seguramente logrado por amable intervención
de Gómez Carrillo. Antonio Machado recuerda ese primer

---

[6] En 1899, antes de conocer al nuevo equipo de poetas, Darío, en
términos desalentados, pasa revista a los poetas españoles de entonces, desde Campoamor y Núñez de Arce hasta Rueda, Grilo, y otros
de menor categoría. «Los poetas», *Obras completas*, edición citada,
vol. III, págs. 247-257.

encuentro en la escueta y reducida nómina de datos autobiográficos que aparecen en la indispensable *Antología* de Gerardo Diego (1932). En su primera y breve estancia en París (1899), cuando él y Manuel trabajaron de traductores en la Casa Garnier, no había conocido a Darío. Después del regreso de Antonio a España, Manuel convivió con aquél y con Amado Nervo, presentados por el mismo Gómez Carrillo, en cuya casa de Montmartre vivió algún tiempo Manuel. Era época de franca bohemia literaria y aun de ciertos excesos libertinos que alguna huella dejaron en la obra de Manuel Machado.

Poco tiempo duró la estancia de Antonio Machado en París, en su segundo viaje (1902), y es difícil documentar en forma concreta los contactos que sin duda hubo entre los dos poetas, desde entonces hasta la marcha de Antonio a Soria en 1907. Es lógico pensar en encuentros en los cafés madrileños frecuentados por artistas y poetas del grupo modernista: reuniones en casa de Villaespesa; tertulias literarias en el Sanatorio del Rosario, donde estaba recluido Juan Ramón Jiménez; redacciones de las revistas modernistas que se publicaban en aquel momento y en las cuales todos o casi todos colaboraban: *Electra* (1901), *Helios* (1903), *Alma española* (1903) y otras. Cada vez que Darío regresaba a Madrid solía reunirse con sus antiguos amigos, inclusive con el malogrado Alejandro Sawa y el actor Ricardo Calvo, íntimo de los Machado.

Retomemos brevemente el hilo de las vidas de Antonio Machado y del Rubén Darío siempre peregrino, que tantas veces se separaron. En septiembre de 1907 Machado está establecido en Soria, donde necesariamente vivía una vida de otro tipo, divorciada del mundillo literario de Madrid; en 1909 se casa con Leonor; y, con beca, parte de nuevo para París —esta vez con su mujer— a principios de 1911.

Se puede suponer que durante los primeros meses del año
sus encuentros con Darío fueron bastante frecuentes[7]. De
aquellos meses, ensombrecidos por la enfermedad de la joven esposa (regresaron a España en septiembre) se han con-
servado cuatro cartas de Antonio Machado a Darío. A pesar
de la trivialidad de los asuntos, de este epistolario, además
del afecto manifiesto en el modo siempre admirativo en que
Machado se dirige a Darío pueden deducirse algunos datos
significativos: por ejemplo, que Francisca Sánchez y su hermana María visitaron a Leonor en la clínica donde se hallaba internada; que Machado, a causa de la grave enfermedad de su esposa, tuvo que renunciar a su pensión y regresar
de inmediato a Soria. En ese momento recurre a Darío (en
carta fechada el 6 de septiembre de 1911) y le pide un ade-
lanto de 250 a 300 francos para gastos de viaje. Indudablemente su amigo le proporcionó el dinero necesario para volver a España. Anuncia además trabajos para *Mundial Magazine*, revista que en París dirigía Darío y en cuyas páginas
se acogían colaboradores de, entre otros, los Machado y
Valle-Inclán. En una tarjeta postal, de fecha posterior, remi-
tida desde la frontera, Antonio Machado pide perdón por no
haber podido despedirse del generoso amigo y solicita el envío de las pruebas de imprenta de su artículo (con toda pro-
babilidad se trata de la versión en prosa de «La tierra de Alvargonzález», publicada en el número 9 de *Mundial*, de enero de 1912)[8].

En 1912 muere Leonor, y poco después Machado se traslada a Baeza, como catedrático de Lengua Francesa. Du-

---

[7] Oliver Belmás opina que ese mismo año de 1911 era el de mayor
contacto entre los dos poetas. *Ob. cit.*, pág. 180.

[8] Las cartas a las cuales me he referido aquí, conservadas en el
Seminario-Archivo Rubén Darío, han sido publicadas por Oliver Belmás, *ob. cit.*, págs. 180-184, y por Dictino Alvarez, *Cartas de Rubén Darío*, Madrid, 1963, págs. 75-88.

rante esos años y los inmediatamente anteriores la vida del poeta americano era cada vez más errante: una vida que se dividía entre Madrid, París y Mallorca. Viaja a América en 1906 (Río de Janeiro), a Nicaragua el año siguiente; su visita frustrada en México data de 1910; y, en 1912, vuelve a América en aquella desafortunada gira de conferencias patrocinada por razones más comerciales que intelectuales por los dueños de *Mundial*. La falta de salud y los problemas domésticos le complican la vida al pobre Darío: se refugia en Valldemosa por algún tiempo (1913) y en 1914 deja Barcelona, otra vez rumbo a América, «camino de la muerte». Ya no habría de regresar jamás a Europa.

Los caminos de ambos poetas se habían separado, pero, como luego veremos, el alejamiento no merma en absoluto el profundo cariño y franca admiración que sentía Antonio Machado por el maestro americano a quien tanto debían él y otros poetas españoles. Para nosotros, de mayor interés que un mero itinerario vital son las relaciones literarias entre ambos escritores. A eso vamos ahora.

A estas alturas nadie puede negar la importancia decisiva que tuvo la presencia de Rubén Darío en el Madrid de principios del siglo. El modernismo había triunfado en América y sólo faltaba consolidar la victoria en España, superando así la tradición cerrada del país. En el despertar del ambiente artístico e intelectual Darío desempeñó papel destacado: los jóvenes, inclusive Antonio Machado, quedaron deslumbrados por su obra renovadora; su magisterio se reconoció en seguida. Mucho llevó Darío a España y mucho le dio España, como puede comprobarse en algunos de los poemas de *Cantos de vida y esperanza*. Incorporado al equipo nuevo y tan preocupado como ellos por la regeneración del país, se afanó en buscar el alma eterna de España y expresó su fe optimista en la raza y en la hispanidad. A mi juicio, se trata esencialmente de un doble movimiento convergente que va, primero, desde el cosmopolitismo de fuera hacia la hispanización del poeta, todo lo cual desemboca luego en la máxima interiorización. Este no es el momento, me parece, para hablar de modernismo y de noventayochismo, pero una vez más hay que recalcar que en ese instante caldeado la cuestión es, más que nada, la confluencia y fusión de una multiplicidad de tendencias renovadoras que, por esa misma fusión, dan la tónica a la época y al espíritu global de regeneración. Ya no es satisfactoria, ni cómoda, la tesis disociadora; no puede aplicarse cerradamente a Antonio Machado, que en los años iniciales del siglo fue combatiente solidario del grupo modernista, ni tampoco a Manuel Machado en cuya obra se funden las tendencias estéticas e ideológicas del período [9].

En un texto muy conocido Antonio Machado se refiere precisamente a aquellos años iniciales del siglo. Un año después de la muerte de Rubén Darío, en 1917, escribiendo para una nueva edición de *Soledades*, dice [10]:

> ...Por aquellos años, Rubén Darío, combatido hasta el escarnio por la crítica al uso, era el ídolo de una selecta minoría. Yo también admiraba al autor de *Prosas profanas*, el maestro incomparable de la forma y de la sensación, que más tarde nos reveló la hondura de su alma en *Cantos de vida y esperanza*. Pero yo pretendí... seguir camino bien distinto. Pensaba yo que el elemento poético no era la palabra por su valor fónico,

---

[9] No será dato del todo perdido recordar las dedicatorias, luego suprimidas, en la primera edición de *Soledades*: Ramón del Valle-Inclán, Rubén Darío, Juan Ramón Jiménez, Francisco Villaespesa, y don Eduardo Benot. A Rubén dedica Machado «Los cantos de los niños». Esta nómina revela las simpatías de Antonio Machado, y su aparente identificación con el modernismo militante de principios del siglo.

[10] Antonio Machado, *Obras. Poesía y Prosa*, Buenos Aires, 1964, páginas 46-47.

ni el color, ni la línea, ni un complejo de sensaciones, sino
una honda palpitación del espíritu; lo que pone el alma, si es
que algo pone, o lo que dice, si es que algo dice, con voz propia, en respuesta animada al contacto con el mundo...

El fragmento transcrito tiene gran interés. Es, en primer lugar, una definición muy acertada, si bien algo negativa, de
ciertos aspectos capitales de la poesía modernista y, de modo
especial, de la de Darío. Y además es igualmente significativo para perfilar el rumbo intimista que había tomado ya, en
1903, la obra lírica del escritor español. No carece de interés
que Machado haya diferenciado al poeta de *Prosas* y el de
Cantos [11], pero esas mismas palabras no debieran entenderse,
en mi opinión, como desvío completo del camino rubenda-
riano. Mucha es la simpatía que le dicta esas aseveraciones
sobre la poesía modernista y la lección de Rubén. El modernismo de Machado no es nunca ni decadentista, ni decorativo, sino esencial, con ecos simbolistas más que parnasianos.
Un modernismo que apunta siempre hacia dentro, interiorizado, pero no exento de claras reminiscencias rubendarianas,
como ha señalado la crítica más autorizada, desde Juan Ramón Jiménez hacia abajo. Sería bueno en este momento
escuchar la opinión de Octavio Paz, que se ha referido en un

---

[11] A título de curiosidad quisiera recordar la tarjeta postal, fechada
el 16 de junio de 1905, en la cual escribe Machado, dirigiéndose a Darío
en París: «Aquí han triunfado los *Cantos de vida y esperanza*. Yo he
escrito un artículo que no sé dónde publicar». [Oliver Belmás, *ob. cit.*,
pág. 326.]

En esta colección de ensayos se recoge una nota mía, escrita en
pleno fervor del centenario de Rubén Darío, en la cual me opongo a
la idea tan divulgada como errónea de postergar por frívola y artificiosa toda la poesía de *Prosas profanas*. Ante los acentos admitida-
mente más graves y desgarrados de su libro posterior debiera someterse a una posible revisión esa condena de superficialidad. Al pasar
del libro de 1896 al de 1905, más que ruptura tajante la diferencia es,
a mi juicio, de grado o intensidad.

memorable ensayo a aquel papel de Darío en la vitalización
de la poesía en lengua española y también a los poetas aparentemente más reacios a la renovación importada [12]:

> ...En sus días, el modernismo suscitó adhesiones fervientes
> y oposiciones no menos vehementes. Algunos espíritus lo recibie-
> ron con reserva: Miguel de Unamuno no ocultó su hostilidad
> y Antonio Machado procuró guardar las distancias. No impor-
> ta: ambos están marcados por el modernismo. Su verso sería
> otro sin las conquistas y hallazgos de los poetas hispanoameri-
> canos; y su dicción, sobre todo allí donde pretende separarse
> más ostensiblemente de los acentos y maneras de los innova-
> dores, es una suerte de involuntario homenaje a aquello mismo
> que rechaza. Precisamente por ser una reacción, su obra es in-
> separable de lo que niega: no es lo que está *más allá* sino lo
> que está *frente* a Rubén Darío. Nada más natural: el moder-
> nismo era el lenguaje de la época, su estilo histórico, y todos
> los creadores estaban condenados a respirar su atmósfera...
> Ser o no ser como él: de ambas maneras Darío está presente,
> en el espíritu de los poetas contemporáneos. Es el fundador.

Otro texto de Antonio Machado suele citarse para comprobar su supuesto desprendimiento del modernismo, y son
los siguientes versos del «Retrato», poema que encabeza el
libro *Campos de Castilla* (1912):

> Adoro la hermosura, y en la moderna estética
> corté las viejas rosas del huerto de Ronsard:
> mas no amo los afeites de la actual cosmética,
> ni soy un ave de esas del nuevo gay-trinar [13].

---

[12] Octavio Paz, «El caracol y la sirena», *Cuadrivio*, México, 1965,
págs. 12-13.
[13] Es interesante anotar que en el poema titulado «Al maestro Rubén Darío», fechado en 1904, aparece la misma imagen referida al
poeta americano «...que ha cortado / las rosas de Ronsard en los jardines / de Francia...».

Confieso mi perplejidad ante esta estrofa. Al leer esos versos cabe preguntarse si de veras se trata, como en principio parece, de un rechazo directo de la poesía modernista y sobre todo de la de Rubén Darío. Son significativos los tiempos verbales (*corté*, claramente alude al pasado; *mas no amo*, trata de un presente actual) y también la fecha probable de composición del poema (entre 1907 y 1912, aproximadamente). Es decir, no aparecen todavía los ismos de vanguardia, y tal vez aquí alude Machado a los meros seguidores de Darío [14]. Ricardo Gullón, desde otro ángulo, se ha aproximado al significado de los versos en cuestión. Impugna la idea de que «la actual cosmética» se refiera de modo concreto a los modernistas, ya triunfantes antes de aquella fecha, y no cree tampoco que Machado hubiera hecho caso de los epígonos exotistas y huecos, cuyos aportes a la literatura eran mediocres. Llega Gullón a la conclusión, quizá acertada, de que Antonio Machado rechaza más que nada el artificio y el preciosismo poéticos [15]. Esas frivolidades jamás pudieran llevar a la profunda originalidad de aquel poeta que quería mirar «...hacia dentro, vislumbrar las ideas cordiales, los universales del sentimiento» [16]. Por un lado, siempre repudiaba Machado la palabrería y la musicalidad exterior; por otro, exaltaba la personalidad lírica auténtica que

---

[14] Rafael Ferreres tampoco cree que se trate de una ruptura con Rubén: «...La devoción por el gran poeta americano es clara, y también la huella. ¿No sería mejor concretar de los seguidores sin talento? Su admiración por otros modernistas muy inferiores a Rubén es manifiesta...». *Los límites del modernismo*, Madrid, 1964, pág. 25. Y más adelante, en la nota 26 (pág. 37), el mismo crítico dice: «En cuanto a lo de la «actual cosmética» de los poetas del «nuevo gay-trinar», no cabe duda de que se refería a la peste de los rubenianos (como la que sufrimos hoy de los lorquianos).»

[15] Ricardo Gullón, *Direcciones del modernismo*, Madrid, 1963, páginas 167-172.

[16] Antonio Machado, edición citada, pág. 47.

no debiera pagar tributo excesivo a las modas pasajeras del día sino afanarse en la búsqueda de lo eterno humano. Autenticidad y naturalidad, renuncia de lo nuevo sólo por serlo, y de ahí su actitud francamente hostil ante la euforia metafórica de los ismos posteriores. En un aparte, no resisto la tentación de recordar aquí el soneto «Tuércele el cuello al cisne» de González Martínez, escrito hacia las mismas fechas. Esta composición fue mal interpretada como manifiesto antirrubeniano, hasta que el poeta aclaró años después que no se refería a Darío sino a los segundones sin talento que, a pesar de repetidas amonestaciones, seguían al poeta nicaragüense por el camino del preciosismo tan peligroso para la poesía. Mencionado el caso de González Martínez, formado en el modernismo como Machado mismo, agrego que existen entre la obra de ambos poetas extraordinarias afinidades de tema y de tono. Hay otro texto machadiano, de título significativo («Naturaleza y Arte»), que no recuerda Gullón en su citado trabajo y que merece ser copiado aquí [17]:

> ...Hace días leí unos versos de Pérez de Ayala, donde había trozos sencillamente homéricos. Pero también, en cierta zona *literaria*, noto un cierto hedor de *cosmético* que me recuerda los 'cabarets» de Montmartre, los cuadros de Anglada y los *versos de Rubén Darío, aquel gran poeta y gran corruptor. Un arte recargado de sensación me parece hoy un tanto inoportuno. Todo tiene su época. Necesitamos finos aires de sierra; no perfumes narcóticos.* Porque es preciso madrugar para el trabajo y para la casa. [Lo subrayado es mío.]

Por lo tanto, no interpreto la estrofa del «Retrato» como un ataque a Darío y la buena poesía modernista. Puede que en esos versos Machado insinúe una crítica a los epígonos, pero

---

[17] *Ibid.*, págs. 800-801.

más que nada se trata, a mi juicio, de una afirmación de la
independencia propia de un poeta que se esfuerza en superar
lo meramente literario o preciosista. «Finos aires de sierra»
se oponen a «perfumes narcóticos». Y esa misma idea está
implícita en el siguiente epigrama tomado de «De mi car-
tera»: «Toda la imaginería / que no ha brotado del río, /
barata bisutería.»

Ya cité más arriba las importantes palabras, tan simpáti-
cas como en cierto sentido negativas, de Antonio Machado
sobre Rubén Darío, y convendría recoger ahora algunos testimonios del poeta americano referidos directamente al amigo español que tanto le admiraba. En su artículo «Nuevos
poetas de España» (recogido en el libro *Opiniones*, 1906),
inspirado en la pregunta que le hizo Gómez Carrillo sobre el
estado actual de la poesía peninsular, Darío advierte en ella,
con cierto orgullo justificado, una nueva floración estética
lograda por la benéfica influencia del modernismo libertador.
Vitalizada la lírica española, en gran parte gracias a la cultura importada, afirma Darío que el Parnaso español, antaño
de segundo o tercer orden, puede parangonarse ahora favora-
blemente con cualquier otro parnaso del mundo, sencillamente porque la calidad es ya muy otra. ¡Qué diferencia entre ese texto y el más bien desolado «Los poetas» (1899) de
España contemporánea! A juicio de Darío, pues, se ha uni-
versalizado definitivamente el alma española. En el escrito
que aquí nos ocupa Darío apunta sus preferencias líricas:
los Machado, Pérez de Ayala, Juan Ramón Jiménez, Villaespesa y algunos más [18]. El nombre que encabeza esta nómi-

[18] En contraste con el pesimismo implícito en las primeras crónicas escritas por Darío sobre España, en las de *Tierras solares* se da
cuenta de una nueva juventud prometedora y expresa su fe en el porvenir. Además, en las páginas tituladas «La tristeza andaluza», del mismo libro, se ocupa detenidamente y en términos de elogio de la tem-

na de «preferencias» es el de Antonio, de quien traza una
semblanza exacta, que coincide en más de un respecto con
la del famoso poema que en seguida veremos. Dice Darío [19]:

> Antonio Machado es quizá el más intenso de todos. La mú-
> sica de su verso va en su pensamiento. Ha escrito poco y me-
> ditado mucho. Su vida es la de un filósofo estoico. Sabe decir
> sus ensueños en frases hondas. Se interna en la existencia de
> las cosas, en la naturaleza. Tal verso suyo sobre la tierra habría
> encantado a Lucrecio. Tiene un orgullo inmenso, neroniano y
> diogenesco. Tiene la admiración de la aristocracia intelectual.
> Algunos críticos han visto en él un continuador de la tradición
> castiza, de la tradición lírica nacional. A mí me parece al con-
> trario, uno de los más cosmopolitas, uno de los más generales,
> por lo mismo que lo considero uno de los más humanos.

Han pasado algunos años. Antonio Machado en 1907 publica *Soledades, galerías y otros poemas*. En un artículo
mandado a *La Nación* en 1909, Darío vuelve a enjuiciar, con
más detalle ahora, la obra poética de su amigo [20]. Comienza
su ensayo crítico diciendo que los hermanos Machado
«como todo lo que hoy verdaderamente vale en esta literatura» han sido clasificados entre los miembros del grupo
modernista. En aquellas fechas, al Darío maduro, cada vez
más reacio a los rótulos y etiquetas de antaño, parece inte-
resarle poco tal clasificación crítica y prefiere «decir sus
almas de poetas». Más que los comentarios sobre determinados poemas, citados con profusión como era su costum-

---

prana poesía de Juan Ramón Jiménez. *Obras completas*, edición citada, vol. III, págs. 892-901.
   [19] *Ibid.*, vol. II, pág. 414.
   [20] Ese texto, con título de «Los hermanos Machado», y muy poco
conocido fue publicado en *La Nación* (15 de junio de 1909). Se reproduce en *Puerto*, núm. 1, octubre-noviembre-diciembre de 1967, páginas 65-71, acompañado de un inteligente artículo de Ángel Rama, «Rubén Darío lector de Antonio Machado» (págs. 57-64).

bre, importan aquí, dada la índole de la presente nota, las afirmaciones de tipo general que hace Darío sobre el poeta español. Tratándose de un texto no muy divulgado me permito transcribir algunos fragmentos relativamente extensos y significativos para los fines que me conciernen ahora [21]:

> Antonio Machado es silencioso, meditabundo, lleno de honda y suave filosofía. Él ha expresado en hermosos versos su frecuencia de ensueño, su amor al misterio, su indumentaria distraída, y lo que hay en su mirar dulce y penetrante y en su sonrisa condescendiente. Sabe traducir por su ciencia íntima todo lo que se ha vislumbrado del oculto idioma de las cosas desde Jámblico a Novalis. Sabe que la vida tiene sus encantos y sus horas risueñas; y nos hace advertir en voz baja que «Un golpe de ataúd en tierra es algo / perfectamente serio».
>
> Yo le conocí antaño, en noches jóvenes, de cerveza y de lirismo. El silencioso se tornaba conversador y conversador gentil y chispeante. Tenía fáciles la saeta y la paradoja, y su ideología encantaba el ánimo. Su aspecto de joven lord descuidado parecía blindado de resignación y su paradoja y su saeta siempre iban suavizadas de indulgencia. Lleno del necesario orgullo de su secreta virtud, ni ha hecho de misionero, ni ha sentado plaza de defensor de cánones. Ha sonreído de la incomprensión del vulgo semiletrado, y tan solamente a sus íntimos ha hecho la gracia de sus comentarios [22].

Finaliza Darío su aproximación al poeta español con las siguientes certeras palabras, en las cuales de nuevo subraya el intimismo e individualidad de Machado, alma grave capaz de superar las vanidades o convenciones estéticas del día situándose en la posición auténtica que siempre va asociada con el cantor de Soria:

---

[21] Citamos el texto en cuestión según el número de *Puerto*, antes mencionado, págs. 65-66.

[22] *Ibid.*, pág. 71.

Pero este poeta va más allá de lo intelectual convencional. No ve en el dotado del don de armonía ni trompetero ni tenorino. Sonríe de esta guitarra exuberante y de otras guitarras. Sonríe sin malignidad, sin encono, de tal cual pífano obstinado, o de tal traída y llevada marimba en delirio. Sabe que nuestras pasajeras horas traen mucho de grave y que las almas superiores tienen íntimas responsabilidades. Así vive su vivir de solitario, el catedrático de la vieja Soria. No le martirizan ambiciones. No le muerden rencores. Escribe sus versos en calma. Cree en Dios. De cuando en cuando viene a la corte, da un vistazo a estas bulliciosas vanidades. Conversa sin gestos, vagamente monacal. Sabe la inutilidad de la violencia y aun la inanidad de la ironía. Y ve desvanecerse el humo en el aire.

Preciosa semblanza del hombre y del poeta tan bien comprendido y apreciado por el amigo americano.

Al terminar el presente estudio sobre las relaciones amistosas entre Antonio Machado y Rubén Darío, quisiéramos citar otros testimonios, estos en verso, que confirman el afecto y admiración que unían a ambos escritores. Se recordará que en *Cantos de vida y esperanza* aquel hermoso soneto alejandrino, «Caracol», lleva dedicatoria a Antonio Machado[23]. En ese poema, de entonación grave, se afirma, a través del tiempo y mediante el caracol de oro, una misteriosa comunicación del poeta con la existencia anterior de Jasón el argonauta, y luego esas extrañas correspondencias, tan queridas de Darío, culminan en el estremecido terceto final:

> y oigo un rumor de olas y un incógnito acento
> y un profundo oleaje y un misterioso viento...
> (El caracol la forma tiene de un corazón.)

---

[23] Cabe recordar que en el mismo libro Darío dedica a Manuel Machado un poema de naturaleza muy distinta, el muy sensual que se titula «¡Aleluya!». Al publicar su libro *Caprichos*, también de 1905, se lo dedica Manuel Machado al poeta americano.

Apenas es necesario aludir a la célebre oración por «Antonio Machado», poema recogido en *El canto errante* (1907) y tan finamente comentado por Ricardo Gullón en una nota reciente [24]. Decir que Darío, por la exactitud y la compenetración con el alma del amigo, logra un admirable retrato, es poco menos que obvio. Ha sabido, en verso de entonación machadesca, penetrar intuitivamente los secretos de Machado, porque son también los suyos. Los dos poetas están fundidos para siempre en el milagroso poema, mediante una especie de duplicación interior, en la cual se dan la mano para toda la eternidad. En ningún momento estuvieron más emparentados. Es el homenaje perfecto que revela, más que cualquier otro texto, su secreta coincidencia en el poetizar y en el vivir.

Como bien se sabe, en dos ocasiones Antonio Machado corresponde a Darío por medio de poemas llenos de simpatía y admiración [25]. La primera composición, «Al maestro Rubén Darío», es de 1904, y en ella se elogian los aportes

---

[24] Ricardo Gullón, «Machado reza por Darío», *La invención del 98 y otros ensayos*, Madrid, 1969, págs. 33-36.

[25] No se me olvida que la primera versión del poema VIII de *Soledades*, que se publicó con título de «Los cantos de los niños», llevaba dedicatoria «A Rubén Darío», luego suprimida.

Sobre el mismo poema, me interesa copiar algunas palabras de Antonio Machado: «Lo anecdótico, lo documental humano, no es poético por sí mismo. Tal era exactamente mi parecer hace veinte años. En mi composición 'Los cantos de los niños', escrita el año 98 (publicada en [*sic*] 1904: *Soledades*), se proclama el derecho de la lírica a *contar* la pura emoción, borrando la totalidad de la historia humana. El libro *Soledades* fue el primer libro español del cual estaba íntegramente proscrito lo anecdótico. Coincidía yo anticipadamente con la estética novísima. Pero la coincidencia de mi propósito de entonces no iba más allá de esta abolición de lo anecdótico. Disto mucho de estos poetas que pretenden manejar imágenes puras (limpias de concepto (!) y también de emoción), sometiéndolas a un trajín mecánico y caprichoso, sin que intervenga para nada la emoción.» *Los complementarios*, Buenos Aires, 1957, págs. 39-40.

poéticos de Darío («...el oro / de su verbo divino») que unirán a América y España en el glorioso renacimiento literario. Aunque en la evocación inicial Machado alude al noble poeta de las rosas de Ronsard y los violines de Verlaine, parece sobre todo saludar al poeta más fuerte que se revelará plenamente en algunos poemas de *Cantos*, libro de inminente aparición en 1904, y de ahí, pues, las imágenes de luz y de sonoridad, así como las de la nave «con fuerte casco y acerada proa». Movido por un dolor sincero, mayor intimidad se da en el poema elegíaco que escribe Machado inmediatamente después de recibir las noticias del fallecimiento de Darío en América. Los alejandrinos traen eco de los del maestro y demuestran cuán íntimamente aquel lo conocía y lo quería:

> Si era toda en tu verso la armonía del mundo,
> ¿dónde fuiste, Darío, la armonía a buscar?
> Jardinero de Hesperia, ruiseñor de los mares,
> corazón asombrado de la música astral.

Y continúan, dentro de la tradición poética, los versos que preguntan por el paradero del amigo desaparecido. Unidas las Españas en su llanto, el poeta pide a los españoles, con clara reminiscencia del final de «Palabras de la Satiresa» (*Prosas profanas*), una sola inscripción en el mármol de la lápida:

> Nadie esta lira pulse, si no es el mismo Apolo,
> nadie esta flauta suene, si no es el mismo Pan.

(1971).

IV

DOS TEMAS HISPANOAMERICANOS

NATURALEZA Y METÁFORA EN ALGUNOS POEMAS
DE JOSÉ MARTÍ

Creo posible hablar de una poética de la Naturaleza en la obra de José Martí. La estrecha interrelación entre Espíritu y Naturaleza constituye la cifra esencial de su pensamiento y de su actitud ante el mundo. En el presente ensayo me propongo estudiar esa poética de la Naturaleza, sus presupuestos y su alcance, examinar sobre todo cómo se revela en algunos de sus poemas líricos. Se verá en seguida que las imágenes tomadas de la Naturaleza en la obra en Martí trascienden el propósito meramente descriptivo o plástico y que tienen raíces más hondas, de índole filosófica y religiosa [1]. Lo que individualiza mejor su estilo —recordémoslo una vez más— es precisamente el ajuste perfecto y armonioso que logra establecer entre la ética y la estética, entre el pensamiento y el lenguaje. No sólo intuye Martí en el Universo las armonías ocultas y los enlaces luminosos que lo rigen, sino que también los objetos naturales contemplados por el poeta se llenan de profundo contenido espiritual [2]. Conven-

---

[1] Manuel Pedro González e Ivan A. Schulman, *José Martí. Esquema ideológico*, México, 1961, pág. 457.

[2] Al hablar de la poética de Martí, Alfredo A. Roggiano [«Poética y estilo de José Martí», en *Antología crítica de José Martí*, México, 1960, págs. 60-61] ha escrito palabras certeras: «...toda ella [su poé-

cido de su unidad última, percibe una íntima correspondencia entre fenómeno natural y realidad espiritual, dos ins-
tancias del ser, que coexisten en relación armoniosa [3]:

> Que cada grano de materia traiga en sí un grano de espíri-
> tu, quiere decir que lo trae, mas no que la materia produjo el
> espíritu: quiere decir que coexisten, no que un elemento de este
> ser compuesto creó el otro elemento. Y ése sí es el magnífico
> fenómeno repetido en todas las obras de la naturaleza: la
> coexistencia, la inter-dependencia, la interrelación de la mate-
> ria y el espíritu.

Y mediante ese abrazo, que es amor, y esa comunión con la
Naturaleza el ser humano llega a completarse y perfeccio-
narse en su curva ascendente al captar las conexiones secre-
tas que dan unicidad a la creación. Tengamos presente un
primer aforismo martiano, en el cual se aproximan y se funden en la poesía los dos polos extremos de dentro y de
fuera: «Para hacer poesía hermosa, no hay como volver los
ojos fuera: a la Naturaleza; y dentro: al alma (VII, 128)».

Por ser un tema ya estudiado por la crítica, es innecesario
y sería fatigoso rastrear aquí, siquiera someramente, las muy
variadas fuentes filosóficas, remotas e inmediatas, que de
seguro influyeron de una manera u otra en el amor que te-

---

tica] está regida, desde el primer atisbo del acto creador, por la naturaleza y el espíritu. La literatura, convertida ya en expresión del individuo social y vista como un objeto existente y actuante en un mundo
determinado, es el producto objetivado de la *poiesis*, en el cual la
naturaleza revela la esencia de la poesía, mientras que el espíritu
determina su trascendencia. En el primer aspecto, está contenida la
estética de Martí; en el segundo, la ética de su estética: la razón de
ser y la eficacia de la poesía.»

[3] José Martí, *Obras completas*, Editorial Nacional de Cuba, La Habana, 1964, vol. XXIII, pág. 317. En adelante, salvo indicación de otra
fuente, todas las citas tomadas de Martí corresponden a la citada
edición de *Obras completas*; se designa el volumen con números ro-
manos y la página con números arábigos.

nía Martí a la Naturaleza y al entendimiento de su trascendencia espiritual. Se recordará también que él era decla-
rado enemigo de sistemas y dogmatismos, prefiriendo nutrir-
se de todas las filosofías, sin limitarse a las doctrinas estable-
cidas por una escuela. Basta decir aquí que su pensamiento
se inscribe en la dirección idealista, porque proclama la entidad real del espíritu y la de la intuición como forma del
conocer frente a las propuestas del materialismo positivista
de su época. Tampoco olvidemos, porque aquí nos concierne,
que Martí define la filosofía como «el secreto de la relación
de las varias formas de la existencia (VII, 232)». El ideal
del hombre, para Martí, es encontrarse, saber ver en sí y
reconquistarse frente a las convenciones que atan, que limi-
tan y que deforman la verdadera existencia (VII, 229-230).
Sin embargo, en el abundante cuerpo doctrinal que nos ha
dejado, en forma de aforismos o de textos más elaborados,
hay un escrito que es de singular importancia como planteo
previo de mi tema y como resumen lúcido de sus ideas sobre
la naturaleza. Esta página es, desde luego, la que dedica a
Emerson y su pensamiento trascendentalista. En el escritor
norteamericano, a no dudarlo, Martí encuentra un alma afín,
hasta tal punto que a veces el lector no sabe separar al
retratista del retratado. Así, este artículo, redactado a raíz
de la muerte de Emerson, es también, en muchos aspectos,
una auto-definición del hombre y del pensador que era José
Martí.

De la densa prosa en cuestión, por el momento me con-
tentaré con dar una breve síntesis de las ideas que más
directamente importan para los fines del presente estudio.
Este sacerdote de la Naturaleza —así llama Martí a Emerson— llegó a captar realidades trascendentes al identificarse
con la soberana Naturaleza, que es reflejo constante de los
hechos del espíritu. Era capaz de éxtasis místico y de ver lo

invisible al sumergirse contemplativa y amorosamente en el seno de la Naturaleza. Mediante ese inefable coloquio con el mundo natural, Emerson quería penetrar el misterio cósmico y descubrir así las leyes ocultas que gobiernan el Universo. En el pensador de Concord exalta a menudo Martí su suprema cualidad de vidente y escribe:

> ...Si en lo que vio hay cosas opuestas, otro comente, y halle la distinción: él narra. Él no ve más que analogías; él no halla contradicciones en la naturaleza; él ve que todo en ella es símbolo del hombre, y todo lo que hay en el hombre, lo hay en ella... Ve que el espectáculo de la naturaleza inspira fe, amor y respeto. Siente que el Universo se niega a responder al hombre en fórmulas, le responde inspirándole sentimientos que calman sus ansias, y le permiten vivir fuerte, orgulloso y alegre (XIII, 23-24).

Y dicho sea de pasada, apenas es necesario a estas alturas que se insista de nuevo en Martí igualmente visionario e iluminado. En todos los elementos de la creación hay un carácter moral, y se repite que la Naturaleza es, para el hombre, bálsamo y guía:

> ...El arte no es más que la naturaleza creada por el hombre. De esta intermezcla no se sale jamás. La naturaleza se postra ante el hombre y le da sus diferencias, para que perfeccione su juicio; sus maravillas, para que avive su voluntad a imitarlas; sus exigencias, para que eduque su espíritu en el trabajo, en las contrariedades, y en la virtud que las vence... La naturaleza inspira, cura, consuela, fortalece y prepara para la virtud al hombre. Y el hombre no se halla completo, ni se revela a sí mismo, ni ve lo invisible, sino en su íntima relación con la naturaleza (XIII, 25-26).

A finales del mismo ensayo el autor vuelve a insistir en la espiritualidad frente a las lecciones proporcionadas por las ciencias que sólo confirman lo que el espíritu ya posee (XIII,

25). Martí exalta la intuición como etapa final en el proceso intelectual y afirma:

> ...Para él [Emerson] no hay contradicción entre lo grande y lo pequeño, ni entre lo ideal y lo práctico, y las leyes que darán el triunfo definitivo, y el derecho de coronarse de astros, dan la felicidad en la tierra. Las contradicciones no están en la naturaleza, sino en que los hombres no saben descubrir sus analogías... Pero no cree que el entendimiento baste a penetrar el misterio de la vida y dar paz al hombre y ponerle en posesión de sus medios de crecimiento. Cree que la intuición termina lo que el entendimiento empieza. Cree que el espíritu eterno adivina lo que la ciencia humana rastrea. Ésta husmea como un can; aquél salva el abismo, en que el naturalista anda entretenido, como enérgico cóndor... (XIII, 29).

Por lo demás, Martí es consecuente. Ecos y variaciones de esas mismas creencias expresadas en el ensayo sobre Emerson se encuentran desparramados por toda su literatura, a menudo en relación con la obra que comenta el Martí crítico. Recordemos ahora unos cuantos ejemplos de esas insistencias doctrinales. En la prosa crítica «El poema del Niágara» (1883), diagnóstico de la época y temprano manifiesto de la estética modernista, Martí habla como antes de la unicidad e identidad esencial de las cosas («...en la fábrica universal no hay cosa pequeña que no tenga en sí todos los gérmenes de las cosas grandes», VII, 224) [4] y luego, utili-

---

[4] Quisiera recordar aquí otros dos textos martianos: «La mente tiene, como la Naturaleza, sus leones pavorosos, sus tigres felinos, sus zorras aprovechadas y sus pájaros que vuelan y ven de alto; cada cosa, en sí, es suma y clave del conjunto de las cosas (VIII, 206)»; y luego «¡Singular cosa, que no sean diferentes, sino idénticos, el modo de sacar provecho de una planta y de una inteligencia! Todo es análogo; acaso más: todo es idéntico. Y así como acaba el monte en alto pico, así tal vez en una verdad sola, y germen solo, se concentran todas !as formas de la vida. Universo es palabra admirable, suma de toda filosofía: lo uno en lo diverso, lo diverso en lo uno (VII, 250)».

zando una serie de imágenes adecuadas para mostrar la relación amorosa e íntima que existe entre el hombre y la Naturaleza, proclama lo siguiente [5]:

> ...¡El poema está en la naturaleza, madre de senos próvidos, esposa que jamás desama, oráculo que siempre responde, poeta de mil lenguas, maga que hace entender lo que no dice, consoladora que fortifica y embalsama...! (VII, 23).

Y el máximo elogio que hace de Pérez Bonalde, en el mismo sitio, es que el poeta y la naturaleza se entendieron. Heredia, escritor de la misma estirpe, busca sus comparaciones en los objetos naturales, en cosas vistas, y logra revelar «cautivas y vibrantes las armonías de la naturaleza (V, 173)». En otra parte reitera Martí que la Naturaleza lo enseña todo, y hay que verla de modo directo con ojos propios (VIII, 160). En ella no caben las contradicciones y puede, incluso, estimársela como fundamento de una actitud religiosa que de hecho contribuiría a la madurez de los pueblos:

> ...La literatura que anuncie y propague el concierto final y dichoso de las contradicciones aparentes; la literatura que, como espontáneo consejo y enseñanza de la naturaleza, promulgue la identidad en una paz superior de los dogmas y pasiones rivales que en el estado elemental de los pueblos los dividen y ensangrientan; la literatura que inculque en el espíritu espantadizo de los hombres una convicción tan arraigada de la justicia y belleza definitivas que las penurias y fealdades de la existencia no los descorazonen ni acibaren, no sólo revelará un estado social más cercano a la perfección que todos los

---

[5] En un apunte inédito sobre Emerson escribió Martí: «...al alma más devastada y afligida la Naturaleza reanima y fortifica, con la razón enseña y convence, la razón puebla de nuevo los dioses que la imaginación le ha echado abajo, y la Naturaleza lo reanima y fortalece con las formas múltiples, bellas, crecientes y armónicas de la existencia (XIX, 356)».

conocidos, sino que, hermanando felizmente la razón y la gracia, proveerá a la Humanidad ansiosa de maravilla y poesía, con la religión que confusamente aguarda desde que conoció la oquedad e insuficiencia de sus antiguos credos (XIII, 135).

En este lugar —se trata del ensayo sobre Walt Whitman— Martí dice del poeta norteamericano:

> ...Mide las religiones sin ira; pero cree que la religión perfecta está en la naturaleza. La religión y la vida están en la naturaleza... Walt Whitman, que siente en sí el mundo desde que éste fue creado, sabe, por lo que el sol y el aire libre le enseñan, que una salida de sol le revela más que el mejor libro (XIII, 137).

En otro importante artículo escrito en 1890, al ocuparse del poeta cubano Francisco Sellén, Martí vuelve a expresar los mismos conceptos que venimos ordenando como necesario preámbulo al análisis de algunos de sus poemas:

> ...como los lirios del campo se abre, a un sol invisible, el espíritu enajenado; y a los acordes, espontáneos y continuos, de la lira universal, ora graves y lentos, ora estridentes y retemblando de pavor, pasan, exhalando alma, los órdenes de mundos. Y en su marcha gloriosa, y en la función y armonías de sus elementos, el poeta sazonado por el dolor, vislumbra, para cuando se perfeccione la sabiduría, el canto triunfal de la última epopeya (V, 186).

Martí cree, pues, en un sistema armónico del universo, en la unión y en la correspondencia de la multiplicidad de sus fenómenos; en una espiritualidad superior; y, como meta última, en la perfectibilidad del espíritu humano. Finalmente, cuando hace la semblanza de Henry Ward Beecher, mediante otra proliferación de imágenes tomadas de la naturaleza, escribe las siguientes palabras [6]:

> ...Pero introdujo en el culto cristiano la soltura, gracia y amor de la Naturaleza; congregó en el cariño al hombre las sectas hostiles que con sus comadrazgos y ceños lo han atormentado, y con una oratoria que solía ser dorada como el plumaje de las oropéndolas, clara como las aguas de las fuentes, melodiosa como la fronda poblada de nidos, triunfante como las llamaradas de la aurora, anunció desde el último templo grandioso de la cristiandad que la religión venidera y perdurable está escrita en las armonías del Universo (XIII, 36).

Asentadas de modo sintético las bases de esta poética de la Naturaleza, pasemos ahora a la consideración de algunos poemas incorporados a los libros principales de José Martí. Con marcada frecuencia en *Ismaelillo* (1882), poemas que él llama «riachuelos» que han pasado por su corazón, el autor objetiva sus sentimientos y su amor al hijo ausente en formas *simbólicas*, inspiradas directamente por la naturaleza misma, no como mero fondo decorativo, sino insuflándoles contenido espiritual (pienso sobre todo en «Valle lozano» y en «Rosilla nueva»). Hasta cruzando el mar en busca del hijo, el poeta se siente momentáneamente purificado, porque la brisa marítima limpia sus carnes «De los gusanos / De la ciudad» («Amor errante»). Cabe notar aquí que la misma oposición entre el campo que purifica y la ciudad que co-

---

6 En relación con la religión más duradera Martí ha dicho en otra parte lo siguiente: «...Las religiones en lo que tienen de durable y puro, son formas de la poesía que el hombre presiente fuera de la vida, son la poesía del mundo venidero: ¡por sueños y por alas los mundos se enlazan!: giran los mundos en el espacio unidos, como un coro de doncellas, por estos lazos de alas. Por eso la religión no muere, sino se ensancha y acrisola, se engrandece y explica con la verdad de la naturaleza y tiende a su estado definitivo de colosal poesía...» *Esquema ideológico*, pág. 464.

rrompe es constante en todos sus libros en verso. Claro está
que la Naturaleza le suministra a cada paso imágenes para
representar al hijo lejano, entrevisto muchas veces en sus
visiones y sueños. Basta aquí un solo ejemplo, en el cual
evoca de modo impresionista los efectos que se registran en
las formas cósmicas por el paso del niño:

> Cual si en lóbrego antro
> Pálida estrella,
> Con fulgor de ópalo
> Todo vistiera.
> A su paso la sombra
> Matices muestra,
> Como al sol que las hiere
> Las nubes negras.
>
> («Príncipe enano»).

Ha triunfado la luz, el signo luminoso y positivo, sobre la
oscuridad negativa. Sin embargo más que referirme a un
grupo de ejemplos aislados, quisiera detenerme un momento
en una sola poesía de *Ismaelillo*, una de las más significativas y de mayor vuelo en esta colección temprana. Se trata
de «Musa traviesa» [7].

Este poema se estructura en dos partes claramente deli-
mitadas pero unidas entre sí, no sólo por los primeros y
últimos versos sino también por el motivo de la luz. Se describen, primero, los viajes visionarios del poeta por los cie-
los, así como el correspondiente descenso para contar en la
tierra lo que allá había visto y, luego, la suave llegada del
hijo («luz, risas, aire»), quien se entrega, ante los ojos del
padre, a sus deliciosos juegos infantiles, prolijamente des-
critos en el poema. El padre pide al niño que le dé nueva

[7] Un excelente análisis del mismo poema puede leerse en Cintio
Vitier, «Trasluces de *Ismaelillo*», *Temas martianos*, La Habana, 1969,
págs. 147-148.

vida y, en efecto, rehecho por el amor, renace en él, siendo
hijo de su hijo. Finalmente el padre amante rechaza la imposible alternativa de darle sus años y ahorrarle la vida. No
le va a ocultar el mundo, porque no vería «En horas graves / Entrar el Sol al alma / Y a los cristales». En verdad
más me interesa destacar aquí algunos aspectos de los viajes
visionarios y portentosos de aquel andante caballero de los
aires. Suele entrar en las nubes, bajar a los mares, y fundirse, como dice, con los senos eternos de la Naturaleza.
Asiste «a la inmensa / Boda inefable», y alcanza la luz que
perfecciona. Piensa en el mundo; recuerda el deber del
hombre; por haberlo cumplido se le abre el cielo; y representa las escalas de la humanidad en símbolos positivos y
negativos: montaña, valle, pantano y lodazal. De vuelta de
los sueños, el poeta cuenta su viaje, y, entre el gozo grave y
el llanto suave, evoca en una serie de hermosas metáforas
su estado de ánimo:

> Y cual si el monte alegre,
> Queriendo holgarse
> Al alba enamorando
> Con voces ágiles,
> Sus hilillos sonoros
> Desanudase,
> Y salpicando riscos,
> Labrando esmaltes,
> Refrescando sedientas
> Cálidas cauces,
> Echáralos risueños
> Por falda y valle,
>
> («Musa traviesa»).

Por fin, renacida su potencia de hombre, exclama con característica vehemencia: «Y estallo, hiervo, vibro; / Alas me
nacen.»

En algunos de los *Versos sencillos* (1891) la naturaleza
viene a ser un tema central, y no es de ningún modo sorpren-
dente dadas las consabidas circunstancias de la composición de estas poesías. Tengamos presente que en el prólogo
alude Martí de manera concreta a dos tipos de poesía, uti-
lizando para caracterizarlos imágenes tomadas de la naturaleza: «A veces ruge el mar, y revienta la ola, en la noche
negra, contra las rocas del castillo ensangrentado: a veces
susurra la abeja, merodeando entre las flores.» Como suele
hacer, desde el pórtico del libro Martí puntualiza la tonalidad de su propia lírica. El poeta no tarda en establecer con
claridad sus preferencias «naturales», por decirlo así: a lo
exótico-geográfico, antepone la caricia del aire fresco del
monte; a los rencores humanos y sus viejas historias, las
abejas volando en las campanillas (II). Martí, acosado por la
vida, busca tranquilidad y tregua en su monte de laurel, y el
riachuelo de la sierra le complace más que el mar. La naturaleza es refugio espiritual, la montaña su templo, y como
dice en estrofa significativa:

> Duermo en mi cama de roca
> Mi sueño dulce y profundo:
> Roza una abeja mi boca
> Y crece en mi cuerpo el mundo.
>
> (III)

Parece como si el poeta hubiera pasado de un estado de no-
conciencia (la roca, a mi juicio, no sólo alude a la dureza de
la vida, sino que también podría insinuar un vago anhelo
de mineralización) a uno de conciencia plena por el leve contacto de la delicada abeja en sus labios. Se trata, en mi opinión, de un nuevo despertar producido por lo vivo natural;
se establece otra vez la comunión cósmica; y se le entra el
mundo, casi de modo físico, llenándole el alma.

Más allá de las meras circunstancias bajo las cuales escribió estas «flores silvestres», como Martí llamó sus *Versos sencillos*, en el primer poema, que es a la vez introducción y autobiografía lírica, el poeta canta la belleza natural, y escribe estos versos de clara filiación pitagórica:

> Todo es hermoso y constante,
> Todo es música y razón,
> Y todo, como el diamante,
> Antes que luz es carbón.

El pitagorismo afirmará la existencia de una armonía cósmica, manifiesta no sólo en el mundo físico sino también en el moral. Postula Martí en la estrofa transcrita un ritmo que ordena el Universo; ha escuchado el canto celestial; y, con serenidad espiritual, toma conciencia del equilibrio rítmico de la creación. Otra poesía del mismo libro (XXXVI), estructurada en dos estrofas antitéticas, expresa la fe del poeta en la armonía esencial que caracteriza a la naturaleza y a sus criaturas. La segunda estrofa del poema dice:

> De carne se hace también
> El alacrán; y también
> El gusano de la rosa,
> Y la lechuza espantosa [8].

Y, por último, en apretado haz de sustantivos, los cuales evidencian cómo suena dentro de él la música escondida del Universo, se funden amor, poesía, mundo y poeta:

> Arpa soy, salterio soy
> Donde vibra el Universo:

---

[8] Otro breve texto martiano reza así: «Igual es el Universo moral al Universo material. Lo que es ley en el curso de un astro por el espacio, es ley en el desenvolvimiento de una idea por el cerebro. Todo es idéntico (X, 197)».

Vengo del sol, y al sol voy.
Soy el amor: soy el verso.
                                                (XVII).

No olvidemos que en él el sol suele ser un símbolo idealista
de encendido valor moral. Así, pues, se define la trayectoria
íntima de Martí, siempre ascendente.

En un excelente e iluminador ensayo sobre los *Versos
libres*, José Olivio Jiménez, crítico a quien me apresuro a
reconocer la deuda que he contraído con él, ha estudiado
con penetración tres estadios —circunstancia, naturaleza y
trascendencia— en esta intensa poesía de José Martí [9]. El
mismo comentarista anota cómo funciona de modo vertical
la naturaleza en los *Versos libres*: fuente de material léxico,
la relación Naturaleza-Espíritu así como su fuerza moral, y
por fin su innegable sentido metafísico. Sin incurrir en fati-
gosas repeticiones, poco queda por decir aquí con vistas a
completar el citado trabajo de Jiménez.

Es verdad que en los *Versos libres*, pujantes y convulsi-
vos, vibrantes y encendidos, es donde se encuentra una mayor riqueza de elementos naturales que integran las enérgi-
cas metáforas, mediante las cuales Martí configura sus grandes temas: el amor, la patria, el destierro, el deber, el dolor
y, por último, la poesía misma. Todo pasión y sinceridad, no
sorprende que el poeta prodigue en *Versos libres* nubes, cie-
los, astros, soles, mares, vientos y visiones cósmicas de todo
orden para expresar con inusitada intensidad las violentas
sacudidas de su alma. Son característicos los versos de «Ho-
magno» que ahora cito:

---

[9] José Olivio Jiménez, «Un ensayo de ordenación trascendente en
los *Versos libres* de Martí», *Revista Hispánica Moderna*, XXXIV, números 3-4, julio-octubre de 1968, vol. II, págs. 671-684.

...a sorbos delirantes
En la Creación, la madre de mil pechos,
Las fuentes todas de la vida aspiro.

Frecuentemente en este libro Martí dialoga con su propia poesía. En el poema «Mis versos van revueltos...» no sólo define un concepto de poesía, sino que también da la pauta necesaria, apoyándose en imágenes torrenciales, para entender el estado de ánimo que da origen a la mayoría de los *Versos libres*:

Mis versos van revueltos y encendidos
Como mi corazón: bien es que corra
Manso el arroyo que en fácil llano
Entre céspedes frescos se desliza:
¡Ay! pero el agua que del monte viene
Arrebatada; que por hondas breñas
Baja, que la destrozan; que en sedientos
Pedregales tropieza, y entre rudos
Troncos salta en quebrados borbotones,
¿Cómo, despedazada, podrá luego
Cual lebrel de salón, jugar sumisa
En el jardín podado con las flores,
O en pecera de oro ondear alegre
Para querer de damas olorosas?

Todo un programa de vida y todo un ideal de poesía, ambos expresados con símbolos de la naturaleza, primero apacible y luego brava. Entre paréntesis, cabe recordar que el mismo poema es una crítica tácita de lo que con el tiempo llegarían a ser aspectos frívolos del modernismo más exterior. Otra poética en verso, que explica los móviles de su lira, es la composición titulada «Estrofa nueva», en la cual recomienda un canto a la hermosura de la vida y del Universo.

Como en los *Versos sencillos*, repetidas veces la Naturaleza es refugio y escudo. Le permite al poeta superar su dura

circunstancia vital: «Mas con el aire de los campos cura /
Bajo del cielo en la serena noche / Un bálsamo que cierra
las heridas» («Mi poesía»), y no olvidemos los siguientes
versos:

> Mi mal es rudo; la ciudad lo encona;
> Lo alivia el campo inmenso. ¡Otro más vasto
> Lo aliviará mejor!...

Para insistir en la religión de la naturaleza, escribe Martí
en otra parte:

> ...en el divino altar comulgo
> De la Naturaleza: es mi hostia el alma humana.
>
> («Canto religioso»).

A través de la contemplación de las bellezas naturales y del
milagro de la creación a cuyas leyes alude en «Pollice verso»,
José Martí parece renacer: recobra sus fuerzas indómitas,
holladas en la batalla diaria, para volver a ponerlas al servicio de la humanidad.

Vistos ya esos ejemplos que demuestran su poética y su
ética de la naturaleza en los *Versos libres*, quisiera llamar
la atención sobre el hermoso poema «Noche de mayo», el
cual se destaca dentro del libro por ser uno de los relativamente escasos remansos que en él aparecen. Frente a la
irrupción dinámica y precipitada del sentimiento, se confor-
ma un breve ámbito de reposo y relativa tranquilidad. El
significativo tema del amor universal, con frecuencia de vuelo más amplio («Medianoche») tiende a una expresión más
serena y tal vez más concentrada en los versos de «Noche
de mayo».

Intentemos una reconstrucción de las circunstancias que
dan origen al poema en cuestión: el poeta, recogido en sí
mismo y entregado a la contemplación del mundo exterior,

vuelve los ojos a la inmensidad de la noche [10]. Su vastedad
se llena de lo pequeño: la luz de *un* astro y el perfume de
una flor. Mediante sensaciones ópticas y olfativas, ha per-
cibido la naturaleza de una manera eminentemente sensorial. En ese instante de tregua y calma aparente, del fondo
de la existencia misma (*el humano batallar*) y en el mismo
linde donde terminan los objetos contemplados de la naturaleza surge de repente una *imagen* creada por la intimidad
del poeta. Desde un principio resalta, a mi juicio, un rasgo
constitutivo del poema: la contraposición entre el mundo
exterior y la evocación íntima del poeta, un conflicto felizmente resuelto en los últimos versos. Y al proyectarse esa
intimidad afectivamente sobre el mundo natural, lo contem-
plado es teñido por el estado de ánimo del poeta.

Aquella hermosa *imagen* evocada por Martí, la cual parece identificarse luego con la mujer amada, la captan los ojos,
pero solamente se concreta y se perfecciona cuando estos
se cierran. La ha buscado fuera, pero la encuentra esencialmente dentro. El don del poeta verdadero consiste en saber
recrear, a través de la memoria, lo que se ha perdido en la
mera experiencia sensorial. Veamos estos versos admirables:

> Y si al peso del párpado obedecen,
> ¡Como flor que al plegar las alas pliega
> Consigo su perfume, en el solemne
> Templo interior como lamento triste
> La pálida figura se levanta!

[10] En la composición «La noche es propicia...», que pertenece a la
colección *Flores del destierro*, Martí afirma que la belleza de la noche es creadora y fecunda para el poeta. Merecen recordarse ahora los
últimos versos del poema: «Óleo sacerdotal unge las sienes / Cuando
el silencio de la noche empieza; / Y como reina que se sienta, brilla / La majestad del hombre acorralada. / Vibra el amor, gozan las
flores, se abre / Al beso - de un creador que cruza / La sazonada mente:
el frío invita / A la divinidad; y envuelve al mundo / La casta soledad,
madre del verso (XVI, 246)».

Los pasos interiores de la composición son igualmente dignos
de mención, porque preparan el milagro final. Primero, se
propone un programa de posibilidades que la naturaleza des-
vela y oculta a un mismo tiempo. El milagro definitivo, a
través de lo que parece ser una doble mirada, hacia fuera y
hacia dentro, culmina en los últimos versos:

> ¡Divino oficio! El Universo entero,
> Su forma sin perder, cobra la forma
> De la mujer amada, y el esposo
> Ausente, el cielo póstumo adivina
> Por el casto dolor purificado.

Aquel *divino oficio* es el del poeta: la creación o quizá, en
este contexto, la recreación de la imagen que desea evocar.
Pero milagrosamente el mundo exterior, sin dejar de ser
fiel a sí mismo, ha adquirido, en la visión trascendente y
cósmica, la forma misma de la imagen amada.

A mi juicio, este es un poema en cierto sentido elegíaco,
porque lamenta un bien quizás perdido pero de posible recu-
peración en la evocación lírica. Es un poema, por lo demás,
de clara filiación idealista, porque el poeta ha creado su propia imagen del Universo, imponiéndola como la última realidad. En esta composición, concentrada y unitaria, con principio y fin claramente definidos, se contraponen y se complementan dos mundos, el invisible y el visible, para llegar
por fin a la iluminación última y trascendental, mediante la
cual se afirma un nuevo orden de relaciones afectivas entre
el que contempla y la realidad contemplada. Por la nostalgia, a la vez purificadora y dolorosa, y por el amor, es posible alcanzar esta visión cuasi-mística. Se ha estrechado en
última instancia la fusión amorosa con el cosmos en una
imagen de deslumbrante belleza espiritual. Creo además
que la trayectoria interior del poema confirma de nuevo el

aforismo martiano antes citado: que para la creación de la
más noble poesía el poeta necesita mirar fuera y contemplar
la naturaleza, y luego, a la inversa, mirar hacia dentro y
contemplar su propia alma [11].

Flores del destierro, colección de versos ordenada y pro-
logada por su autor pero que no llegó a publicarse sino años
después de su muerte, ofrece también abundante material
que confirma el papel tanto estético como ético que desempeña la naturaleza en la poesía de José Martí. A pesar de
las reservas expresadas por el poeta mismo, en el libro figuran algunas poesías de altísima calidad, y, en su conjunto,
la obra continúa y matiza los temas predilectos de Martí.
Sin embargo, el dolor personal del desterrado, que se siente
impotente para cumplir su misión, parece acentuarse más
(«Cual de incensario roto...», «Marzo»), y en algún momento
escribe:

>...yo padezco
> De aquel dolor del agua cristalina
> Que el sol ardiente desdeñoso consume.

>   («Sólo el afán»).

En otra parte, desgarrada y rota el alma en la soledad de su
destierro en la ciudad, al poeta, muerto en vida, únicamente
le queda un reflejo de su verdadero ser: «...como guarda /
La sal del mar la concha de la orilla («Domingo triste»)».
No sólo continúa expresando sus sentimientos y anhelos
mediante imágenes de filiación natural, sino que también,
en sus instantes de desaliento, saca fuerzas de la Naturaleza,
que enseña y fortalece física y espiritualmente al hombre:

---

[11] Quisiera agradecer al fino amigo y poeta español Dionisio Ridrue-
jo la aclaración de ciertas dudas que yo tenía sobre el poema «Noche
de mayo». En mi comentario espero haber podido aprovechar debidamente sus amables indicaciones.

Del aire viene al árbol alto el juego:
De la vista, jovial naturaleza
Al cuerpo viene el ágil movimiento
Y al alma la anhelada fortaleza.

(«¡Vivir en sí, qué espanto!»)

Con el amor de siempre abraza al Universo («Marzo»), y evoca, recogido en casta y fecunda soledad, a la noche creadora («La noche es la propicia...»).

En este recorrido por los libros principales de la lírica martiana quiero destacar, por último, una breve composición de *Flores del destierro*. Se titula «Siempre que hundo la mente...», y en ella Martí resume con lucidez su poética de la naturaleza. Con la llegada luminosa de la aurora, saca su pensamiento del estudio de libros graves, dice, y en este arrebatado momento afirma:

Yo percibo los hilos, la juntura,
La flor del Universo; yo pronuncio
Pronta a nacer una inmortal poesía.

Descartados de modo negativo ciertos temas que él no considera dignos de la sagrada poesía (por ejemplo, «No es flores de Grecia, repintadas / Con menjurjes de moda») da su receta definitiva: explorar de modo directo las entrañas del Universo para descubrir en ellas la fuente de la verdadera poesía.

En resumen, para José Martí la Naturaleza es revelación y reconciliación. Menos esotérico que Rubén Darío y Valle-Inclán, por ejemplo, ambos emparentados por sus creencias ocultistas y teosóficas, el poeta cubano creía como ellos en un armónico orden superior, cuyas leyes ocultas regían el Universo, y sobre todo creía en la fuerza moral de la Naturaleza que enseña, consuela y educa al hombre. Octavio Paz

ha visto acertadamente en el poeta modernista, como sentimiento permanente, la nostalgia de la unidad cósmica y la
fascinación ante la pluralidad en que se manifiesta, agregando
luego [12]:

> ...La poesía de lengua española... nunca había visto en la
> naturaleza la morada del espíritu ni en el ritmo la vía de acceso
> —no a la salvación sino a la reconciliación entre el hombre y
> el cosmos.

Y Martí, a través de la constante contemplación amorosa de
la Naturaleza, logra reconciliarse con el mundo y explicarse
su razón de ser en el Universo. Como Emerson, veía en él
analogías y no contradicciones; percibía los acordes y los
enlaces que unen el Gran Todo. Su capacidad de visionario
le permitió vislumbrar hasta lo invisible. La Naturaleza, madre y maga, clave y espíritu, poesía y metáfora, sirvió bien a
José Martí y él por su parte supo escuchar y entenderla con
amor y constancia ejemplares.

(1970).

---

[12] Octavio Paz, «El caracol y la sirena», *Cuadrivio*, México, 1965,
págs. 28-29.

EL ARTE Y EL ARTISTA EN ALGUNAS NOVELAS
MODERNISTAS

En los últimos años la crítica ha concedido la debida importancia a la prosa del modernismo, pero aun así relativamente poco se ha escrito acerca de la novela modernista, con la excepción de algunos trabajos ya notables sobre determinadas obras del período. La falta de un meditado estudio de conjunto sobre ese aspecto del modernismo obedece, creemos, a una serie de razones tanto históricas como estéticas, las cuales merecen tenerse en cuenta ahora [1].

En primer lugar, es indudable que la mejor prosa de la época no se halla en la novela, sino en otras formas más modestas o menos extensas, las del cuento, del ensayo, de la crónica o del poema en prosa. Además la novela modernista suele ser en verdad poca novela en el sentido tradicional de la palabra, o quizá sus excelencias no son las que normalmente se asocian con el género. El gran problema que

---

[1] Sería injusto no mencionar aquí las excelentes páginas que Fernando Alegría [*Breve historia de la novela hispanoamericana*, México, 1959, págs. 114-121] dedica al tema de la novela modernista en general, y con provecho hemos leído últimamente el estudio de Juan Loveluck «Rubén Darío novelista: *El hombre de oro*», *Asomante*, XXIII, número 1 (1967), págs. 43-57 y también su más amplio «Rubén Darío novelista» en *Diez estudios sobre Rubén Darío*. Nota preliminar y selección de Juan Loveluck, Santiago de Chile, Zig-Zag, 1967, págs. 210-242.

tiene que resolver el novelista del modernismo es cómo lograr ese delicado equilibrio entre las necesidades interiores
de un género que obliga al autor a mover acciones, contar
vidas y crear mundos, y el afán de escribir una prosa artística elaborada las más veces con ideales de poesía. No puede
dejar de influir en la prosa novelística de la época la renovación estilística realizada en la poesía modernista e infinitos
son los préstamos entre verso y prosa. Pero la suma de fragmentos brillantes, de prosa poemática de alto vuelo lírico,
no asegura ni mucho menos la creación de una buena novela orgánica. E inspirarse más en el arte que en la vida,
valiéndose también de un estilo esencialmente libresco, a
menudo quita vitalidad a las novelas de aquellos años. Por
otra parte, hay pocas novelas modernistas puras, porque
nacen muchas de ellas en un momento en que perdura todavía un bien marcado lastre naturalista o realista en pugna
con el deseo de creación subjetiva e intimista propio del
modernismo[2]. Y muchos ejemplos que comprueban esa condición híbrida de la novela modernista o la vacilación, en un
autor determinado, entre el realismo-naturalismo y una dirección artística más pura podrían ser aducidos aquí.

Sin embargo, a pesar de sus claras deficiencias, no es del
todo justo arrinconar la novela de la época modernista y

---

[2] Con su acostumbrada penetración, hace tiempo escribió Federico
de Onís: «...Se tiende ahora por algunos a ver el modernismo como
una escuela literaria uniforme y no como una época de libertad e
innovación que se manifestó en maneras múltiples y contradictorias.
La novela del modernismo no puede reducirse a una fórmula estética;
en ella conviven las nuevas tendencias de fines del siglo hacia la narración lírica con la verdadera incorporación a las letras americanas
del realismo y el naturalismo europeos del siglo XIX...» «Tomás Ca-
rrasquilla, precursor de la novela americana moderna», *La novela
iberoamericana*, Albuquerque, 1951, pág. 135.
   Sobre el mismo tema de la dualidad en la novela del modernismo,
véase Alegría, *op. cit.*, págs. 118-120.

menospreciarla como una mera especie de subliteratura o una expresión marginal [3]. En cambio, es posible que la novela modernista haya contribuido directa o indirectamente, sobre todo en lo que atañe al estilo mismo y la conciencia profesional, al desarrollo posterior de la novela en Hispanoamérica y a la continuidad de la ficción más contemporánea. La prosa novelística del modernismo ha sido oscurecida, pues, por los logros alcanzados en el verso o en otras formas prosísticas de aquel entonces, y luego con el tiempo esas novelas modernistas tienden a ser algo olvidadas por la calidad cada vez más ascendente de la novelística hispanoamericana a partir de 1925.

Como mínima contribución a un tema poco explorado, nos proponemos estudiar aquí el papel activo que tiene el artista en algunas novelas del modernismo, y, al mismo tiem-

---

[3] Al referirse a la novela hispanoamericana del XIX y las nuevas conquistas del modernismo en la ficción, ha escrito acertadas palabras el profesor Roggiano: «...Falta a esta novelística de la América hispánica —como no podía ser de otro modo, dadas las condiciones de su gestación— la condición esencial de toda obra de arte: los valores propios (estéticos, artísticos, estilísticos) para una existencia independiente de la realidad que reflejan. Ninguna de estas novelas, creo, tiene los suficientes méritos artísticos como para ser valorada en sí misma como pura entidad novelística. De modo que lo que fue una ventaja para la realización de su propósito, para llenar su cometido fundamental: expresar a América y a su individuo, resulta un demérito para la consideración más estricta de la obra de arte. La novela de la América hispánica del pasado siglo supeditó toda su eficacia a su contenido. Descuidó la forma, y al descuidarla, quedó sometida a la materia que utilizaba. Así perdió jerarquía artística y universalidad e interés en la consideración estética de sus valores... A esta tarea de independizar la novela de su materia-ambiente y de dignificar su forma expresiva, colocando la personalidad creadora por sobre la naturaleza externa, se va a dedicar el modernismo, que acentúa precisamente el sentido lírico y vivencial de la creación poética en su individualidad de validez más universal». Alfredo A. Roggiano, «El modernismo y la novela en la América Hispana», *La novela iberoamericana*, Albuquerque, 1951, págs. 31-32.

po, destacar las teorías estéticas expuestas en ellas. Y es ahora, en la ficción del modernismo, cuando se acusa con mayor relieve el artista como protagonista o como personaje menor, muchas veces víctima de un medio ambiente mezquino francamente hostil a sus altas aspiraciones artísticas.

DOS PROTAGONISTAS: UN POETA Y UN ESCULTOR

José Fernández, el poeta protagonista en *De sobremesa* (1896) de José Asunción Silva [4], es en muchos sentidos un héroe arquetípico del modernismo. La obra, que tiene la forma de un diario íntimo que se lee ante un grupo de amigos, es en efecto la novela introspectiva de un artista finisecular, en la cual ocupan un primer plano los tormentos interiores y las complicaciones psicopatológicas de ese poeta raro, cuya sensibilidad, enfermiza y refinada, lo lleva a buscar la novedad en toda clase de experiencias decadentes. Es imposible no recordar aquí a Des Esseintes. Fernández tiene, pues, la curiosidad infinita del mal y siente una extraña fascinación por todo lo anormal. Su pasión más honda es la de poseer la vida, entregándose a la lujuria, así como a los más variados excesos, inclusive las drogas, en busca de los llamados paraísos artificiales. Fernández, gran coleccionista de objetos de arte, es en el fondo un esteta que vive rodeado de lujo, y

---

[4] Sobre la novela de José Asunción Silva conocemos un buen trabajo de Juan Loveluck titulado «*De sobremesa*, novela desconocida del modernismo», *Revista Iberoamericana*, XXXI, núm. 59, págs. 17-32, y, con anterioridad, Bernardo Gicovate había ofrecido agudas puntualizaciones sobre la misma obra en su capítulo «José Asunción Silva y la decadencia europea», *Conceptos fundamentales de literatura comparada. Iniciación de la poesía modernista*, Puerto Rico, 1962, págs. 117-138. Aunque nuestro propósito es diferente aquí, queremos reconocer al mismo tiempo nuestra deuda con ambos críticos.

a la vez debilita sus fuerzas sin llegar nunca a coordinar
sus talentos excepcionales, dispersándose sin dirección fija.
Víctima del *spleen,* se dedica sobre todo al culto de las
sensaciones más exquisitas y hasta perversas. Por lo demás,
adolece de extrañas enfermedades nerviosas y de angustias
misteriosas, lo cual hace que primero en Londres consulte a
un doctor especialista en la psicología experimental y luego,
en París, a Charvet, famosa y erudita autoridad en perturba-
ciones nerviosas o neuróticas[5]. Fernández suele someterse
por momentos a un excesivo autoanálisis, y en su intensa
introspección busca explicarse a sí mismo su falta de equilibrio mental, mediante un examen de las dos ramas familia-
res, donde se habían dado influencias contradictorias y en-
contrados impulsos (págs. 217-221)[6]. Junto con el constante
vaivén entre su yo sensual y su yo intelectual, en la compleja personalidad de José Fernández existe también otro grave conflicto característico del héroe modernista: el que se
establece entre el sueño y la acción. Sin embargo, hay que
recordar que el rico poeta aristocrático tiene un gran plan
americanista destinado a lograr la regeneración de su patria
(págs. 169-178) y que por fin, al volver a Colombia, toma parte
en los conflictos civiles del país. Silva nos ofrece varios retratos espirituales de su personaje, y ahora copiamos tan
sólo uno de ellos, exactísimo en verdad:

> ...cuatro almas: la de un artista enamorado de lo griego, y
> que sentía con acritud la vulgaridad de la vida moderna; la
> de un filósofo descreído de todo por el abuso de estudio; la
> de un gozador cansado de los placeres vulgares, que iba a

---

[5] En Charvet ha de verse un retrato bastante obvio del célebre
Charcot, pero de menos fácil identificación es el doctor británico de
nombre Rivington.
[6] Todas las citas que se hacen de *De sobremesa* corresponden a la
edición de *Obras completas,* Bogotá, 1965.

perseguir sensaciones más profundas y más finas, y la de un analista que las discriminaba para sentirlas con más ardor, animaron mi corazón...

Un cultivo intelectual emprendido sin método y con locas pretensiones al universalismo, un cultivo intelectual que ha venido a parar en la falta de toda fe, en la burla de toda valla humana, en una ardiente curiosidad del mal, en el deseo de hacer todas las experiencias posibles de la vida, completó la obra de las otras influencias y vino a abrirme el oscuro camino que me ha traído a esta región oscura, donde hoy me muevo sin ver más en el horizonte que el abismo negro de la desesperación y en la altura allá arriba, en la altura inaccesible, su imagen, de la cual, como de una estrella en noche de tempestad, cae un rayo, un solo rayo de luz (págs. 220-221).

Descrita la vida y la personalidad de ese artista en su aspecto tal vez más negativo, es importante notar que *De sobremesa* es también la novela de una persecución ideal, porque Fernández se enamora de la casta Helena, nombre de amplia resonancia literaria. Ella es la radiante imagen a que se refiere en el retrato transcrito arriba, una mujer más soñada que vista (salvo en dos ocasiones), cuyo recuerdo se mantiene intacto en un cuadro prerrafaelista, y a quien el poeta persigue sin éxito en su novela-diario. Helena, criatura de luz, una visión angélica, será capaz de salvar y redimir a Fernández. Aunque por fin encuentra su tumba, tal excelsa aparición no morirá nunca en su alma y, en homenaje al amor puro, el poeta está construyendo en Colombia una villa que lleva su nombre inmortal. Así es que la acción exterior de la novela, mínima en sí puesto que el acento se carga más que nada en la intimidad del artista, parece oscilar entre dos polos, uno el erotismo desenfrenado y otro el amor ideal, tema a su vez ampliamente explotado por tantos escritores de la época.

Por otra parte, la novela de Silva es excepcionalmente
importante para el estudio de la historia intelectual del modernismo. Viene a ser, a nuestro juicio, uno de los mejores
documentos que tenemos para conocer no sólo la crisis personal de un poeta sino también el ambiente intelectualizado,
internacional y de salón, en que se movían al menos en sus
sueños íntimos los escritores de aquellos años. *De sobremesa*
es, pues, clave y testimonio de toda una época. Además la obra
es de inestimable valor como complemento y corolario para
una mejor comprensión de la nada sencilla alma de Silva y
de su breve obra en verso, así como de sus conocimientos en-
ciclopédicos del arte y de la literatura [7]. No cabe duda de que
Silva se identifica con su protagonista, aunque sería quizá
una equivocación extremar fuera de toda proporción los muchos rasgos autobiográficos que se encuentran en la novela [8].
Como personaje de ficción, pero a la vez típico de la des-
orientación espiritual de aquellos años, José Fernández es
espejo en verdad de las flaquezas y vacilaciones problemáti-
cas de la época. E interesa también el protagonista de *De*

---

[7] No hay porqué insistir aquí en las infinitas alusiones literarias
y filosóficas incorporadas a la novela, y una mera nómina de los
nombres de escritores y pintores citados en el texto sería en verdad
larga por no decir contraproducente. ¡Hasta un largo comentario de
tipo ensayístico, en el cual se revelan una vez más los conocimientos
literarios y artísticos de Silva, sobre *Degeneración* de Max Nordau y,
como antítesis, sobre el diario de María Bashkirtseff, ocupa más de
quince páginas de la primera parte de la novela!

Como hemos de esperar el estilo de *De sobremesa* es, a menudo,
libresco, de museo y de biblioteca, pero a la vez la novela no carece
de altos momentos de tensión poética. Mencionemos dos ejemplos
solamente: la descripción de la locura (págs. 221-223) y la salida nocturna que hace el protagonista en París, el 31 de diciembre, después
de reponerse de una recaída nerviosa (págs. 243-246).

[8] Con la necesaria prudencia y cautela, Gicovate se ha valido de lo
autobiográfico de la novela en su exégesis de la poesía de José Asunción Silva, *op. cit.*, págs. 120 y sigs.

sobremesa por ser la clara encarnación de una postura ante el arte y la realidad. Se exponen en la obra, de modo asistemático, teorías artísticas que conceptuamos fundamentales y sirven para completar la visión del escritor modernista presentada por Silva. No sólo en lo que respecta a la persona misma de la novela sino en cuanto a los postulados creadores es difícil separar a Fernández del poeta torturado y escéptico que fue José Asunción Silva en la vida real.

José Fernández es autor de varios libros de poemas, todos ellos de títulos harto significativos, y sus fuentes, helénicas o modernas, se puntualizan con precisión en el texto. Su obra maestra se llama característicamente «Poemas de la carne», fragmento de los *Cantos del más allá*, y esas composiciones representan, según nos dice su autor:

> ...una tentativa mediocre para decir en nuestro idioma las sensaciones enfermizas y los sentimientos complicados que en formas perfectas expresaron en los suyos Baudelaire y Rossetti, Verlaine y Swinburne? ...No, Dios mío, yo no soy poeta... Soñaba antes y sueño todavía a veces en adueñarme de la forma, en forjar estrofas que sugieran mil cosas oscuras que siento bullir dentro de mí mismo y que quizás valdrían la pena de decirlas, pero no puedo consagrarme a eso... (pág. 130).

Y más aún, dentro del mismo contexto y con ineludibles recuerdos de otros textos de Silva, Fernández expresa un claro ideal de poesía simbolista al referirse a su obra en verso:

> ...Es que yo no quiero *decir* sino sugerir y para que la sugestión se produzca es preciso que el lector sea un artista. En imaginaciones desprovistas de facultades de ese orden ¿qué efecto producirá la obra de arte? Ninguno. La mitad de ella está en el verso, en las estatuas, en el cuadro, la obra en el cerebro del que oye, ve o sueña... (pág. 136).

Silva, por boca de su protagonista, también llega a ofrecer una teoría de la novela, en la cual parece rechazar la fórmula naturalista para abrazar un concepto más ideal de novelar. En París, Fernández se encuentra con su primo hermano Camilo Monteverde, el cual representa el hombre práctico por excelencia, aunque es necesario agregar que es escultor, de poco talento y a quien bien poco le interesa el arte. No sólo considera la vida de Fernández una mera cacería del pájaro azul, sino que también, para él, Campoamor, por claro y comprensible, es «el primer poeta contemporáneo de España» (pág. 301). Los dos parientes no se entienden en cuestiones de arte, porque Monteverde se ha quedado estancado en el naturalismo de Zola (*Ibidem*), mientras que nuestro poeta parece optar por una forma más idealista de novela cuando afirma:

> Allá en las más excelsas alturas de lo intelectual, noble grupo de desinteresados filósofos indaga, investiga, sondea el inefable misterio de la vida y de las leyes que la rigen, y transforma sus pacientes estudios en libros que carecen de categóricas afirmaciones, que apenas anotan lo bien sabido, lo que cae bajo el dominio de la observación; ...Coincide la impresión religiosa que esos grandes espíritus experimentan al considerar el problema eterno y expresan en sus obras, con el renacimiento idealista del arte, causado por la inevitable reacción contra el naturalismo estrecho y brutal que privó hace unos años. En vez de las prostitutas y de las cocineras, de los ganapanes y de los empleadillos que ganan cien pesetas al mes, deléitanse los novelistas en pintarnos grandes damas que se mueven en suavísimos ambientes, magas que realizan los prodigios de los antiguos teúrgos y sabios que poseen los secretos supremos. Tórnase la música de sensual modulación que acariciaba los oídos y sugería voluptuosas tentaciones, en misteriosa voz que habla al cerebro; pasan místicas sombras por entre el crepúsculo que envuelve las estrofas de los poetas y toman forma en los lienzos, las visiones del más allá. Los exploradores que vuelven de la Canaan ideal del arte, trayendo en las manos frutas que tienen sabores desconocidos y deslumbrados por los horizontes que

entrevieron, se llaman Wagner, Verlaine, Puvis de Chavannes, Gustave Moreau (págs. 265-266).

Como todo modernista José Fernández rechaza por mediocre y ruin (pág. 286), por vacía de emociones y exenta de curiosidades (pág. 132), la época burguesa en que le toca vivir. En ese contexto y al mismo tiempo que arremete contra el filisteo, habla el artista de su concepto de la realidad:

> No soy práctico... No soy práctico, ya lo creo, y los hombres prácticos me inspiran la extraña impresión de miedo que produce lo ininteligible. *Percibir bien la realidad* y obrar en consonancia es ser práctico. Para mí lo que se llama *percibir la realidad* quiere decir *no percibir toda la realidad*, ver apenas una parte de ella, la despreciable, la nula, la que no me importa. ¿La realidad?... Llaman *la realidad* todo lo mediocre, todo lo trivial, todo lo insignificante, todo lo despreciable; un hombre práctico es el que poniendo una inteligencia escasa al servicio de pasiones mediocres, se constituye una renta vitalicia de impresiones que no valen la pena de sentirlas... (páginas 225-226).

Y en la página final de la obra, Fernández exclama:

> ¿Muerta tú, Helena?... No, tú no puedes morir. Tal vez no hayas existido nunca y seas sólo un sueño luminoso de mi espíritu; pero eres un sueño más real que eso que los hombres llaman la Realidad. Lo que ellos llaman así, es sólo una máscara oscura tras de la cual se asoman y miran los ojos de sombra del misterio, y tú eres el Misterio mismo (pág. 310).

Por último Silva alude a la novela moderna y por extensión a su propio intento de creación novelesca en los siguientes términos que merecen transcribirse ahora:

> En manos de los maestros la novela y la crítica son medios de presentar al público los aterradores problemas de la responsabilidad humana y de discriminar psicológicas complicaciones;

ya el lector no pide al libro que lo divierta sino que lo haga pensar y ver el misterio oculto en cada partícula del Gran Todo (pág. 266).

Casi huelga decir que en *De sobremesa* Silva cumple con el anunciado programa de hurgar en las «psicológicas complicaciones» al presentarnos el caso íntimo del artista complejo que es José Fernández.

En 1901 Manuel Díaz Rodríguez publica su primera novela bajo el título significativo de *Ídolos rotos* [9]. Aunque es una obra poco parecida a *De sobremesa* de Silva, nuevamente aparece como figura central del libro un artista. Ahora se trata del escultor Alberto Soria. De tono extremadamente pesimista, *Ídolos rotos* es por un lado la historia de un artista sensible derrotado por una sociedad organizada para favorecer el triunfo fácil de los mediocres y, por otro, representa un ataque corrosivo a la política de carnaval que domina en la patria. No sólo se cuentan en la novela las frustraciones íntimas de Alberto Soria, siempre en lucha con un ambiente inferior a sus aspiraciones, sino también se exponen, con evidente amargura y desilusión, todos los vicios y bajezas morales de un mundo estrecho, en el cual no pueden prosperar los valores espirituales. Del ambiente en que vive Soria y de su reacción ante él escribe Díaz Rodríguez:

> Aun en el más absoluto aislamiento, el medio le rodeaba por todas partes con su fealdad y tristeza. La política afeaba y entristecía el medio, como un veneno sutil que penetrase los hombres y las cosas. Nada lograba sostenerse desligado de la política... Al principio, la política y sus hombres y sus maquina-

---

[9] Todas las citas de *Ídolos rotos* corresponden a la edición de la «Biblioteca de Escritores Venezolanos», Ediciones Nueva Cádiz, Caracas-Barcelona, sin fecha.

ciones turbias le causaron asombro; después repugnancia. El ambiente, nada artístico, le obligó a retraerse... Entre esos amigos, Alberto empezó a desahogarse de cuanto pensaba y sentía de los hombres y cosas de la tierruca, y de cómo los hallaba a su regreso. Formado por selección tal vez inconsciente, ese grupo de amigos representaba una parte, cuando menos, de esa minoría intelectual que en todas partes existe, superior al medio en que se mueve e incapaz de aceptar el medio, adaptándose a él; núcleo de almas selectas, nobles, de ordinario temerosas de la acción, que, rechazadas de todas maneras, acaban por separarse en actitud como de resignación altiva, a ver desfilar camino de la victoria la muchedumbre de los mediocres y el interminable ejército de los nulos (págs. 95-96).

Por la farsa de la vida y la incomprensión que sufre el hombre excepcional, Soria, víctima asimismo de la calumnia y de toda una serie de progresivas decepciones, abandona por fin la patria. Está convencido, pues, de no poder realizar allí su ideal de artista aunque la revolución derroca al viejo César. Renuncia y repudio. Novela de fracaso y derrumbe casi total. A su modo, todos los personajes de la obra tienen su propio *ídolo roto*.

Tras infinitas dudas y vacilaciones el joven Alberto Soria opta por la carrera de ingeniero, y, con el propósito de perfeccionar sus estudios, va a París donde, al poco tiempo e influido por sus amigos artistas, despierta al mundo del arte, descubriendo el sentimiento de la belleza. Un viaje a Italia, en compañía del pintor Magriñat, completa la transformación de Alberto, quien de ahora en adelante se dedica a su obra de escultor, coronados sus esfuerzos por el premio que gana en un concurso su obra el *Fauno robador de Ninfas*. Llamado de nuevo a la patria por la grave enfermedad de su padre, después de cinco años de ausencia, empieza el calvario de Soria artista en un medio reacio al verdadero talento y a las altas empresas intelectuales: sus agonías de creador [10]; la exposición de su *Venus criolla*, la cual solamente le acarreó comentarios acerbos e insultos de la crítica oficial; el no recibir, por razones políticas e inmorales, la comisión del gobierno para hacer la estatua de Sucre; y, por último, sus propias esculturas instaladas en la Escuela de Bellas Artes, convertida ahora en alojamiento de las victoriosas tropas revolucionarias, sufren una bárbara y bestial violación a manos de los soldados, lo cual precipita la evasión final de Alberto.

Además de las muchas páginas dedicadas en *Ídolos rotos* a los más íntimos problemas del artista creador y a su situación de incomprendido en una sociedad controlada por los insensibles al arte [11], se desarrolla en la novela, neta-

10 Manuel Díaz Rodríguez escribe: «Pero, a pesar de esos estímulos, muy pronto la voluntad vacilante del artista, falta de estímulos nuevos, como resorte cansado, se aflojó. Trabajaba poco y sin bríos. Tristezas, temores, dudas entraron en su alma y turbaron su atención, hasta reducirle casi a la impotencia. De repente le asaltaba el miedo de morir antes de ver acabada su obra, o el miedo aún más angustioso de una muerte parcial, la muerte de su espíritu creador de belleza, mientras continuaría viviendo la vida común a todos los seres, con la obra sin concluir presente a sus ojos como un reproche, presente a sus ojos y a los de los demás como el irrecusable testimonio de estar en él exhausto el puro manantial de la inspiración artística y de ser su alma como un Sahara funesto en donde los gérmenes de arte mueren abrasados al caer, sin que uno solo arraigue y eche flores. A veces, movidas de ese mismo miedo, sus manos cobraban agilidad morbosa, presas de un verdadero frenesí de la acción, durante el cual atormentaban, martirizaban y deformaban inútilmente el barro. Pero al cabo de breves minutos, las manos, libres de su embriaguez loca y fugaz, volvían a la inercia; ...En la época de sus primeros trabajos artísticos, el alma de Alberto había atravesado por crisis análogas; pero ninguna alcanzó a tener la extraordinaria agudeza de la crisis de entonces... (págs. 92-93)».

11 No sólo nos referimos aquí a Alberto Soria, sino también al pintor Sandoval, que representa la tragedia del artista pensionado por su gobierno en Europa. Por necesidad tiene que sacrificar sus ideales y pactar con los gustos impuestos por un público de filisteos. Para vivir se vuelve retratista y se describen en la novela sus luchas de ar-

mente de corte modernista, de un estilo sensual y elaborado, una teoría del arte criollista. Insiste Díaz Rodríguez en la necesidad de una toma de conciencia ante lo nacional. Los amigos de Soria, unidos por la sana y vigorosa voluntad del médico Emazábel, forman un grupo llamado el «ghetto de los intelectuales», y, movido por sus altos ideales, éste propone a la cofradía un noble programa social destinado a la redención de la patria moralmente enferma. Emazábel es portavoz y teórico de esas ideas reformadoras, entre las cuales van incluidos un concepto del arte y un modo de vivir más genuinamente nacional frente a un cosmopolitismo dañino que fomentaba entre muchos la falta de acción positiva e indiferencia ante los males del país. En efecto, el mismo Emazábel diserta (págs. 184-188) sobre la influencia nociva de París en los jóvenes pueblos de Hispanoamérica. Según él, poco se había hecho por la creación de un alma y conciencia nacional, y así quiere poner en práctica su proyecto para que con el tiempo se forme una nueva concepción de la nacionalidad y de lo que debiera ser la patria. En su plan el arte también tendría su papel, y ahora transcribimos una parte de las palabras de Emazábel referidas al tema que aquí nos interesa, y se notará que en ellas recomienda un arte útil, al servicio de su programa de mejora social:

> ...Una palabra bella y luminosa de ciencia o arte, pronunciada en ocasión propicia, tiene un alcance incalculable aun para quien la pronuncia y la siembra como simiente de oro. El arte

---

tista frustrado (págs. 151-157). Sandoval, sin embargo, exhibe su *Madona* con la *Venus criolla* de Soria, lo cual le valió el siguiente comentario del diputado Perdomo, quien «...dijo no concebir cómo, en el momento en que se discutían los más trascendentales problemas, hubiese quienes malgastaran el tiempo haciendo mujercitas de barro y pintando vírgenes» (pág. 171).

y la ciencia, en nuestros pueblos jóvenes, en nuestras demo-
cracias recién nacidas, no pueden ser sino lujo superfluo o
armas útiles. Guardemos el lujo como ornato personal, como
gala y sonrisa de nuestra vida interior, pero esgrimamos las
armas para el bien del país y en nuestra propia defensa. De ningún modo sigamos como hasta ahora: el escritor escribiendo su
libro, el escultor esculpiendo su estatua, el estudioso hundido
en sus meditaciones y problemas, encerrados todos en un indi-
vidualismo salvaje, cada cual sobre su propio surco, sin impor-
társele nada del vecino... Es necesario que la acción de nuestra
obra se revele pronto y podamos encauzarla, sacando beneficios
de ella. Para eso debemos realizarla, no como hasta hoy en las
vagas regiones de la quimera, sino valiéndonos de las cosas,
vida y costumbres de nuestro país, procurando por la creación
de un alma nacional y marchando, en esa tarea de próceres, de
concierto unidos... (págs. 190-191).

Advertidas esas páginas, de tono claramente ensayístico,
que Díaz Rodríguez incorpora a su novela, es aún más significativo señalar que Alberto Soria, de vuelta en su país
hispanoamericano, quería inspirarse en lo propio e intenta,
en su *Venus criolla* «...reproducir en barro de la tierruca
la belleza del tipo de raza más común en el pueblo de su
país, belleza original, mezcla de oro y canela, obscura y fragante (pág. 79)». Encontrado el modelo en una muchacha
del Tuy:

...la representaba desnuda, en ademán de pudoroso encogimien-
to, y con tan hábil artificio, que sin ver la sensualidad en sus
labios, pudiese percibirse el alma sensual de sus formas. El
barro, entre los dedos de Soria, se impregnó de la suave languidez y gracia de movimientos de las formas vivas, como el
barro de un ánfora se impregna de perfume, y con su tinta
natural contribuyó al mejor éxito de la estatua, reproduciendo
hasta donde era posible, con su áureo y mate color de canela,
el color de la piel de aquella mulatica nacida a la sombra de
los cafetales del Tuy, bajo los apamates vestidos de rosadas
campánulas vaporosas (págs. 150-51).

Por lo demás, el amigo Romero [12] elogia su obra terminada diciendo:

—¡Admirable!... Y no podrán decirte exótico y descastado como tantas veces me han dicho a mí, porque escribo de literaturas extranjeras y en mi prosa llana aseguro no entender lo que quieren significar hasta hoy en literatura con criollismo, americanismo y otros ismos semejantes. No podrán decírtelo, porque has magnificado con barro de la tierruca la belleza criolla (pág. 150).

Y finalmente, como ya sabemos, Alberto Soria, fracasados sus sueños artísticos y amorosos, repudia a la patria e intenta salvar su ideal emigrando a un medio ambiente que fuera tal vez más propicio a la plena realización de su talento creador [13].

---

[12] Romero es otro caso en la misma obra de un intelectual condenado a fracasar en sus nobles intentos. Enteramente dedicado al servicio de su patria, había escrito no sólo trabajos de crítica sobre arte y literatura, sino también un hermoso libro que proponía necesarias reformas en el sistema de educación en su incipiente país. Díaz Rodríguez ironiza de modo amargo sobre la acogida dada a tan loable esfuerzo dirigido a corregir ese mal social (págs. 163-165).

[13] Quisiéramos mencionar aquí, al menos en nota, a otro artista que es el personaje principal de la inconclusa novela autobiográfica de Rubén Darío titulada *El oro de Mallorca* y escrita en Valldemosa y París entre 1913-1914. De la historia exterior de esta obra nos hemos ocupado ya en otra parte, lo cual nos exime de comentario detallado ahora. El protagonista-espejo es el apasionado músico Benjamín Itaspes, quien discurre sobre los misterios del arte que le poseía y cuenta a la escultora Margarita Roger sus novelas sentimentales. Los otros amigos de Itaspes en Mallorca, a donde había ido en un momento de crisis espiritual en busca de reposo, suelen ser asimismo artistas o escritores, cuya realidad puede precisarse con facilidad (Gabriel Alomar, Juan Alcover, Rusiñol, etc.). El valor principal de *El oro de Mallorca* reside en las sinceras y desgarradas confesiones que hace Darío sobre ciertas constantes de su propia vida angustiada. Más que nada es un documento humano, cuyo estilo tiene poco de modernista y que corresponde a un bajo punto de tensión artística. Sobre esta obra ver en el presente volumen las páginas 43-61.

ALGUNOS ARTISTAS MÁS EN LA NOVELA MODERNISTA

Hace ya algunos años, en un excelente trabajo, Enrique Anderson Imbert llamó la atención sobre *Amistad funesta* (1885), única novela de José Martí y la primera del modernismo, señalando al mismo tiempo su importancia en el desarrollo de la prosa poética en Hispanoamérica [14]. En cuanto a la historia de esta novela, mencionamos tan sólo que Martí mismo, en un breve prólogo posterior y por lo visto destinado a una reedición de su novela que nunca llegó a publicarse, repudiaba y censuraba su obra por inútil y por fingida. Es decir, siempre apasionado de las causas más nobles y puras, Martí la enjuiciaba años después desde una teoría del arte más trascendente y menos esteticista. Pero en la misma página parece haber tenido plena conciencia de haberse alejado en *Amistad funesta* del camino de la novela en aquel entonces moderna, o sea la naturalista [15]. Y, en efecto, así lo hizo José Martí.

Un considerable residuo romántico caracteriza el argumento de celos, a veces melodramático y al final truculento, de *Amistad funesta*. La misma herencia literaria influye en los personajes sublimados de la novela y hasta se proyecta

[14] Enrique Anderson Imbert, «La prosa poética de José Martí. A propósito de *Amistad funesta*», *Estudios sobre escritores de América*, Buenos Aires, 1954, págs. 125-165.
[15] Escribe José Martí: «...Se publica en libro, porque así lo desean los que sin duda no lo han leído. El autor, avergonzado, pide excusa. Ya él sale [sic] bien por donde va, profundo como un bisturí y útil como un médico, la novela moderna. El género no le place, sin embargo, porque hay mucho que fingir en él, y los goces de la creación artística no compensan el dolor de moverse en una ficción prolongada; con diálogos que nunca se han oído, entre personas que no han vivido jamás...». Citamos según las *Obras completas*, La Habana, 1964, vol. XVIII, pág. 192.

en las páginas de color local americanista. El estilo, siempre elegante y trabajado, es netamente modernista. Al decir de Anderson Imbert: «...En *Amistad funesta* hay una contemplación romántica de la vida, pero, también, una contemplación modernista de las maneras artísticas de embellecer esa vida» [16]. Escrita su obra, pues, en un estilo artísticamente elaborado, nutrido de procedimientos impresionistas y expresionistas, Martí nos da una visión ideal y subjetiva que prevalece sobre la realidad cotidiana.

A los fines del presente trabajo quisiéramos recordar aquí brevemente a determinados personajes de *Amistad funesta* y sobre todo a Ana, la verdadera creadora en la novela. El noble protagonista de la obra es Juan Jerez, caballero limpio e incorruptible, en cuyo retrato hemos de ver muchos rasgos autobiográficos de Martí mismo [17]. Pero ¡qué lejos estamos del poeta decadente José Fernández del libro de Silva, en quien se acusan también huellas autobiográficas! Juan Jerez es también poeta, pero no lo elevamos a la categoría de artista-protagonista, como en el caso de Alberto Soria o José Fernández, porque, en efecto, ese espíritu selecto y privilegiado de *Amistad funesta* se consagra más que nada a las empresas más humanitarias, defendiendo a los oprimidos y sirviendo a los desvalidos. Sin embargo, Juan, amante de todo lo puro y lo bello, era poeta, un poeta auténtico: «...que sacaba de los espectáculos que veía en sí mismo, y de los dolores y sorpresas de su espíritu, unos versos extraños, adoloridos y profundos, que parecían dagas arrancadas de su propio pecho, padecía de esa necesidad de la belleza que

---

[16] Anderson Imbert, *ob. cit.*, pág. 136.

[17] No sólo se encuentran muchas notas autobiográficas en Juan Jerez, sino también de igual modo en Manuel del Valle, de antecedentes literarios y liberales, y en su propio hijo Manuelillo que continúa la tradición revolucionaria y artística de su padre.

como un marchamo ardiente, señala a los escogidos del canto» (pág. 199) [18]. Más adelante, al dialogar con Lucía, dice Juan que nosotros los poetas creemos encontrar en la mujer la hermosura mayor, pero, desengañados por alguna imperfección en la amada, afirma: «...Los poetas de raza mueren. Los poetas segundones, los tenientes y alféreces de la poesía, los poetas falsificados, siguen su camino por el mundo besando en venganza cuantos labios se les ofrecen, con los suyos, rojos y húmedos en lo que se ve, pero en lo que no se ve tintos de veneno!» (pág. 240).

Entre el grupo de jóvenes distinguidos de la novela, más nos interesa destacar a otra alma selecta, igualmente resplandeciente y hasta capaz de elevar espiritualmente a todos los que la rodean. Se trata desde luego de Ana, enferma del corazón y próxima a morir, que es pintora, cuyos cuadros «...parecen músicas; todos llenos de una luz que sube; con muchos ángeles y serafines» (pág. 209). Además Ana rechaza el mito de París tan exaltado por otros personajes de la obra, prefiriendo ella pensar en un viaje a Italia y a España. Ana no quiere que se vean sus pinturas hasta que tengan el último acabado, y habla de su lucha por la más fiel expresión artística:

> ...En verdad que las cosas de arte, que no son absolutamente necesarias, no deben hacerse sino cuando se pueden hacer enteramente bien, y estas cosas que yo hago, que veo vivas y claras en lo hondo de mi mente, y con tal realidad que me parece que las palpo, me quedan luego en la tela tan contrahechas y duras que creo que mis visiones me van a castigar... (pág. 211).

Y un poco más adelante, mientras continúa la plática sobre cuestiones de arte, confiesa que pone tanta alma y tantas emociones personales en sus cuadros que:

---

[18] Las citas de *Amistad funesta* corresponden a las *Obras completas*, La Habana, 1964, tomo XVIII, págs. 191-272.

...no llegan a ser telas sino mi alma misma... y me parece que
he pecado con atreverme a asuntos que están mejor para nube
que para colores... como nadie más que yo sabe que esos pedazos de lienzo, por desdichados que me salgan, son pedazos de
entrañas mías en que he puesto con mi mejor voluntad lo mejor que hay de mí... (pág. 212).

Esas confesiones sobre su pintura, producto del temperamento romántico de Ana, pueden a su vez relacionarse íntimamente con otros textos bien conocidos de Martí. Com-
párese, por ejemplo, lo citado ya con lo que dice Martí en
«Mis versos», prólogo a sus *Versos libres*, palabras que subrayan la misma sinceridad y autenticidad que siempre se
exigía, así como las cualidades visionarias tan características
de su poesía lírica [19]:

> Tajos son éstos de mis propias entrañas —mis guerreros—.
> Ninguno me ha salido recalentado, artificioso, recompuesto,
> de la mente; sino como las lágrimas salen de los ojos y la san-
> gre sale a borbotones de la herida.
> No zurcí de éste y aquél, sino sajé en mí mismo. Van escri-
> tos, no en tinta de academia, sino en mi propia sangre. Lo que
> aquí doy a ver lo he visto antes (yo lo he visto, yo), y he visto
> mucho más, que huyó sin darme tiempo que copiara sus ras-
> gos. De la extrañeza, singularidad, prisa, amontonamiento,
> arrebato de mis visiones, yo mismo tuve la culpa, que las he
> hecho surgir ante mí como las copio...

No sólo se parecen a músicas los cuadros de Ana, llenos
de luz como su alma, sino que también, a juzgar por sus títulos y descripciones textuales, suelen ser representaciones simbólicas. E indefectiblemente piensa uno en alguna posible
relación con la pintura de los prerrafaelistas ingleses. Terminada la plática artística del capítulo primero, lo curioso

---

[19] Citamos según *José Martí. Versos*, edición Eugenio Florit, Nueva
York, Las Americas Publishing Co., 1962, pág. 102.

es que se hace breve mención de la cabeza *ideal* de Leonor del Valle publicada en *La revista del arte,* y Lucía a su vez pregunta: «¿una que parece de una virgen de Rafael, pero con ojos americanos, con un talle que parece el cáliz de un lirio?» (pág. 213)[20].

Dado el ambiente artístico de *Amistad funesta,* no puede faltar la música, y así Martí cuenta la breve visita que el célebre pianista húngaro Keleffy hace a la ciudad no identificada de la novela. El novelista se aprovecha de la presencia momentánea del artista para incrustar en la marcha de la obra unas páginas sobre la música de Keleffy en general: «lo que [el dolor] daba a toda su música un aire de combate y tortura que solía privarla del equilibrio y proporción armoniosa que las obras durables de arte necesitan...» (página 231), y también para describir en un fragmento de prosa poemática la música tocada por el pianista la noche de la fiesta. De esas páginas tan sólo citamos un pequeño fragmento lírico referido aparentemente a las primeras piezas del concierto:

> ...Keleffy, aunque de una manera apesarada y melancólica, y más de quien se aleja que de quien llega, tocó en el piano de madera negra, que bajo sus manos parecía a veces salterio, flauta a veces, y a veces órgano, algunas de sus delicadas composiciones, no aquellas en que se hubiera dicho que el mar subía en montes y caía roto en cristales, o que braceaba un hombre con un toro, y le hendía el testuz, y le doblaba las piernas, y lo echaba por tierra, sino aquellas otras flexibles fantasías que, a tener color, hubieran sido pálidas, y a ser cosas visibles, hubiesen parecido un paisaje de crepúsculo (pág. 233).

---

[20] Cuando se le pregunta a Pedro su opinión sobre el cuadro de Ana, contesta: «—Un éxito seguro. Yo conocí en París a un pintor de México, un Manuel Ocaranza, que hacía cosas como esas» (pág. 210). Recordemos que a Manuel Ocaranza, novio de la hermana de Martí, también de nombre Ana, se dedica el poema «Flor de hielo» incorporado a los *Versos libres.*

Y luego el sostenido poema en prosa sobre la música continúa, en forma menos directa ahora, mediante una cita tomada de una crónica impresionista escrita al día siguiente sobre el concierto en que triunfaron la hermosa Sol del Valle y el artista europeo [21].

Visto ya el papel de protagonista que desempeña el escultor Alberto Soria en *Ídolos rotos*, hay que recordar aquí a un personaje menor de *Sangre patricia* (1902), la segunda y la mejor novela de Manuel Díaz Rodríguez. Nos referimos, por supuesto, a Alejandro Martí, el músico que diserta sobre temas del arte y que ha descubierto, a través de sus lecturas en el Evangelio, ciertas leyes desconocidas y olvidadas de la música.

A pesar de las grandes diferencias de tema y de enfoque entre los dos libros, no sería arriesgado afirmar que *Sangre patricia*, no obstante su trayectoria opuesta, está ya prefigurada de múltiples modos en la obra anterior, sobre todo en cuanto a la personalidad rara y anormal de Tulio Arcos, siempre diferente y original, que pertenece como Soria a la minoría intelectual. Ambos, en medida distinta, son héroes típicos de la novela modernista. Tulio y Alberto tienen los mismos o muy parecidos antecedentes aristocráticos y son más o menos iguales en sus respectivos fracasos finales, el suicidio en el primer caso y la evasión en el otro. Tulio, sin embargo, último brote de una distinguida línea de varones

---

[21] En la novela *Emelina* (1886) de Rubén Darío y Eduardo Poirier se evoca, con fraseo preciosista, una lujosa fiesta en los salones de Guzmán Blanco, ex-dictador de Venezuela. En la *soirée* tocará también el piano Sara, la más aventajada discípula del maestro Mattei, y aquí los autores describen la música y los interiores con fórmulas expresivas que revelan ya un temprano modernismo estilístico, en el cual pronto se adiestrará aún más la pluma de Rubén Darío. El texto en cuestión se reproduce en mi trabajo «Nueva luz sobre *Emelina*», que se recoge en esta colección de ensayos críticos.

ilustres que entra ya en palpable eclipse, tiene conciencia de su responsabilidad y siente el reclamo del pasado. No sólo se plantea en él, desde un principio, la característica dualidad entre sueño y acción, sino que también a medida que avanzamos en la novela Tulio, preso de progresivas alucinaciones, no sabe distinguir entre la realidad y el sueño. Se entrega a sus estados alucinatorios, bañados de irrealidad, y se sumerge con mayor frecuencia cada vez en sus visiones submarinas hasta que por fin se tira al mar. Si bien Díaz Rodríguez atiende en *Ídolos rotos* a las circunstancias exteriores, tanto sociales como políticas de Venezuela, ahora en *Sangre patricia*, cuya acción transcurre principalmente en París e Italia, tienden éstas a ser casi eliminadas o alejadas, haciéndose así más intimista y más concisa la obra, que después de todo se ocupa más que nada de la vida secreta o subconsciente de Tulio Arcos.

Tulio no es artista. De hecho procura luchar sin éxito contra el sueño e intenta abrazar por otra parte la acción heroica, de acuerdo con el camino trazado por sus antepasados, con excepción de un pintor lejano y una Arcos que se refugió en el claustro. Rechaza la idea de ser «un miserable héroe del sueño» (pág. 21) [22] y, a pesar de su propensión a las cosas de arte y del espíritu, elimina el ideal de artista. Así es que la cara artística de Alberto Soria, protagonista de *Ídolos rotos*, la hemos de buscar no en Tulio sino en el mencionado músico Alejandro Martí. Pero hay una notable diferencia: Martí tiene una clara voluntad que lo sostiene en su lucha incansable para llevar a feliz término su obra destinada a comprobar sus novedosas y místicas teorías sobre la música. Tras ciertas vicisitudes, va a París donde buscaba la

---

[22] Las citas de *Sangre patricia* corresponden a la edición de la «Biblioteca de Escritores Venezolanos», Ediciones Nueva Cádiz (Caracas-Barcelona), sin fecha.

consagración definitiva que le hubiera sido negada en su país. Sus compañeros de París, todos ellos artistas, estudiantes o meros vividores:

> ...Respetaban en Martí al artista y al hombre, a un creador de belleza y a un maestro de la voluntad, proclamándole y reconociéndole interiormente superior a todos ellos, por haberse levantado y sostenido con esfuerzos propios, y por sostenerse aún de igual manera en aquella gran ciudad extraña, no como ellos con el esfuerzo único de recoger la prebenda generosamente servida del ministro y del padre. Sobre todo lo respetaron cuando conocieron bien su historia, la más pura odisea de artista... En él, para entonces, ya se había realizado la más completa unión del arte con la vida. El hombre de voluntad y el creador de belleza iban en él como dos gemelos de igual perfección y distinta hermosura, siempre de acuerdo el uno con el otro... (págs. 75-76).

Y, hacia finales de la novela, Tulio lo recuerda diciendo:

> He ahí un ejemplo de heroísmo. He ahí un héroe... Porque es la fe inquebrantable hecha persona. Lo que fue para nosotros un fracaso de conferencia y de su libro, para él es tan sólo un más o menos largo aplazamiento del triunfo. Cree en el triunfo y sigue siendo el mismo trabajador, después como antes del fracaso, cuando a la rudeza del golpe cualquier otro habría caído, triste y desmazalado, como un pobre y manso buey en el matadero (pág. 133).

Martí reúne a sus amigos —algunos de ellos a su vez artistas como el satánico pintor Grúas o el escritor Vives, sutil cronista y delicado poeta— con el propósito de ensayar y ofrecer a sus más allegados las primicias de su proyectado libro sobre la música. En ocasiones sostienen largas pláticas sobre fenómenos psicofísicos, la necesidad de retornar a la corriente de la hispanidad, pero sobre todo, al exponer sus teorías místicas e ideas candorosas ante el asombro e incredulidad de sus compañeros, Martí hace una defensa de lo sobrenatural en la vida y en el arte:

—Y si de la vida pasamos al arte, ¿podrá negarse en éste la existencia y el predominio de lo sobrenatural?... ¿Acaso no es lo sobrenatural eso que los filósofos y críticos de hoy han dado en llamar lo Inconsciente? Algo sobrenatural preside a todo feliz alumbramiento artístico. ¿Por qué en lo más vano y ligero, como el sonido o la palabra, el artista halla de súbito insondables minas de oro? ¿Por qué la obra suele surgir de una vez, acabada y perfecta, como una planta que no se detuvo en su estado de germen, sino fue derechamente a la flor, volando en la saeta del tallo? (pág. 101).

Y luego Martí pasa de la palabra a la corroboración musical. Tal vez el fragmento más elaborado en toda la novela, la cual debiera estudiarse siempre como un largo poema en prosa sostenido por una sola metáfora, es el que describe la música ahora tocada por Martí. Esta música cuenta, mediante las notas, la vida del agua corriente, y, a pesar de su extensión, transcribimos aquí el aludido trozo:

Primero fue arriba, en el teclado, una nota muy tenue, como la que produce el caer de una débil gota de agua sobre un cristal sonoro; tras de ella vino otra, y otra, y otra nota semejante que llegaron, multiplicándose y cada vez menos tenues, a fingir el caer precipitado de una lluvia muy fina; al repiqueteo de la lluvia muy fina siguió el deslizarse tembloroso de un hilo de agua entre las altas hierbas; luego se oyeron las quejumbres, las canciones y las risas de la acequia rebosante; en seguida resonó el tumultuario estrépito del torrente y este mismo estrépito, serenándose poco a poco, se cambió en el rumor sereno y apacible del río, rumor que, a medida que se hinchaba el río, fue haciéndose más grave y reposado, hasta desaparecer más lejos, en donde los grandes ríos, entre sus márgenes remotas, corren y se extienden con majestad oceánica, en medio del silencio más augusto. Sobre el silencio de las aguas del río, una canción pasó entonces, deshojándose, como la flor misma del silencio; se alzaba tal vez de lo más profundo del cauce, o bajaba tal vez de las ribereñas y más próximas alturas, de los labios de alguna Loreley invisible que, al son de sus cantares, peinase con áureo peine sus cabellos de oro. Por un momento reinaron en la música la perfidia de la corriente silenciosa y la perfidia más dulce del canto. Después, como si un barquero en su barca se hubiese aventurado entre esas dos perfidias, la música remedó el encresparse de la onda y el remolino y la soberbia de las aguas, pasado a los cuales el silencio anterior cayó sobre el río como una lápida sobre una tumba. Por fin, tras una corta pausa, la música remontó, evocando el tumulto del torrente, los murmurios de la acequia rebosante, el trémulo susurro de un hilo de agua entre las hierbas y el repiqueteo de la lluvia, hasta la nota primitiva, aislada y muy tenue, como la que produce el caer de una débil gota de agua sobre un cristal sonoro (págs. 104-105).

Ahora bien: esta página lírica, finamente elaborada, no es gratuita sino que tiene función orgánica en conexión con el estado psíquico de Tulio. Escuchada la pieza y otras de Schumann, siente nuevamente la fascinación por el agua y el mar, entregándose a la misma alucinación, evocada con tanta delectación por el autor, en la cual descendía por las aguas transparentes a lo más profundo del océano buscando la reunión con Belén y el diálogo amoroso interrumpido. Conviene notar por último cómo, en *Sangre patricia*, no sólo se trata de los matices claros del verde, color que siempre recordaba a Tulio los ojos de la amada y las aguas del mar y que constituye la fuerza principal de sugestión (el follaje, las esmeraldas, el ajenjo, las ondas glaucas del río Sena, etc.), sino que también la música misma tiene papel activo en la obra y hasta llega a precipitar el desenlace fatídico ocurrido en el viaje de regreso a la patria.

En el reducido número de novelas modernistas que hemos examinado hasta ahora, las obras de José María Rivas

Groot se diferencian de manera notable de otras aquí tratadas por su profunda dirección espiritualista y acentuado retorno a la moral cristiana frente al positivismo del XIX. En este sentido, pues, las obras de Rivas Groot vienen a ser de tesis, no por eso menos modernistas, y tal vez por esta cualidad doctrinal merecen destacarse en el conjunto de la novelística del modernismo. De *Resurrección* (1902) copiamos el siguiente fragmento en el cual el autor expresa la problemática de la época y la necesidad de combatir por la renovación de la fe[23]:

> —Este anhelo de fe, este deseo de esperanza, como dos alas rotas, nos pesan en los hombros; son alas que se desangran y duelen, pero que no sirven para alzar el vuelo...
>
> —...al final de este siglo de dudas, en la aurora del siglo XX, hora crepuscular en que las almas van a tientas, se necesita un espíritu superior, un genio, otro Chateaubriand, que lance de nuevo un grito de combate contra el escepticismo, un grito de fe y de amor, un grito de resurrección, y que en medio de la filosofía racionalista y de la literatura brutal, conmueva a las muchedumbres con voz profética, y por el camino del arte, las conduzca a los pies de Jesucristo... (págs. 93-94).

Aunque en *El triunfo de la vida* (1916), novela gemela de la anterior e historia del camino ascendente y de la redención final de un espíritu vacío, torturado por el característico *spleen* de la época[24], no faltan artistas ni ambientes esteti-

---

[23] De José María Rivas Groot hemos utilizado la edición *Novelas y cuentos*, Bogotá, 1951.

[24] El protagonista de *El triunfo de la vida* es Alberto, cuya trayectoria va desde lo mundano hasta la purificación espiritual por el amor y la naturaleza. En el texto dice Alberto de sí mismo: «...soy un desdichado, un ser contradictorio... Por un lado, con las magnificencias de la naturaleza, con las maravillas del arte y acaso con la ilusión de un amor puro, me llama la vida... Por otro lado, con mi antiguo tedio, con el hastío que han dejado en mi alma ciertas lecturas y con la creencia en la fatalidad del atavismo, me llama la Muerte...»

zantes, más nos interesa advertir en *Resurrección* lo que se pudiera llamar sin exageración alguna, en cuanto a los personajes mismos, un alto punto de saturación de artistas de toda clase[25]. Y entre esas distinguidas y cultas figuras las pocas que no son poetas, escultores, pintores o músicos todas ellas tienen clara vocación artística.

Como podíamos esperar, en *Resurrección* se encuentran no sólo repetidas descripciones de trozos musicales o de cuadros, sino que también, entre los siempre elevados tópicos de conversación, sobresalen ciertos conceptos estéticos que suelen corresponder como veremos a la tesis doctrinal del autor. Uno de los personajes-artistas de la obra es el príncipe polaco Zonawisky, el que «...cultiva a la vez todas las artes y que anda en busca de emociones que llenen el hastío de su existencia» (págs. 65-66). El barón Chastel-Rook se refiere a él y a la sociedad en que vive con las siguientes palabras:

> ...Fluctúa eternamente entre el entusiasmo y el tedio. En otros siglos habría sido un cruzado o un conquistador de América, como los que pinta con maestría Heredia en sus sonetos.

(pág. 168). Pero, como se desprende del título mismo, la vida acaba por triunfar en el espíritu de Alberto.

[25] Hasta el pintor inglés, de nombre Jenkins, recomienda al narrador, a su vez escritor, que haga un cuento de artistas, «copiando la realidad con algunas variantes», de todos los artistas que a su modo están enamorados de la belleza de Margot (pág. 62). Es exactamente lo que ha hecho Rivas Groot. Margot, la hermosa y etérea persona de misterio, rodeada ya de la muerte desde su primera presentación, en sí pictórica, es el lazo de unión entre los artistas. En cada caso, por ella llegan a la más alta espiritualidad. El mismo Jenkins, muerta Margot, dice al narrador: «Escriba usted, mi amado poeta... un himno de la resurrección de la materia, un canto a la belleza de la carne purificada por la muerte y glorificada en el día postrero» (pág. 97). Y, por lo demás, el poeta Dulaurier, autor de *Cenizas* y de *Los astros muertos*, poemas de duda y de destrucción, da cima a su obra con *Resurrectio*, composición en cuyas palabras resuenan notas de amor, de inmortalidad, de esperanza y de fe (págs. 99-101).

Pero en este siglo del carbón y del humo, del riel y del dolar,
ese hidalgo se asfixia. Gasta su espíritu en los viajes, en las
artes, en los libros; ha hecho de todo, deja el pincel para trazar
un libro sobre los proletarios polacos; suelta la pluma para es-
bozar una estatua; deja fresca la arcilla a medio modelar, para
entregarse con fiebre a la ejecución de un drama que empieza a
escribir por el quinto acto... En su libro *Hacia el Ideal* se revela
un genio altivo y melancólico. Creo que nunca publicará esas
páginas incoherentes y sublimes... En suma, un Chateaubriand
frustrado (págs. 72-73).

El pintor británico Jenkins, que estudia los efectos de la luz
en la naturaleza para luego evolucionar hacia una pintura
más macabra y que resucita a Margot en un gran cuadro de
apoteosis, es «digno discípulo de Dante-Gabriel Rossetti, que
reunía en sus estudios la tendencia al simbolismo y la reproducción de la verdad» (pág. 86) [26]. Él mismo diserta largamen-
te sobre la inferioridad y la superioridad del artista frente
a la naturaleza en los siguientes términos:

—El artista es inferior y es superior a la Naturaleza. Es inferior, porque la Naturaleza es más rica en líneas y colores,
tiene una luz que no se encuentra en ninguna paleta, cierta delicadeza de líneas y tal amplitud de proporciones, que no podre-
mos nunca poner en un lienzo; ella posee lo infinitamente pequeño y lo infinitamente grande, tiene el insecto y el océano,
la belleza de la flor y la sublimidad del firmamento. Además,
ella a un tiempo impresiona varios sentidos y produce sensaciones mixtas que no podemos definir con el pincel ni con la nota.
Loco estaría el artista que pretendiera medirse con la Natura-

---

[26] En el primer encuentro con el grupo de artistas, el autor dice:
«Aquellos ojos, aunque de tintes diversos, tenían todos una misma
expresión: la melancolía irremediable de almas que han encontrado
al mundo inferior al pensamiento» (pág. 51).
Pablo, por ejemplo, oficial de marina y quien al final de la novela
abraza la vida religiosa, es autor de un libro de viajes aparentemente
de estilo impresionista en que se destaca la intensidad de sus percepciones sensoriales, especialmente el sentido olfativo.

leza... Decíamos que el artista es inferior a la Naturaleza... y superior al mismo tiempo. Hay en el alma imágenes que no están en el mundo que nos rodea. El pintor debe trasladar al lienzo esas concepciones del espíritu. Hay un placer doloroso en esa creación del artista; por decirlo así, cosechamos entre espinas... hay una amargura dulcísima en el esfuerzo artístico, particularmente cuando se llena la misión de perpetuar nuestros sentimientos, nuestros recuerdos. He aquí otra superioridad del pintor; la Naturaleza destruye; el pintor conserva, resucita, inmortaliza al ser amado... Este anhelo tenaz, este deseo loco de la resurrección lo realiza en parte el artista... (págs. 95-96).

Por último es el músico Blumenthal, cuya música era primero una declaración de amor a Margot y que finalmente se transforma en sinfonía sagrada, quien habla del papel del arte en el mundo:

—Las artes unen la tierra al cielo... son como los peldaños por los cuales subían y bajaban aquellos ángeles que Jacob vio en sueños. Las artes no son un placer, son una necesidad del alma dolorida. Son el grito de nostalgia que el espíritu lanza en el destierro. Creo que la música es la más ideal, la más divina manifestación del alma. En el templo, cuando el hombre enmudece ante lo infinito, cuando la palabra es insuficiente en los momentos del más alto arrebato religioso, entonces acude la música en auxilio del hombre, surge el canto del órgano y la frase musical interpreta el silencio reverente de las muchedumbres encorvadas... (págs. 57-58).

En esas mismas confesiones estéticas del compositor se proclama la fusión del Arte y la Religión como fuerzas redentoras de la humanidad; se exalta la pureza musical, alejada de lo terreno; y se toma a Wagner como ejemplo de luchador contra el materialismo de la época.

En la novelística del modernismo, *Dionysos* (1904) de Pedro César Dominici representa de modo cabal cierta dirección estética común a muchas otras novelas del período: la evasión, en el tiempo y en el espacio, hacia épocas pretéritas de gran prestigio artístico. En *Dionysos*, cuyo subtítulo es «Costumbres de la antigua Grecia», se trata de una recreación de la edad de oro de la civilización helénica, o sea la edad de Pericles (461 a 429 antes de J. C.). Atraído y seducido por todo lo que está lejos y por la belleza, tanto moral como artística, de aquel siglo, como afirma en su prólogo a la novela, Dominici intenta respetar la verdad histórica y al mismo tiempo dar vida a los seres que vivían en aquellos tiempos gloriosos. Como novela, sin embargo, *Dionysos* adolece de muchos defectos, algunos de los cuales pueden ser atribuidos de modo directo al modernismo más superficial y exterior de aquellos años. La excesiva literarización del tema, la morosidad descriptiva de ambientes lujosos, un fraseo amanerado y preciosista son rasgos de estilo que tienden a desviar una posible acción vital. Dados los fines de reconstrucción histórica del siglo de Pericles, no pueden faltar en la novela las más conocidas figuras del arte helénico de la época, quienes intervienen en la obra hablando sobre el arte y sus sueños de creación. Trasladada la acción a Atenas, se codean poetas y filósofos, escultores y oradores, pintores y dramaturgos. En determinados capítulos («Los jardines de Academos», II, 3, «El banquete», II, 4), por ejemplo, las pláticas sobre temas del arte predominan y hasta se incluye, al evocar las fiestas atenienses y sus representaciones dramáticas, un coloquio teórico sobre los respectivos méritos de los grandes poetas trágicos griegos («Las grandes Dionisíacas», IV, 1).

No se nos olvida aquí otro intento de Rubén Darío de novelar: *El hombre de oro* (1897), novela no concluida que se publicó en *La Biblioteca* de Paul Groussac. Es, como *Dionysos*, una obra en que se reconstruye un pasado prestigioso

(Roma, bajo el imperio de Tiberio César), y uno de los personajes principales es el poeta Lucio Varo, quien no imitará, según dice, «...a los perfumados poetastros que hacen su gárrula música para adular al vulgo profano» (pág. 405)[27]. En las mismas páginas inconclusas asoma otro tema frecuente en Darío: el poeta («poeta, y por lo tanto, aristócrata y príncipe de nacimiento», pág. 392) y el espeso Mecenas incapaz de comprender el alma superior de Horacio, humillándolo y poniéndole «en el pescuezo un yugo de oro» (pág. 392).

Aunque *La gloria de don Ramiro* (1908) de Larreta pertenece también al grupo de novelas que intentan la reconstrucción arqueológica del pasado, no es en verdad una novela de artistas. Sin embargo, en esta galería de personas sensibles al arte merece figurar por lo menos un personaje de Larreta: el caballero don Alonso Blázquez Serrano. Por el afán de revivir el reinado de Felipe II, la narración de Larreta se nutre de los más variados recuerdos literarios (los cuentos y tradiciones de Ávila, la mística y libros de devoción, las novelas picarescas y de caballería, Cervantes, etc.), los cuales contribuyen de modo eficaz al marco histórico de la obra. La palabra escrita, pues, se funde a menudo con la vida de los personajes, y, después de todo, ¡Ramiro, más de una vez, tiene conciencia de estar viviendo una novela! Además las resonancias pictóricas, al inspirarse Larreta en ciertos cuadros fácilmente reconocibles en el texto, corresponden a la misma finalidad[28]. Veamos al refinado cortesano Blázquez Serrano. Formado en la cultura renacentista y por algunos años residente en Milán y Venecia, había ensayado la poesía al modo de Boscán y Garcilaso; había traducido *El laberinto*

---

[27] Las citas de *El hombre de oro* corresponden a las *Obras completas*, Madrid, 1955, tomo IV, págs. 377-426.
[28] Amado Alonso, *El modernismo en «La gloria de don Ramiro»*, Buenos Aires, 1942, págs. 210 y sigs.

de amor y glosado unos sonetos de Petrarca; y por último era autor de una imitación de la *Arcadia* de Sannazaro. Por lo demás, Blázquez Serrano era coleccionista de preciosos objetos artísticos, sobre todo de vidrios y marfiles que veía de noche en un rayo de luna según un procedimiento aprendido de El Greco, el mismo que lo había retratado. En ese caballero culto y exquisito en sus gustos, Amado Alonso ha visto un auténtico autorretrato parcial de Larreta mismo [29]. Subrayamos aquí que la intención de Larreta, al trazar a su personaje y describir sus afanes literarios, es lograr una mayor autenticidad en la recreación de la época histórica.

En las páginas anteriores, pues, hemos examinado el muy variado papel que tiene el artista, como personaje principal o menor, en un reducido número de novelas modernistas. Desde luego, otros casos pudieran haber sido incluidos en nuestro recorrido: de momento, pensamos, por ejemplo, en Cuenca, el pintor que expone la ideología noventayochista de Carlos Reyles en *El embrujo de Sevilla*, o en el poeta Juan de Monfort de *Redención*, de Ángel de Estrada. Tampoco nos olvidamos del pintor Sem Rubí y otras personas de *Pasión y muerte del cura Deusto* por D'Halmar, ni de Alsino, aquel muchacho campesino de la célebre novela alegórica de Pedro Prado, cuyas aspiraciones en más de una ocasión parecen identificarse con los anhelos del artista. Aunque no hay una sencilla y cómoda fórmula fija que logre captar la pluralidad de direcciones estéticas que se dan en la novela modernista, las obras vistas en el presente trabajo comprueban cómo la presencia del artista y su mundo es, a menudo, un rasgo constitutivo de la realidad reflejada en la ficción de aquella época.

(1968).

[29] *Ibid.*, págs. 191-194.

V

SOBRE DOS POETAS ESPAÑOLES

«LA TIERRA DE ALVARGONZÁLEZ»:
VERSO Y PROSA [1]

En este trabajo nos proponemos estudiar las dos versiones de «La tierra de Alvargonzález» por Antonio Machado: el cuento que publicó en el *Mundial Magazine* [2] y el célebre romance incorporado en su forma definitiva a *Campos de Castilla* (1912). Si bien el cuento es único en Machado, las dos obras, inspiradas en una fuente común, tienen igual dignidad literaria. Nuestro estudio, en gran parte comparativo, pretende precisar dentro de las funciones expresivas de verso y prosa, los valores de ambas composiciones.

---

[1] Nuestro ensayo, mucho más extenso en su forma original, ha sido rehecho a la luz de dos estudios de Helen F. Grant sobre el mismo tema, que no conocíamos en el momento de redactarlo por primera vez. Ahora hemos prescindido de muchos datos bibliográficos ya publicados por esa distinguida investigadora. Para un análisis de la composición del cuento y otros temas que quedan fuera de nuestro propósito actual, remitimos a los trabajos de la profesora Grant: «La tierra de Alvargonzález», *Celt*, 1953, núm. 5, 57-90 (donde se reproduce el cuento), y «Antonio Machado and 'La tierra de Alvargonzález'», *Atl*, 2, 1954, págs. 139-158.

[2] *Mundial Magazine*, tomo 2, núm. 9, enero de 1912, págs. 213-220.

ANTONIO MACHADO Y LO POPULAR

Antes de abordar el análisis prometido, conviene aludir al tema de lo popular en Machado. De más está decir que estas notas sobre ciertos ideales que parecen haber influido en la composición de «La tierra de Alvargonzález» no intentan exponer la amplia teoría artística del poeta, sino sólo iluminar una de sus vertientes.

Nadie mejor que el poeta mismo para precisar su propio concepto del romance. Como bien se sabe, la observación clave se halla en la nota antepuesta a la segunda edición de *Campos de Castilla (PC*, pág. 11) [3]. Al referirse a «La tierra de Alvargonzález», con toda claridad expresa su intención: hacer un romancero, a la vez nuevo y actual, como digna expresión de lo humano en sus aspectos más elementales. No piensa recrear versos de tradición heroica. Se propone una poesía de lo eterno humano. Así, desde el mirador teórico, su ideal sería desenredarse de los compromisos con la Historia para cantar directamente desde el pueblo, desde la tierra.

Según Machado, su romance ha brotado del pueblo mismo. De hecho, el pueblo y el folklore son temas fundamentales de sus meditaciones filosóficas [4]. El poeta aspira a dirigirse al hombre del pueblo; quiere fundirse con el alma popular y así llegar a lo humano. Pero de ninguna manera —e

---

[3] Las abreviaturas que empleo corresponden a las siguientes obras de Antonio Machado (todas ellas publicadas en la Editorial Losada, Buenos Aires): *PC = Poesías completas*, 1943; *JM = Juan de Mairena*, I y II, 1942; *AM = Abel Martín. Cancionero de Juan de Mairena. Prosas varias*, 1943.

[4] Su famoso discurso de 1937, «Sobre la defensa y difusión de la cultura», viene a ser resumen de su actitud frente al problema del arte y el pueblo (*AM*, págs. 107-115).

insistimos en esto— postula un arte para las masas (*AM*, páginas 114-115). Repetidas veces afirma que la verdadera aristocracia española está en el pueblo, que lo popular es lo esencialmente aristocrático. Para el poeta el folklore es algo vivo, dinámico, íntimamente relacionado con el saber y el sentir populares. Estudio, pues, de la cultura creadora de una raza (*JM*, I, pág. 58). En resumidas cuentas, por vía de la plena identificación con el pueblo, le es dado al escritor acercarse al hombre universal y eterno, captar lo esencial humano. Esa fe suprema en la poesía «inmergida en las mesmas vivas aguas de la vida» (*PC*, pág. 13) no se le olvida nunca a Machado.

ARGUMENTO Y ESTRUCTURA DE AMBAS VERSIONES

Al hacer verso o prosa, el escritor tiene que cumplir con las tradiciones interiores del género. Distintas leyes, sin embargo, rigen ambas formas, de tal modo que las licencias de una resultan ser los límites de otra. Las diferencias en las dos versiones de «La tierra de Alvargonzález» corresponden, a nuestro modo de ver, a una plena conciencia de las posibilidades y funciones expresivas de la prosa y del verso.

Conforme a la necesidad de situar al lector en el tiempo y en el lugar donde va a desarrollarse la acción, el cuento tiene un marco narrativo que falta por completo en el romance. La parte inicial de su prosa cuenta una excursión que hace el poeta a la fuente del Duero a principios de octubre [5]. Al partir para Cidones en el coche de Burgos, se en-

---

[5] Un poco antes, el poeta mismo tuvo ocasión de visitar el escenario que recrea en «La tierra de Alvargonzález». Su biógrafo se refiere a un viaje que hizo en septiembre de 1910 a las fuentes del Duero, subiendo al Urbión y regresando a Soria por la Laguna Negra y el

cuentra con un campesino que lleva el mismo camino. Éste es serio y taciturno, como la gente de aquellas tierras que «sólo se extiende en advertencias útiles sobre las cosas que conoce bien, o cuando narra historias de la tierra» (pág. 214). Los dos bajan en Cidones para seguir a caballo por la ruta de Vinuesa. Llegados a una aldea a medio camino, La Muedra, cruzan el Duero y su compañero señala el sendero que lleva a las tierras malditas de Alvargonzález. En boca del campesino, pues, se pone la historia del crimen que formará el argumento de la leyenda. Es significativo observar que el campesino mismo la había oído cantar en su niñez a un pastor, y afirma también «que anda inscrita en papeles y que los ciegos la cantan por tierras de Berlanga» (pág. 214). Según los fines discursivos de la prosa, Machado explica con toda claridad cómo llegó a escuchar la leyenda popular que sirve de fuente común a ambas obras [6]. En la poesía, dada su naturaleza distinta, puede prescindir del relato circunstancial para comenzar más o menos directamente con el tema lírico-dramático del crimen mismo.

Una comparación detenida de las dos obras revela que su argumento coincide en lo principal, con una sola notable excepción. En la prosa los asesinos matan al hermano menor ahogándolo en la presa del molino, y por algún tiempo vuelven a labrar las tierras del padre. A un año de abundancia sigue de nuevo la miseria: los surcos, hechos a duras penas, se cerraban y desaparecían, la tierra misma manaba

---

valle de Revinuesa (Miguel Pérez Ferrero, *Vida de Antonio Machado y Manuel*, Buenos Aires, 1952, pág. 81).

[6] Iniciado el relato, sólo se interrumpe una vez hacia el final (en la prosa), cuando el campesino, dirigiéndose al poeta, dice: «Los viajeros que, como usted, visitan hoy estos lugares, han hecho que se les pierda el miedo» (pág. 218). Así en el cuento, de pronto, y sólo por un instante, el lector vuelve a la realidad. Es decir, se acuerda de la circunstancia narrativa.

sangre y, por fin —desenlace idéntico—, los dos hermanos emprenden la marcha fatal hacia la Laguna Negra que se los traga en sus aguas insondables.

Otro crimen en el romance nos habría parecido algo «anticlimáctico». Siempre Alvargonzález o su sombra dominan el relato. Tan sólo por haberlo matado a él los hijos buscan redimirse de su pecado. Logra acentuar, pues, la brutalidad de un asesinato único y, al mismo tiempo, insistir en el remordimiento y la desesperación que llevan a la expiación final. Los parricidas no cometerán fratricidio. La unidad patética del poema queda intacta. El hermano menor se ha ido a América; cuando vuelve, rico, compra las tierras. Es como si, de un tirón, les arrancara el suelo de bajo los pies. Los parricidas quedan como suspendidos en el aire, junto con el fantasma flotante del padre asesinado; y se hundirán en la laguna donde arrojaron al padre. Que sobreviva el hermano «indiano» no disminuye la tensión de la leyenda; al contrario, la recorta, la depura, la concentra. La actitud explicativa del cuento, en cambio, crea en el lector una vigilancia para cada una de las personas. Machado tiene que resolver definitivamente la suerte de Miguel. Así, de acuerdo con la estructura más clara que se suele pedir al cuentista, se ve obligado a decirnos precisamente lo que pasó para no dejar ningún cabo suelto. Por lo demás, en el cuento, el matar también al hermano está más dentro de los motivos naturales del crimen: la codicia. El verso acentúa lo sobrenatural, la prosa lo natural.

En ambas versiones, no obstante, los elementos narrativos se parecen mucho: el sueño, los dramáticos y simbólicos presagios de la tragedia. El crimen brutal motivado por la codicia y la envidia es idéntico: los hermanos matan a su padre mientras duerme junto a la fuente clara y, atada una piedra a sus pies, le dan tumba en la Laguna Negra. Falsamente acusado, paga el crimen un buhonero de la sierra. En iguales circunstancias también vuelve Miguel de las Indias para cultivar con buena fortuna los campos malditos que bajo su mano se tornan tan fecundos y risueños como antes. Puesto que la prosa y el verso deben acatar leyes diferentes, una confrontación de textos revela que son más abundantes los pequeños detalles narrativos en la prosa que en el verso. En el cuento, por ejemplo, el lector se entera de que la mujer de Alvargonzález se llamaba Polonia, la mayor y más hermosa de las tres hijas de los Peribáñez, familia en otra época rica y ahora de menguada fortuna. Se describe también más prolijamente la hacienda de Alvargonzález, la partida del hijo menor para América y otros particulares por el estilo. Depurada y concentrada la visión esencial del tema en el romance, Antonio Machado se aprovecha de la libertad poética para no demorarse tanto en pormenores si no corresponden a esenciales fines lírico-dramáticos.

Fijémonos un momento en el sueño de Alvargonzález. En el poema, donde ocupa unos cuarenta y cuatro versos, se desarrolla sobre todo en un solo plano temporal, el pasado cercano. El episodio principal —el del fuego que sólo saben encender las manos del más pequeño de los hermanos— se reduce a dos estrofas. Mucho más espacio se dedica al sueño en la prosa. Mientras reza Alvargonzález, dando gracias a Dios por los favores con que ha colmado su vida de honrado campesino, se duerme al son del agua. La franja del sol, filtrado por las ramas del olmo, se convierte en la escala de Jacob y una voz le habla. En ese mismo instante corta Machado el proceso del sueño e interpola una meditación de tipo filosófico (pág. 216):

> Difícil es interpretar los sueños que desatan el haz de nuestros propósitos para mezclarlo con recuerdos y temores. Muchos creen adivinar lo que ha de venir estudiando los sueños.

Casi siempre yerran, pero alguna vez aciertan. En los sueños malos, que apesadumbran el corazón del durmiente, no es difícil acertar. Son estos sueños memorias de lo pasado, que teje y confunde la mano torpe y temblorosa de un personaje invisible: el miedo.

Su inclusión se entiende en la prosa. Y es lícita. No aparece en el verso, puesto que su función no es explicar, sino expresar intuiciones líricas.

En el cuento, pues, Alvargonzález se proyecta a un pasado lejano, recordando primero su niñez —el negro rosario de la madre, el hacha reluciente del padre —y luego su mocedad, cuya memoria queda configurada en imágenes de gran intensidad poética. A medida que se acerca al presente y piensa en sus propios hijos, se le ensombrece el sueño. El poeta, en ambos casos, recurre a la misma imagen del mechón de negra lana en la rueca de las hadas hilanderas de los sueños. El cuervo negro salta entre los hijos mayores, y el hacha, ya aludida varias veces por el estilo de un ritornelo en la prosa, aún goteando sangre en una ocasión, asoma por primera vez en el poema con poderoso efecto dramático: «Entre los dos fugitivos / reluce un hacha de hierro». El acierto de Machado, tanto en el cuento como en el poema, ha sido imponernos un profundo sentimiento temporal que abarca el pasado, el presente y el futuro. La rememoración de instantes pretéritos se funde con la actualidad del sueño, matizado a su vez por el vaticinio del porvenir. Al reducir el sueño a lo más esencial en el romance, el poeta logra poner de relieve el motivo central del crimen.

A pesar de las repetidas coincidencias formales, que estudiaremos más adelante, se registran muchas divergencias en las dos versiones. Sólo dos merecen señalarse ahora. Es una noche fría de invierno. La nieve cae en torbellinos. El viento helado se oye bramar en la chimenea. Los asesinos y sus mujeres rodean las ascuas mortecinas del fuego que poco a poco se les va apagando por falta de leña. Ha regresado Miguel. Vuelven a llamar, y éste, recién venido, abre la puerta. Sólo se ve una figura borrosa que se aleja en la nieve. Pero, cerrada la puerta, hay un montón de leña en el umbral. Más fantástico, más lírico es el mismo extraño episodio en el poema:

> Un hombre,
> milagrosamente, ha abierto
> la gruesa puerta cerrada
> con doble barra de hierro.
> El hombre que ha entrado tiene
> el rostro del padre muerto.
> Un halo de luz dorada
> orla sus blancos cabellos.
> Lleva un haz de leña al hombro
> y empuña un hacha de hierro.

Ya no es una figura borrosa, una persona cualquiera. Es claramente el padre. Así Machado insiste de nuevo en cómo la presencia de Alvargonzález, siempre personaje central, domina la acción.

Un poco más adelante cuenta Juan a su hermano que de noche, volviendo a casa, ha visto en la huerta, inclinado sobre la tierra, a un hombre en cuya mano brillaba una hoz de plata. Esta figura misteriosa vuelve el rostro sin decir palabra y continúa trabajando:

> Tenía el cabello blanco.
> La luna llena brillaba,
> y era la huerta un milagro.

Basta, pues, en el verso una pequeña alusión al cabello blanco para que el lector sepa quién es el que trabaja las tierras. Más aún: todo se ha hecho milagro por la vuelta del padre. El tratamiento en la prosa de un suceso semejante es bien distinto. En primer lugar, se presta a mayor desarrollo. Machado nos instala directamente en la circunstancia; hace concesiones al pensamiento lógico; no sugiere, sino que expone y justifica mediante la borrachera la apariencia sobrenatural del viejo. Creyendo que el hombre encorvado sobre el campo es Miguel, los dos hermanos le llaman (página 220):

> Pero el hombre aquél no volvía la cara. Seguía trabajando en la tierra, cortando ramas o arrancando hierbas. Los dos atónitos borrachos, achacaron al vino que les aborrascaba la cabeza, el cerco de luz que parecía rodear la figura del hortelano. Después, el hombre se levantó y avanzó hacia ellos sin mirarles, como si buscase otro rincón del huerto para seguir trabajando. Aquel hombre tenía el rostro del viejo labrador. ¡De la laguna sin fondo había salido Alvargonzález para labrar el huerto de Miguel!

En resumen, la historia recreada por Machado es sustancialmente igual en ambos casos. Lo diferencial de cada versión parece ajustarse a los distintos fines que se proponen un relato en verso y uno en prosa. El cuento tiene marco convencional para instalar al lector en el momento y el lugar de la acción. Si la prosa, al cumplir con sus propósitos más conceptuales, expone los hechos —por fantásticos que sean— dentro de un esquema lógico-narrativo, el verso no está comprometido con una explicación clara y precisa. La eficacia lírica estriba más bien en lo vago, en lo sugerido y en lo misterioso. Aun el romance, verso narrativo por excelencia, realiza otra función poética: la de crear atmósferas.

VERSO Y PROSA: FORMA INTERIOR

Hemos visto cómo, en su estructura, ambas versiones tendían a cumplir con ciertas normas características de verso y prosa. Nos proponemos mostrar ahora cómo también los mismos hábitos influyen en la forma interior de cada género. En la prosa la curva de entonación necesariamente coincide con la sintaxis. En el verso, en cambio, el ritmo puede o no depender de la unidad sintáctica. Así, pues, es posible diferenciar prosa y verso según la ley rítmica que rige una y otra forma. Dos pasajes semejantes ilustran cómo en la prosa el ritmo sigue el movimiento sintáctico y cómo en la poesía a veces se suspende la unidad de sentido hasta llegar al verso siguiente:

El menor, a quien los padres pusieron en el seminario, prefería las lindas mozas, a rezos y latines, y colgó un día la sotana, dispuesto a no vestirse más por la cabeza. Declaró que estaba resuelto a embarcarse para las Américas. Soñaba con correr tierras y pasar los mares, y ver el mundo entero.

Mucho lloró su madre. Alvargonzález vendió el encinar, y dio a su hijo cuanto había de heredar.

El menor, que a los latines
prefería las doncellas
hermosas y no gustaba
de vestir por la cabeza,
colgó la sotana un día
y partió a lejanas tierras.

La madre lloró; y el padre
diole bendición y herencia.

En los primeros versos citados se ve que el ritmo, siendo indiferente a la articulación lógica de la sintaxis, cobra valor por sí solo. Es decir, cada verso tiene unidad rítmica aunque no tenga sentido completo; el sentido se va desarrollando verso tras verso.

Compárense ahora los siguientes fragmentos de prosa y verso:

a) Una mañana de otoño salió solo de su casa, no iba como otras veces, entre sus finos galgos, terciada a la espalda la escopeta. No llevaba arreo de cazador ni pensaba en cazar. Largo camino anduvo bajo los álamos amarillos de la ribera, cruzó el encinar y, junto a una fuente que un olmo gigantesco sombreaba, detúvose fatigado. Enjugó el sudor de su frente, bebió algunos sorbos de agua y acostóse en la tierra.

Una mañana de otoño
salió solo de su casa;
no llevaba sus lebreles,
agudos canes de caza;
iba triste y pensativo
por la alameda dorada;
anduvo largo camino
y llegó a una fuente clara.

b) Y Alvargonzález soñó que una voz le hablaba, y veía como Jacob una escala de luz que iba del cielo a la tierra. Sería tal vez la franja de sol que filtraban las ramas del olmo (pág. 216).

Y Alvargonzález veía,
como Jacob, una escala
que iba de la tierra al cielo,
y oyó una voz que le hablaba.

c) Junto a la fuente dormía Alvargonzález, cuando el primer lucero brillaba en el azul, y una enorme luna teñida de púrpura se asomaba al campo ensombrecido. El agua que brotaba en la piedra parecía relatar una historia vieja y triste: la historia del crimen en el campo.

Sobre los campos desnudos,
la luna llena, manchada
de un arrebol purpurino,
enorme globo, asomaba.

Los hijos de Alvargonzález caminaban silenciosos, y vieron al padre dormido junto a la fuente. Las sombras que alargaban la tarde llegaron al durmiente antes

Los hijos de Alvargonzález
silenciosos caminaban,
y han visto al padre dormido
junto de la fuente clara.
Tiene el padre entre las cejas

que los asesinos. La frente de Alvargonzález tenía un tachón sombrío entre las cejas como la huella de una segur sobre el tronco
de un roble. Soñaba Alvargonzález que sus hijos venían a matar-
le, y al abrir los ojos vio que era
cierto lo que soñaba (pág. 217).

un ceño que le aborrasca
el rostro, un tachón sombrío
como la huella de un hacha.
Soñando está con sus hijos,
que sus hijos lo apuñalan;
y cuando despierta mira
que es cierto lo que soñaba.

Hemos ordenado «cronológicamente» los pasajes citados.
Refieren tres momentos sucesivos en el desarrollo del relato,
desde la salida de Alvargonzález hasta su muerte. A veces
prosa y verso coinciden perfectamente. Por el momento, sin
embargo, más bien nos interesa estudiar las pequeñas variantes que muestran ambas versiones. Lo que ante todo
llama la atención es el hecho de que en el romance se queda
Machado con una visión esencial, mientras que en el cuento
son más patentes los modos discursivos. En el verso la vigilancia intelectual del lector disminuye un poco, y en cambio
se acrecienta la simpatía emocional con la atmósfera poética que va creando el artista. Al colaborar con el poeta, el
lector puede inferir el paso de un momento lírico a otro. En
la prosa, en cambio, el escritor nos va llenando los blancos
al perseguir un desarrollo más lógico.

Cuando en el cuento describe Machado la salida de Alvargonzález (*a*), se deja llevar en el relato por una acumulación de detalles. Claramente se nos aparece el padre, sin
galgos y sin escopeta —cosa inaudita—, caminando por la
ribera hasta llegar a la fuente donde va a descansar. Todo
tiene perfil nítido y preciso: escenario, intenciones, actos
prácticos. En el poema, la técnica es distinta. Un proceso de
concentrar, de comprimir detalles en una frase mínima («no
llevaba sus lebreles», «por la alameda dorada»). Dos adjetivos («triste» y «pensativo») revelan el estado de ánimo de

Alvargonzález y dan realce al momento espiritual. Este tono de angustia penetra los versos e interesa más que la narración objetiva de su partida.

Los mismos procedimientos aclaratorios de la prosa caracterizan el siguiente paso narrativo (*b*). La escala de luz se explica como un rayo de sol visto a través de las ramas del árbol; esta aclaración no habría tenido función expresiva en el verso, cuyo propósito no es exponer hechos a base de conocimientos prácticos, sino crear imágenes líricas. Otro detalle: en el verso *oyó* una voz; en la prosa *soñó* que le hablaba una voz. Por último (*c*), tanto en la prosa como en el verso, la naturaleza misma crea todo un aire de misterio y de presagio. Como si no bastaran los augurios funestos insinuados en la luna teñida de púrpura, lo singular del cuento es que Machado ha agregado otro clarísimo anuncio del crimen brutal. Más adelante, en la prosa, las sombras de la tarde dibujan la huella simbólica del hacha en la cara de Alvargonzález; en el verso, puede el escritor desnudar el relato, despojándolo de todo lo que no sea propio del valor sugeridor de la lírica.

Así, mediante un análisis de ciertas variaciones en el romance y el cuento, es posible mostrar cómo se diferencian los modos de contar un mismo tema. He aquí otros pequeños cambios:

Mucha sangre de Caín tiene la gente labradora. La envidia armó pelea en el hogar de Alvargonzález. Casáronse los mayores, y el buen padre tuvo nueras que antes de darle nietos, le trajeron cizaña. Malas hembras y tan codiciosas para sus casas, que sólo pensaban en la herencia que les cabría a la muerte de Alvargonzá-	Mucha sangre de Caín tiene la gente labriega, y en el hogar campesino armó la envidia pelea. Casáronse los mayores; tuvo Alvargonzález nueras que le trajeron cizaña antes que nietos le dieran. La codicia de los campos ve tras la muerte la herencia;

lez, y por ansia de lo que espe-   no goza de lo que tiene
raban, no gozaban lo que tenían   por ansia de lo que espera.
(pág. 214).

Prosa y verso narran el mismo tema: el casamiento de los hijos mayores y la mala entraña de las nueras que, por envidia y codicia, desean la muerte de Alvargonzález. Pero, mientras en la prosa se describen concretamente y se explican las motivaciones del pensar criminal de las nueras, en el verso se enriquece la presentación de la misma situación con un procedimiento expresionista: se sugiere al lector una equiparación entre lo que se percibe con los sentidos —las nueras— y lo que no es sensible, sino pensado —la codicia—. Así las mujeres se convierten en una imagen de la codicia, y viceversa, y las dos cuartetas del romance forman parte de una unidad parecida a la de las alegorías.

Al comparar los textos copiados, se nota inmediatamente una sustitución de adjetivos: *labriega* en el verso por *labradora* en la prosa. El uso de *labriega* se ajusta a las exigencias de la medida octosilábica y de la rima asonante; en el cuento, en cambio, escogió Machado la palabra *labradora* porque probablemente su buen sentido de prosista quiso evitar que los dos miembros de la frase tuvieran ritmo octosilábico, o porque molestaba a su oído una asonancia en la prosa. Esta preocupación explica quizá otros leves cambios en frases posteriores.

Por último, encontramos otra clave para entender las intenciones del prosista y del poeta en estos dos ejemplos:

a) Ya tenía Alvargonzález la fren-   Alvargonzález ya tiene
te arrugada, y por la barba le   la adusta frente arrugada;
plateaba el bozo azul de la cara...   por la barba le platea
(pág. 216).   la sombra azul de la cara.

b) ...Era el más bello de los tres   De los tres Alvargonzález hermanos, porque al mayor le afeaba el rostro lo espeso de las cejas velludas, bajo la estrecha frente, y al segundo, los ojos pequeños, inquietos y cobardes, de hombre astuto y cruel (pág. 219).

era Miguel el más bello;
porque al mayor afeaba
el muy poblado entrecejo
bajo la frente mezquina,
y al segundo, los inquietos
ojos que mirar no saben
de frente, torvos y fieros.

En (*a*), la palabra *bozo*, de significación precisa, al pasar al verso se convierte en *sombra*, en una mancha impresionista, en un valor pictórico. La misma técnica parece motivar las variaciones en (*b*). La concreta alusión («lo espeso de las cejas velludas») de la prosa pierde su valor de precisión cuando se rehace en el verso («el muy poblado entrecejo»). Es decir, el prosista emplea en los dos fragmentos vocablos que dan realce a los detalles realistas; pero el poeta, fiel a la virtud idealizadora de la lírica, elige voces que por ser menos exactas dan más libertad a la fantasía. También en (*b*), al adjetivo *estrecha*, de significación física, se opone en el verso el adjetivo *mezquina*, de resonancia moral. En el romance, pues, el adjetivo contribuye a expresar una cualidad espiritual. El acento recae sobre su modo de ser, no sobre un atributo físico. Finalmente, conviene destacar una aparente libertad enumerativa en la prosa que no ha sido posible en la poesía por obedecer a las leyes interiores del verso.

Al estudiar comparativamente varias semejanzas y diferencias formales y estructurales en ambas versiones de «La tierra de Alvargonzález», no ha sido nuestra intención precisar las virtudes de cada obra. Ni tampoco hemos tenido en cuenta los préstamos mutuos entre verso y prosa, que siempre han existido en la historia literaria. Sólo nos hemos propuesto mostrar cómo dos relatos sobre un mismo tema, uno en verso y el otro en prosa, deben acatar en su estructura ciertas normas distintas. Es decir, la prosa tiene una tabla de valores y el verso tiene otra.

EL HOMBRE DEL PUEBLO

Para Juan de Mairena, ningún artista «en sus momentos realmente creadores pudo pensar más que en el hombre, en el hombre esencial que ve en sí mismo y que supone en el vecino» (*AM*, pág. 48) [7]. Ya hemos señalado cómo Antonio Machado veía una relación orgánica entre el pueblo y lo eternamente humano. Nada mejor que «La tierra de Alvargonzález» para descubrir hasta qué punto logra compenetrarse con ese hombre del pueblo. Íntimamente siente el poeta su alma colectiva. La recrea y la caracteriza con tal acierto, que efectivamente prosa y verso parecen a veces brotar del siempre vivo manantial de lo popular más que de la fantasía creadora de un artista refinado. Es inútil decir que su interés por el pueblo no es mero recurso retórico sobrepuesto desde fuera, sino una auténtica condición de su ser.

Por el momento, sólo pensamos apuntar algunas visiones esenciales del hombre del pueblo en las dos versiones. Revelando su predilección típica por lo epigramático en las páginas iniciales del cuento, Machado, mientras cabalga con el campesino, alude al saber popular: «Siempre que trato con hombres del campo, pienso en lo mucho que ellos saben y nosotros ignoramos, y en lo poco que a ellos importa conocer cuanto nosotros sabemos» (pág. 214). Sin embargo, dentro de la narración propiamente dicha, nada más lejos de la intención del poeta que la idealización del campesino. Es verdad que exalta la bondad de Alvargonzález (págs. 217-

---

[7] Hay sobre el mismo tema otro texto muy revelador, pero demasiado largo para ser citado: *AM*, *págs.* 52-53.

218), pero con más insistencia se refiere a la maldad propia de muchos labriegos. El mismo tópico de la malevolencia campesina asoma en otros poemas de *Campos de Castilla* (v. gr., «Por tierras de España»). Cuando el poeta nos presenta a los personajes de su leyenda, se está anticipando al crimen mismo. Ya hemos analizado los fragmentos en que Machado se refiere a la sangre de Caín. Larga y compleja tradición literaria tiene este tema bíblico. Movido por el afán de cantar lo eternamente humano, Machado adapta la leyenda a sus propios fines. Insiste mucho más en la envidia misma como principio de malas obras que en el acto físico del fratricidio. Ante todo, destaca la fuerza de esa pasión que nace en tenebrosos rincones del alma humana. Tan poderoso es el odio, que en la prosa se transmite a las mujeres: «Cada uno de los hermanos tuvo dos hijos que no pudieron lograrse, porque el odio había envenenado la leche de las madres» (pág. 218). Es verdad que dan muerte al hermano al final del relato en prosa [8], pero, como dijimos, el segundo crimen corresponde a los hábitos más explicativos del cuento.

Ya vista la clara filiación con la herencia de Caín, no pasan inadvertidas, sin embargo, las virtudes del padre y del hijo menor. En efecto, si Machado insiste en la bondad de Alvargonzález es para subrayar lo horroroso del crimen. Lo que sobresale, a pesar de unos momentos de remordimiento, es la bestialidad de los asesinos. Su avaricia y su odio parecen dominar en ambas obras. Aunque las fuerzas del bien y del mal se opongan, se destaca en la narración la vileza de los hermanos mayores.

---

[8] Nótese en la prosa el preludio del segundo crimen: «Los mayores volvieron a sentir en sus venas la sangre de Caín, y el recuerdo del crimen les azuzaba al crimen» (pág. 220).

No sólo para caracterizar mejor a los tres hermanos, sino también para aumentar la tensión lírico-dramática, Machado intercala en ambas versiones ciertos episodios fantásticos y misteriosos, que a su vez se convierten en símbolos poéticos. Por ejemplo, Miguel es el único capaz de prender fuego a la leña, y enciende una hoguera que alumbra toda la casa. Una aventura imaginativa, ausente en el poema, funciona de modo inverso para subrayar la maldición que persigue a los parricidas. Poco después de haber llevado el cadáver a la Laguna Negra, vuelven por el valle. Los lobos se espantan, el río toma por otro cauce, la fuente calla y los árboles y rocas huyen de los asesinos manchados con la sangre de su padre (pág. 218).

Uno de los aciertos del poeta ha sido infundir vida a los personajes de la leyenda; pero, más allá de la psicología individual de éstos, Machado penetra en el ser colectivo de la estepa castellana. Quiere llevar la sabiduría del pueblo a los versos del romance:

> Aunque la codicia tiene
> redil que encierre la oveja,
> trojes que guarden el trigo,
> bolsas para la moneda,
> y garras, no tiene manos
> que sepan labrar la tierra.

Su plena compenetración con las almas de la región se revela sobre todo en pequeños fragmentos sintéticos. En el verso:

> *a)* Naciéronle tres varones
> que en el campo son riqueza.
> *b)* ...que en otras tierras se dice
> bienestar y aquí opulencia.

En la prosa:

a) Nadie osó acusar del crimen a los hijos de Alvargonzález,
porque el hombre del campo teme al poderoso... (pág. 218);
b) ...y se recuerdan las fiestas de aquellos días, porque el pueblo no olvida nunca lo que brilla y truena (pág. 214).

Machado, pues, no refunde nada ajeno, sino que logra
identificarse plenamente con la esencia de un paisaje y sus
habitantes. No idealiza al hombre del campo. Lo pinta obje-
tivamente, tal como es el ser humano: una mezcla de virtudes y de vicios.

EL PAISAJE EN «LA TIERRA DE ALVARGONZÁLEZ»

Ningún tema más estudiado y comentado que el paisaje
en la poesía de Antonio Machado. Tras *Soledades, Galerías
y otros poemas*, donde su alma de poeta «se orienta hacia el
misterio» y se refugia en las galerías «sin fondo del recuerdo», deja por momentos su lírica intimista y reconcentrada
para exteriorizarse en *Campos de Castilla*, quizá no su mejor libro, pero sí el más popular. Luego, en *Nuevas canciones*
y en el *Cancionero apócrifo*, de mayor densidad metafísica,
se repliega sobre sí mismo, vuelve a ensimismarse para ser
el poeta meditabundo y solitario que se preocupa por los
temas esenciales y trascendentes. No es ocioso recordar que
Antonio Machado está siempre en pugna con la llamada
«poesía pura», puesto que «no hay poesía sin ideas, sin visiones de lo esencial» (*PC*, pág. 14)[9]; y en *Nuevas canciones*
dice que «canto y cuento es la poesía».

Castilla —sus tierras, sus pobladores, su pasado, su presente y su destino— es un solo tema de su obra, un tema

---

[9] Esa actitud frente a la «poesía pura» se desarrolla con más
extensión en las «Reflexiones sobre la lírica», *AM*, págs. 91-106.

que revela las raíces ideológicas que vinculan *Campos de
Castilla* a la generación del 98. Por lo que nos toca ahora,
son precisamente las evocaciones del paisaje lo que confiere
al romance su valor poético. Cabe advertir que en el poema
son más frecuentes las descripciones que en la prosa. En
medio del relato, se deja llevar el poeta por el camino lírico
y muestra cuán sensible es a la naturaleza en sus aspectos
más variados. El relato no se rompe por completo, porque
el lirismo del paisaje se amolda perfectamente al desenvolvimiento de la acción; sólo se interrumpe un instante. A
menudo la relación misma parece arrancar de un paisaje no
condicionado ya por la supuesta voz épica. Por ejemplo, ya
meditado su crimen, los hermanos caminan silenciosos:

> Sobre los campos desnudos,
> la luna llena, manchada
> de un arrebol purpurino,
> enorme globo, asomaba...

Más tarde, en otro momento de tensión, el poeta recurre a
la misma imagen de la luna manchada de púrpura: con valor simbólico vuelve a aparecer cuando la azada de Martín,
hundida en la tierra, se tiñe de sangre.

Es típico que Machado acierte a captar lo más esencial
del espíritu castellano visto a través de su paisaje. Y no sólo
caracteriza la esencia castellana, sino también metaforiza un
escenario real:

> La hermosa tierra de España
> adusta, fina y guerrera
> Castilla, de largos ríos,
> tiene un puñado de sierras
> entre Soria y Burgos como
> reductos de fortaleza,
> como yelmos crestonados,
> y Urbión es una cimera.

En «La casa», séptima parte de las diez que componen el poema, Machado se detiene primero a pormenorizar el solar de Alvargonzález, descripción que no figura en el cuento, y luego, tras la evocación del pasado feliz, aparecen características visiones de la naturaleza:

> En laderas y en alcores,
> en ribazos y cañadas,
> el verde nuevo y la hierba,
> aún del estío quemada,
> alternan; los serrijones
> pelados, las lomas calvas,
> se coronan de plomizas
> nubes apelotonadas...

Ese recrearse en el paisaje es el mismo que aparece, aun con términos idénticos, a lo largo de *Campos de Castilla*. Y en los admirables versos tantas veces citados, modelo de sencillez y concisión poéticas, todo se humaniza y se viste del temblor espiritual del poeta mismo: «¡tierras pobres, tierras tristes, / tan tristes que tienen alma!» Por último, leamos este trozo de indudable calidad lírica:

> Era un paraje de bosque
> y peñas aborrascadas;
> aquí bocas que bostezan
> o monstruos de fieras garras;
> allí una informe joroba,
> allá una grotesca panza,
> torvos hocicos de fieras
> y dentaduras melladas,
> rocas y rocas, y troncos
> y troncos, ramas y ramas.
> En el hondón del barranco
> la noche, el miedo y el agua.

Hemos llegado al momento culminante del relato: por la selva misteriosa y rumbo a la Laguna Negra caminan los asesinos. Al fundirse el paisaje exterior con la tensión íntima de los hermanos, Machado lo representa con rasgos expresionistas. Todo se ha animalizado. Se impone eficazmente una intencionada nota de escalofrío. Ya no es mera descripción, sino transfiguración de la naturaleza, acorde con el ambiente espiritual que se propone crear el poeta. La reiteración sonora realza el tono insistente que remata el escritor con acierto en los dos últimos versos.

También como prosista atiende Machado a la evocación lírica del paisaje. Fragmentos aislados comprueban que está trabajando con los mismos elementos («Frente al pueblo se extiende una calva serrezuela de rocas grises, surcadas de grietas rojizas», pág. 214) y, de cuando en cuando, salta el marco narrativo para recrearse en visiones sostenidas de la naturaleza. Veamos sólo uno de los párrafos iniciales del cuento:

> Tomamos la ancha carretera de Burgos, dejando a nuestra izquierda el camino de Osma, bordeado de chopos que el otoño comenzaba a dorar. Soria quedaba a nuestra espalda entre grises colinas y cerros pelados. Soria, mística y guerrera, guardaba antaño la puerta de Castilla, como una barbacana hacia los reinos moros que cruzó el Cid en su destierro. El Duero, en torno a Soria, forma una curva de ballesta. Nosotros llevábamos la dirección del venablo (pág. 213).

El lector notará en seguida cómo aquí la prosa se alimenta de ciertas imágenes que pertenecen a varias poesías incorporadas a *Campos de Castilla*. ¿Toma el poeta del prosista, o el prosista del poeta? Lo más probable es que en su cuento haya aprovechado poesías ya escritas y en manos de su editor Martínez Sierra. De estar publicadas en libro estas poesías, dudamos que se hubiera plagiado a sí mismo. Así, pues,

en el momento de componer el cuento todavía no veía
Campos de Castilla como obra acabada.

OTROS VALORES LÍRICOS DEL ROMANCE

En toda la lírica de Antonio Machado, apenas se deja ver
la fina elaboración artística que la ha informado. Poesía directa, lograda aparentemente sin esfuerzo. Sobrios y medi-
tados sus versos, viven por su intensidad emotiva. Ni sobran
ni faltan palabras. Escasos artificios expresivos. Todo depen-
de más bien de la hábil disposición de los vocablos, nada re-
buscados en sí mismos. Antonio Machado, fiel a su estética,
rehuye el preciosismo y las palabras raras para crear un lenguaje natural, cercano al habla corriente.

En «La tierra de Alvargonzález», feliz síntesis de lo popular y lo refinado, se confirma cómo los arduos mecanismos
logran cubrirse y hasta esfumarse. No nos engañemos, sin
embargo, por la aparente ausencia de un estilo trabajado.
Ése es el gran triunfo del poeta. Es verdad que su poema,
vaciado en el molde popular del romance y sumamente parco en metáforas[10], no deslumbra como la exquisita orfebrería de otros poetas de aquellos años. Otro ha sido su propósito, y nos lo dice claramente en las famosas palabras incorporadas en 1917 a la segunda edición de *Soledades* (*PC*,
págs. 10-11).

Por sumergido que esté Machado en las corrientes populares, ciertos versos delatan necesariamente su profunda conciencia del arte poético. Aventuramos unos cuantos ejemplos
que pertenecen, a nuestro modo de ver, al arsenal expresivo

_____

[10] En unas páginas publicadas después de su muerte, alude Machado a las metáforas y su papel en la creación artística: «Notas sobre
la poesía, 1912-1924», *CuH*, 1951, núm. 19, págs. 20-21.

del artista culto y no a esa modalidad popular que, según propia confesión, ha tratado de resucitar en su «historia animada».

a) no llevaba sus lebreles,
   agudos canes de caza...
b) y en los nidos, que coronan
   las torres de las iglesias,
   asoman los garabatos
   ganchudos de las cigüeñas...
c) agua pura y silenciosa
   que copia cosas eternas;
   agua impasible que guarda
   en su seno las estrellas...

A lo largo del romance, el poeta aprovecha con singular acierto las posibilidades del estribillo. Mediante ese recurso, sencillo en sí mismo, se acrecienta notablemente el efecto dramático-lírico. Bajo condiciones misteriosas, tres veces se oye con insistencia:

La tierra de Alvargonzález
se colmará de riqueza,
y el que la tierra ha labrado
no duerme bajo la tierra.

Han sobrevenido los años de miseria. Ahora es el pueblo quien narra el horroroso crimen, y su voz colectiva proclama que el padre yace en el fondo de la laguna. Sigue difundiéndose la copla en boca del pueblo, yendo de aldea en aldea, en la siguiente forma:

¡Oh casa de Alvargonzález,
qué malos días te esperan;
casa de los asesinos,
que nadie llame a tu puerta!

Y finalmente, cuando en vano los hermanos procuran cultivar las tierras, el vaticinio se combina con una típica sentencia popular:

> Cuando el asesino labre
> será su labor pesada;
> antes que un surco en la tierra
> tendrá una arruga en su cara.

Así Machado, conforme a su enunciado propósito, logra compenetrarse con el alma popular y al mismo tiempo aumentar
la eficacia dramática de su obra en verso.

LO POÉTICO DE LA PROSA

Hemos visto cómo, en la estructura del romance y del
relato en prosa, Machado parece haber permanecido fiel a
las normas de cada una de estas formas. También hemos
señalado algunos de los aciertos líricos del romance. Ahora
quisiéramos considerar los valores artísticos del cuento. Sin
duda que esta prosa, como cualquier otra, está comprometida con el lado social del lenguaje, con la estructura conceptual de nuestro pensamiento, con la marcha de la acción.
Pero, dentro de ese marco lógico-práctico, la prosa de Machado tiende hacia la poesía y, ciertamente, alcanza tensión
lírica. En realidad, la prosa poética tiene sólo la forma exterior de la prosa, pero la forma interior de la poesía. Nos
proponemos estudiar ciertos modos expresivos del cuento
que revelan esa orientación hacia el lirismo.

Bien se sabe que la prosa y la poesía no son géneros irre-
conciliables. En el cuento de Machado, el desenvolvimiento
de la acción triunfa sin duda sobre el puro recreo en las imágenes líricas. No obstante, el autor logra mantener un aire

poético dentro de la trama narrativa. En gran parte, esa atmósfera lírica irradia de su sensibilidad para lo sobrenatural y lo fantástico. Ya nos hemos referido a algunos episodios imaginativos que aumentan la tensión lírico-dramática del cuento. El clima mismo del desenlace participa de esos ambientes sobrenaturales: anticipando la misteriosa expiación final, los surcos desaparecen y la tierra mana sangre mientras labran los asesinos las tierras malditas. Al crear estas notas misteriosas, Machado se desinteresa de la realidad física tal como es para inventar otra nueva, mucho más sugestiva, vibrante de puro lirismo.

No sólo esas atmósferas poéticas, sino también los usos estéticos del lenguaje confirman la dirección hacia lo lírico. Los ritmos mismos contribuyen al valor poético. Los ajusta el escritor según una perspectiva individual, y así da realce a la representación de ciertos momentos intensos. Unas muestras de ritmos breves y entrecortados revelan cómo, al amoldar la estructura rítmica de la frase a la acción, se aumenta el empuje poético de la prosa haciendo coincidir el movimiento melódico con la intensidad del relato (pág. 218):

> Los hijos de Alvargonzález tornaban por el valle, entre los pinos gigantescos y las hayas decrépitas. No oían el agua que sonaba en el fondo del barranco. Dos lobos asomaron, al verles pasar. Los lobos huyeron espantados. Fueron a cruzar el río, y el río tomó por otro cauce, y en seco lo pasaron. Caminaban por el bosque para tornar a su aldea con la noche cerrada, y los pinos, las rocas y los helechos por todas partes les dejaban vereda como si huyesen de los asesinos. Pasaron otra vez junto a la fuente, y la fuente, que contaba su vieja historia, calló mientras pasaban, y aguardó·a que se alejasen para seguir contándola.

Si Machado se apoya en ritmos de ese tipo para describir momentos tensos en el relato y crear así una especie de expectación en el ánimo del lector, otros más lentos coinciden, de modo inverso, con los movimientos distensivos en la marcha de la acción. El período melódico avanza en ondulaciones más pausadas. En el párrafo que ahora copiamos, un equilibrio en las frases y las estructuras correlativas matizan el relato con cierta regularidad estrófica (pág. 220):

> Miguel trabajaba de sol a sol. Removió la tierra con el arado, limpióla de malas hierbas, sembró trigo y centeno, y mientras los campos de sus hermanos parecían desmedrados y secos, los suyos se colmaron de rubias y macizas espigas. Sus hermanos le miraban con odio y con envidia. Miguel les ofreció el oro que le quedaba a cambio de las tierras malditas.

También las intenciones y energías expresivas de un autor pueden estudiarse en su sintaxis. Todo desvío del orden normal es significativo porque, de este modo, el escritor pone de relieve ciertas frases y palabras. En el cuento el orden sintáctico no sorprende, pero merecen señalarse algunas maneras de subrayar elementos oracionales y de crear una sintaxis de más valor afectivo que lógico: «Tres hijos tuvo...» (pág. 214); «Mucho lloró la madre...» (pág. 214); «Fortuna traía Miguel de las Américas...» (pág. 219); «y el cuchillo... hendido había el más noble corazón de aquella tierra» (páginas 217-218); «campos malditos hoy; los mejores, antaño, de esta comarca» (pág. 214), etc.

Como en su romance, Machado se sirve del sencillo recurso, tan viejo como la poesía misma, de la reiteración sonora para lograr en la prosa ciertos efectos líricos, pero más nos interesa advertir cómo en una ocasión dramática la prosa aprovecha valores fonéticos implícitos en las palabras mismas para intensificar la visión poética: «y cuando en los huecos de las rocas el eco repetía...» (pág. 220). Más se destacan, sin embargo, ciertas reiteraciones que insinúan al oído el juego de un ritornelo y que acusan la intención de hacer valer tales frases como estribillos poéticos. Buen ejemplo de tal recurso es el tema del hacha que reaparece con variaciones simbólicas (págs. 216-217).

El procedimiento más cultivado en la prosa poética para desrealizar la realidad utilitaria e intelectual de todos los días, es, desde luego, el empleo de imágenes líricas. Siempre fiel a su propia estética, tanto en el verso como en la prosa, Machado no necesita apoyarse en una orgía de metáforas brillantes, trabajadas según el juego exquisito de todos los sentidos, para conseguir efectos poéticos. Nada de lujos extravagantes y ornamentales. A veces, sin embargo, se superpone al marco narrativo una imagen vibrante de lirismo. Sobre una de estas visiones subjetivas e idealistas queremos llamar la atención ahora. Alvargonzález se recrea en los momentos felices de su juventud (pág. 216):

> ...De las ramas de la huerta y de la yerba del prado se elevaba una armonía de oro y cristal, como si las estrellas cantasen en la tierra antes de aparecer dispersas en el cielo silencioso. Caía la tarde y sobre el pinar obscuro, aparecía, dorada y jadeante, la luna llena, la hermosa luna del amor, sobre el campo tranquilo.
>
> Como si las hadas que hilan y tejen los sueños, hubiesen puesto en sus ruecas un mechón de negra lana, ensombrecióse el soñar de Alvargonzález, y una puerta dorada abrióse lastimando el corazón del durmiente.

La narración se remansa. El escritor, al echar mano de procedimientos imaginativos, evoca líricamente dos instantes en el sueño de Alvargonzález. La naturaleza crepuscular, tranquila y apacible, dominada por la luna simbólica del amor, refleja un estado de ánimo. Se opone —como previéndola— a la tristeza profetizada en los últimos renglones. Machado se apoya, primero, en imágenes traídas al mundo natural: funde lo sonoro con lo óptico («una armonía de oro y cristal»); las estrellas se humanizan y hasta cantan en la tierra antes de ocupar su sitio en el cielo silencioso; audazmente calificada de *jadeante*, asoma la luna tras el pinar oscuro. La angustia posterior del padre se anuncia en una serie de imágenes líricas. Desde luego, la poesía no está ligada a una forma única. Es un modo de asomarse a las cosas, y puede darse lo mismo en el verso que en la prosa. En el lenguaje, en la rápida sucesión de momentos dramáticos y en los ambientes sobrenaturales, Antonio Machado logra sostener un tono poético a lo largo de su cuento. Realidad y fantasía se funden en un fondo popular dignificado por un maestro del oficio. Es un cuento de poeta.

RESUMEN

El significado del poema, claro está, rebasa el sencillo relato de una tragedia campesina. Si bien Machado reafirma la tradición narrativa del romance, no vacilamos en decir que sus mejores versos corresponden más bien al temblor lírico y dramático que continuamente se hace sentir. Que el poeta haya dignificado la relación de un asunto vulgar [11], cantado, según la prosa, en tierras de Berlanga por los ciegos, y que haya realzado el vitalismo del pueblo español, nadie lo niega. Sin embargo, no se detiene aquí Machado. En su afán de expresar lo genérico, de acercarse a lo elemental humano, todo se carga de contenido simbólico. Así, la Laguna Negra llega a convertirse en punto central de toda la leyen-

---

[11] Cfr., sobre este tema, R. Gullón, «Lenguaje, humanismo y tiempo en Antonio Machado», *CuH*, 1949, núms. 11-12, págs. 575-576.

da. Crimen y castigo. Génesis y culminación. Y es revelador que en la prosa subraye con toda claridad ese papel simbólico: «La maldad de los hombres es como la Laguna Negra, que no tiene fondo» (pág. 218).

Machado, a nuestro modo de ver, se propuso crear, con ecos de la leyenda de Caín, y apoyándose en un caso infame de asesinato, un símbolo universal de la eterna maldad humana. Mejor dicho, de la capacidad de vileza presente en todo hombre. Un crimen del campo, motivado por la codicia y la envidia, parece superar sus meras circunstancias físicas para elevarse y proyectarse en un plano infinitamente más alto. El escenario real de Castilla tiende a desvanecerse y en su lugar se nos presenta como tema primordial el drama espiritual del hombre, juguete de las fuerzas del bien y del mal. No es ocioso recordar que el poeta mismo creía por esos años «que la misión del poeta era inventar nuevos poemas de lo eterno humano» (*PC*, págs. 10-11).

Ahora bien, ¿cumplió Machado en el poema con ese alto propósito? ¿Consideraba fracasada su obra? El poeta, siempre muy exigente consigo mismo, no parece haber quedado del todo satisfecho con su intento de contar en romance una historia de lo eterno humano. Por lo menos, no volvió a ensayar nada semejante, aunque con frecuencia todavía se hallan ineludibles huellas de lo popular en sus versos posteriores. Tampoco abandonó el molde del romance, pero lo utilizó después con distintos fines poéticos.

Su libro *Campos de Castilla*, a que pertenece el romance de Alvargonzález, marca el apogeo de la exteriorización de Machado. Como suele notar la crítica, el poeta sale de los paisajes intimistas de *Soledades* para asomarse a los más realistas, más objetivos de Castilla. En «La tierra de Alvargonzález» se confirma más que en ningún otro lugar su propio juicio de que la poesía es canto y cuento. Después, como ya hemos dicho, se cierra y se repliega sobre sí mismo. De nuevo ensimismado, cultiva en su última etapa una poesía no menos lírica pero más filosófica. Es decir, si se le agota un poco la vena del puro lirismo, profundiza más en los magnos problemas metafísicos que siempre le habían preocupado. Por lo demás, una acumulación cronológica de textos, algunos ya citados en el cuerpo de este trabajo, revelaría que el poeta sigue siempre consciente de la aparente antítesis entre poesía lírica y épica, poesía culta y popular, poesía subjetiva y objetiva [12]. En 1919, refiriéndose o *Soledades* y a la ideología subjetivista de aquellos años, Antonio Machado afirma su amor a «la edad que se avecina y a los poetas que han de surgir, cuando una tarea común apasione las almas» (*PC*, pág. 12). ¿Hasta qué punto será lícito creer que con «La tierra de Alvargonzález» intentó una primera muestra de poesía inspirada en esta tarea común?

En gran parte, lo que hemos dicho con respecto a su poema puede aplicarse también a la prosa. Dignificación lírica de un tema popular. Trascendencia simbólica que rebasa los límites físicos de la meseta castellana. Y Antonio Machado, cuya voz más auténtica se revela en el verso, sabe contar. Las dos composiciones son de igual mérito literario; están bien encuadradas dentro de las normas de verso y prosa; y, por último, representan dos modos de dar forma estética a un mismo tema [13].

(1955).

---

[12] Sobre este particular es de indispensable consulta el sugestivo trabajo de Eugenio de Nora, «Machado ante el futuro de la poesía lírica», *CuH*, 1949, núm. 11-12, págs. 591-592.

[13] En una nota final quisiera dar una mínima bibliografía que recoge algunos comentarios sobre el romance de Antonio Machado que han sido publicados después de la redacción del presente trabajo: Carlos Beceiro, «'La tierra de Alvargonzález': un poema prosificado», *Clavileño*, VII, núm. 41, 1956, págs. 36-46; Bernardo Gicovate, «Refle-

xiones en torno a 'La tierra de Alvargonzález'», *Hispanófila*, IV, número 11, enero de 1961, págs. 47-51; Alice Jane McVan, *Antonio Machado*, Nueva York, 1959, págs. 36-42; Antonio Sánchez Barbudo, *Los poemas de Antonio Machado*, Barcelona, 1967, págs. 208-232, y Pierre Darmangeat, *Antonio Machado, Pedro Salinas, Jorge Guillén*, Madrid, 1969, libro en el cual se reproduce su artículo de 1955 «A propósito de 'La tierra de Alvargonzález'» (págs. 79-108).

SOBRE LA POÉTICA DE GARCÍA LORCA

En la bibliografía crítica sobre Federico García Lorca, cuyas proporciones verdaderamente asombran hoy día, no conocemos ningún estudio que examine detenidamente las teorías poéticas del escritor. Los varios críticos que en sus libros se han ocupado incidentalmente de la poética de Lorca lo han hecho casi exclusivamente a base de dos textos fundamentales: la célebre conferencia sobre la imagen poética en Góngora (1927)[1] y la nota «de viva voz» incluida por Gerardo Diego en su antología de la poesía contemporánea (1932)[2]. Sin prescindir nosotros de esos materiales, que con-

---

[1] Últimamente Marie Laffranque [«Federico García Lorca. Textes en prose tirés de l'oubli», *Bulletin Hispanique*, LV, núms. 3, 4, 1953, págs. 296-348] hace remontar la fecha de esta conferencia a 1926, cuando la leyó en el Ateneo de Granada. Aparece impresa, según ella, en *El defensor de Granada*, 13 y 14 de febrero de aquel año, pág. 332, nota 3. Esta investigadora nos ha rendido un gran servicio al exhumar ciertos textos olvidados del poeta, algunos esenciales para la estética de Lorca, y citaremos frecuentemente según su recopilación.

[2] En su lujoso y muy divulgado libro sobre Lorca [*Federico García Lorca*, Buenos Aires, Editorial Kraft Ltda., 1948], Guillermo Díaz-Plaja ha estudiado someramente el tema en su apartado «Concepto de la poesía», págs. 15-18. Agrega a los textos mencionados la entrevista con E. Giménez Caballero (1928). Fue publicada con el título de «Itinerarios jóvenes de España: Federico García Lorca», en *La Gaceta Literaria*, II, núm. 48, 15 de diciembre de 1928, pág. 6. Con respecto a ese documento conviene rectificar la ficha bibliográfica, puesto que

ceptuamos básicos para su estética, nos proponemos aquí ampliar un poco lo concerniente a sus ideas sobre la poesía y el arte.

Hablar de una poética reconstruida de las confesiones de un poeta sobre su propia obra es una tesis sumamente aventurada. Como lo ha advertido Dámaso Alonso con su acostumbrada penetración, no es lícito pedir rigor y precisión al poeta cuando habla de su propia poesía[3]. Éste es, ante todo, un artista creador y no un filósofo del arte. Ha habido, desde luego, en la historia literaria casos excepcionales de creadores que, con vocación filosófica, han formulado teorías lúcidas y rigurosas sobre el arte. García Lorca, siempre ajeno a las abstracciones y a la pura reflexión teórica, no es uno de ellos. ¡Qué distancia lo separa de Paul Valéry, quien dictó sus conferencias sistemáticas sobre el proceso creador en el Collège de France desde 1937 hasta 1945!

El tema que abordamos es delicado y se presta a toda clase de vaguedades, por no decir interpretaciones erróneas. De manera especial tratándose de García Lorca. Recordemos sus palabras:

> Comprenderás que un poeta no puede decir nada de la Poesía. Eso déjaselo a los críticos y profesores. Pero ni tú ni yo ni ningún poeta sabemos lo que es la Poesía... En mis con-

---

no llegó a publicarse en junio como aparece en todas las bibliografías del poeta, inclusive la más reciente en la edición de las *Obras completas* (Madrid, Aguilar, 1954), sino en diciembre.

Lo que desconcierta en el libro de Díaz-Plaja es que se ha equivocado inexplicablemente en las fechas de los otros textos citados. Las fechas en sí mismas nada importan, pero lo más serio es que Díaz-Plaja, a base de ellas, señala una evolución en sus ideas sobre la poesía.

[3] Dámaso Alonso, «Poesías olvidadas de Antonio Machado», *Poetas españoles contemporáneos*, Madrid, Gredos, 1952, pág. 117.

ferencias he hablado a veces de la Poesía, pero de lo único
que no puedo hablar es de mi poesía[4].

Si bien el poeta no era nunca epígono de ninguna escueia
literaria, todo lo asimilaba de una manera prodigiosa[5]. Y,
por lo demás, repetidamente se ha pronunciado contra las
doctrinas rígidas y sectarias que petrifican el arte. En 1929
su posición es bien clara:

> Este es mi punto de vista actual sobre la poesía que culti-
> vo. Actual, porque es de hoy. No sé mañana lo que pensaré.
> Como poeta auténtico que soy y seré hasta mi muerte, no cesa-
> ré de darme golpes con las disciplinas en espera del chorro de
> sangre verde o amarillo que necesariamente y por fe habrá
> mi cuerpo de manar algún día. Todo menos quedarme quieto
> en la ventana mirando el mismo paisaje. La luz del poeta es la
> contradicción... (I, pág. 338).

---

[4] FGL, «Poética (De viva voz a G. D.)», *Poesía española. Antología,
1915-1931*, Madrid, Editorial Signo, 1932, pág. 298. Utilizaremos las siguientes abreviaturas para los textos lorquianos más citados: P:
«Poética (De viva voz a G. D.)»; G: «La imagen poética en don Luis
de Góngora», *Obras completas*, VII, Buenos Aires, Losada, 1942, páginas 85-115; D: «Teoría y juego del duende», *ibid.*, págs. 141-156; e
I: «Imaginación, inspiración, evasión» Marie Laffranque, *art. cit.*, páginas 332-338.

[5] Aunque Lorca no militó en los partidos poéticos, es indudable que
respiró la atmósfera ultraísta en los años de la Residencia [Guillermo
de Torre, «Federico García Lorca», *Tríptico del sacrificio*, Buenos
Aires, Editorial Losada, 1948, pág. 59]. Ese tema ha sido muy debati-
do por la crítica más responsable, pero quizá sea de interés el siguiente fragmento del «Homenaje a Soto de Rojas», *El defensor de
Granada*, 30 de octubre de 1926: «...Gerardo Diego, a pesar de ser
discípulo de Huidobro, es el verdadero pontífice del 'creacionismo', escuela poética que podrá ser muy discutida, pero que todos han de
reconocer en ella uno de los más formidables esfuerzos para constituir la lírica sobre una sustancia puramente estética». Marie Laffranque, *art. cit.*, pág. 332.

Tres años más tarde repite las mismas ideas en su declaración verbal a Gerardo Diego para insistir otra vez en la fluidez creadora de su propio arte [6].

Hechas estas salvedades, pueden extraerse de su prosa, sin embargo, ciertas ideas esenciales, a veces fragmentarias, que en su conjunto forman un cuerpo de doctrina estética que influyó en sus modos de creación. Desentrañarlas es nuestro propósito. Necesariamente nuestra reconstrucción de la poética lorquiana abarca tres zonas amplias y no claramente deslindadas: una filosofía general del arte, una teoría poética recortada en ella, y, por último, la operación efectiva de crear un poema. Por ser poeta y no pensador, poco le interesaba delimitar con rigor tales preceptos y no esperemos, por lo tanto, una estética bien articulada y sistemáticamente expuesta. Pero lo que sí hay es una consciente posición frente al arte y su oficio de poeta. No postulaba, ni definía. Se acercaba a la teoría desde la creación misma, desde su propia experiencia de poeta lírico.

---

[6] Cuando publicó de nuevo su conferencia sobre Góngora [*Cursos y conferencias*, X, noviembre de 1936, págs. 785-813] advirtió en una nota que el texto «no respondía ya exactamente a su criterio actual sobre las cuestiones gongorinas» [Guillermo de Torre, *Obras completas*, VII, pág. 229].

Por otra parte, García Lorca solía quejarse del mito de su gitanería [Véase la ya citada conversación con Giménez Caballero y la entrevista con Gil Benumeya «Estampa de García Lorca», *La Gaceta Literaria*, V, núm. 98, 15 de enero, 1931, pág. 7], y dentro del caso quisiéramos transcribir un fragmento de una carta a Jorge Guillén: «...Me va molestando un poco *mi mito* de gitanería. Confunden mi vida y mi carácter. No quiero de ninguna manera. Los gitanos son un tema. Y nada más. Yo podía ser lo mismo poeta de agujas de coser o de paisajes hidráulicos. Además el gitanismo me da un tono de incultura, de falta de educación y de *poeta salvaje* que tú sabes bien no soy. No quiero que me encasillen. Siento que me van echando cadenas. NO (como diría Ors)». «Cartas a Jorge Guillén di F. G. L.». *Inventario* (Milán), III, núm. 1, primavera 1950, pág. 53.

Cuando los amigos del poeta exaltan la captación personal y la gracia de Lorca, siempre destacan al mismo tiempo su completa naturalidad y espontaneidad. Pero todo el mundo está de acuerdo en una cosa: como cualquier gran poeta lírico, García Lorca era un artista muy consciente de lo que hacía[7]. Reconocido su innegable instinto poético, en lo que discrepan los críticos es en el grado de elaboración artística que informaba sus versos. García Lorca se exige a sí mismo y exige a la poesía. Una aguda sensibilidad crítica vigila siempre su creación. Es un inspirado, sí, una encarnación viva de la más auténtica poesía, pero la suya es una inspiración selectiva y discriminadora, refrenada por un profundo conocimiento del arte y la naturaleza del poema. A su casi mágica capacidad creadora opone un constante examen de conciencia. Resolver esa dualidad en su modo de ser constituye, para nosotros, el fondo dramático de su poética.

Los teóricos de la literatura suelen oponer al concepto mágico de la poesía y al furor divino que inspira al poeta (Platón) la explicación más bien racionalista del fenómeno poético (Aristóteles). Si bien los románticos, por lo menos teóricamente, pretenden volver a las raíces platónicas, pueden citarse muchos testimonios (Wordsworth y Shelley entre los ingleses, por ejemplo) que prueban cómo los románticos mismos anticipaban otro concepto más contemporáneo de la poesía (Poe, Valéry). Ya no canta el poeta por un impulso divino, «fuera de sí», sino en virtud del arte y del esfuerzo,

---

[7] García Lorca, siempre preocupado por la perduración de su obra, se refiere a la espontaneidad diciendo: «...Se dio cuenta [Góngora] de la fugacidad del sentimiento humano y de lo débiles que son las expresiones espontáneas que sólo conmueven en algunos momentos, y quiso que la belleza de su obra radicara en la metáfora limpia de realidades que mueren, metáfora construida con espíritu escultórico y situada en un ambiente extra-atmosférico» (G, pág. 92).

negando tácitamente el frenesí y arrebato del momento inspirado. En algunas páginas luminosas de sus *Cartas literarias a una mujer*, documento indispensable para la historia
de las ideas estéticas en España, Bécquer hace ya esa dis-
tinción fundamental entre el *poeta vates* y *poeta faber*. Quizá por conocer sus magníficas dotes naturales, García Lorca
estaba constantemente preocupado por el papel de la inspiración en la creación artística. Hasta tal punto que viene a
ser eje central en sus reflexiones en torno al arte. Nadie le
niega a Lorca una genuina inspiración poética. Tampoco la
niega él como un componente esencial en todo acto creador.

Para Lorca son tres las etapas que recorre toda clase
de arte: imaginación, inspiración y evasión. Así titula su
conferencia leída primero en el Ateneo de Granada (1928) y
luego, apenas modificado el texto original, en el Liceo de Madrid a principios del año siguiente[8]. La imaginación, cuyo
papel estudiaremos más abajo, constituye —dice Lorca—
un primer eslabón en la creación. Es un acto de descubrimiento. Pero no puede desprenderse de la realidad; opera
sobre hechos reales y se pliega a la lógica humana. La inspiración, en cambio, no reconoce límites de ninguna clase.
Fuera de la lógica, goza de completa autonomía. Continúa
el poeta matizando esos preceptos y transcribimos sus palabras:

> Pero el poeta que quiere librarse del campo imaginativo, no
> vivir exclusivamente de la imagen que producen los objetos rea-
> les, deja de soñar y deja de querer. Ya no quiere, ama. Pasa de
> la 'imaginación' que es un hecho del alma, a la 'inspiración' que
> es un estado de alma. Pasa del análisis a la fe. Aquí ya las

---

[8] Esos datos los tomamos del trabajo de Marie Laffranque. Su
conferencia fue publicada en *El defensor de Granada*, el 12 de octubre de 1928, y un poco más tarde, el 18 de febrero de 1929, en *El Sol*
de Madrid. La última fecha figura en las bibliografías corrientes.

cosas son porque sí, sin efecto ni causa explicable... Ya no hay términos ni límites, admirable libertad.

Así como la imaginación poética tiene una lógica humana, la inspiración poética tiene una lógica poética. Ya no sirve la técnica adquirida, no hay ningún postulado estético sobre el que operar; y así como la imaginación es un descubrimiento, la inspiración es un don, un inefable regalo. (I, págs. 335-336).

No bastan nunca, claro está, los artificios para producir verdaderas emociones poéticas[9]. En cambio, para acertar el poeta necesita un instante milagroso, de pureza y hasta de ingenuidad. Ese momento de inspiración y de luz trasciende todo cálculo lógico. Nos permitimos copiar otra vez las palabras textuales de esta conferencia tan poco conocida:

...un estado de fe en medio de la humildad más absoluta. Se necesita una fe rotunda en la poesía; se necesita un estado de virtud material y espiritual de cierta perfección y se necesita saber rechazar con vehemencia toda tentación de ser comprometido. La inspiración ataca de plano muchas veces a la inteligencia y al orden natural de las cosas. Hay que mirar con ojos de niño y pedir la luna. Hay que pedir la luna y creer que nos la pueden poner en las manos.

La imaginación ataca el tema furiosamente por todas partes y la inspiración lo recibe de pronto y lo envuelve en luz súbita y palpitante, como esas grandes flores carnívoras que encierran a la abeja trémula de miedo y la disuelven en el agrio jugo que sudan sus pétalos inmisericordes.

La imaginación es inteligente, ordenada, llena de equilibrio. La inspiración es incongruente en ocasiones, no conoce al hom-

---

[9] En la misma conferencia dice Lorca: «...Es difícil que un poeta imaginativo puro (llamémosle así) produzca emociones intensas con su poesía. Emociones poéticas desde luego no puede producir con la técnica del verso esa típica emoción musical de los románticos, desligada casi siempre del sentido espiritual y hondo del poeta puro. Una emoción poética, virgen, incontrolada, libre de paredes, poesía redonda, con sus leyes recién creadas para ella, desde luego que no» (I, página 334).

bre y pone muchas veces un gusano lívido en los ojos claros
de nuestra musa. Porque quiere. Sin que lo podamos comprender. La imaginación lleva y da un ambiente poético y la inspiración inventa el hecho poético. (I, pág. 337) [10].

Sin duda se habrá observado que esos conceptos definen
al famoso duende lorquiano. Esta conferencia (1933), como
la anterior, tiene división tripartita: duende, ángel y musa.
Los tres también referidos a elementos en la creación. El
duende, pues, es esta auténtica inspiración sin la cual no hay
verdadera obra de arte. No está sometido a la realidad, ni
a la inteligencia, ni al orden lógico de las cosas [11]. No puede
buscarse, no se repite; no se consigue mediante la técnica [12].
Viene desde dentro y no de fuera como musa y ángel; es un
misterio indescifrable que tiene su punto de origen en la sangre misma; y constituye la sustancia vital de la obra. Hacia
finales del texto simboliza el poeta el drama creador con una
alegoría del toro y del torero. La copiamos:

> El toro tiene su órbita, el torero la suya, y entre órbita y
> órbita un punto de peligro donde está el vértice del terrible
> juego.
> Se puede tener musa con la muleta y ángel con las bande-
> rillas, y pasar por buen torero, pero en la faena de capa, con
> el toro limpio todavía de heridas, y en el momento de matar,

---

[10] Citamos según la reseña de su discurso en *El Sol*, que sigue muy
de cerca por lo visto el texto mismo de Lorca.

[11] Cuando llega el duende, se nota en seguida un estrecho paralelismo con su definición poética del estado inspirado antes citado:
«...presupone siempre un cambio radical en todas las formas sobre
planos viejos, de sensaciones de frescura totalmente inéditas, con una
calidad de rosa recién creada, de milagro, que llega a producir un
entusiasmo casi religioso» (D, págs. 146-147).

[12] Según afirma Lorca: «...es un poder y no un obrar, es un luchar
y no un pensar... no es cuestión de facultad, sino de verdadero estilo
vivo: es decir, de sangre; es decir, de viejísima cultura, de creación
en acto» (*ibid.*, pág. 142).

se necesita la ayuda del duende para dar en el clavo de la verdad artística (D, págs. 153-154).

En la entrevista telefónica con Giménez Caballero (1928), cuando éste le pregunta sobre su posición teórica, Lorca responde así: «Trabajar puramente. Vuelta a la inspiración. Inspiración, puro instinto, razón única del poeta. La poesía lógica me es insoportable. Ya está bien la lección de Góngora. Apasionado instintivista, por ahora»[13]. Para Díaz-Plaja, al interpretar ese texto, García Lorca no rehuye tanto la lógica como «el mundo mecánico del ultraísmo». «Instinto», por lo demás, equivale a «corazón», lo cual significa una intencionada vuelta a la poesía humana frente al arte deshumanizado[14]. Sin ánimo de desvirtuar la interpretación de Díaz-Plaja, puede que se encuentre en la conferencia sobre Góngora una llave que nos permita explicar más satisfactoriamente las palabras finales del fragmento citado. Aunque Lorca afirma que a Góngora «hay que perseguirlo razonablemente» (G, pág. 91), exalta entre otras facultades la «mecánica imaginativa» (G, pág. 94) del poeta, su nuevo método de plasmar metáforas (G, pág. 91) y el papel de los sentidos en las imágenes poéticas (G, págs. 92-94). Estos le obedecen «como cinco esclavos» y no le engañan (G, pág. 101). ¿Hasta qué punto —nos preguntamos— sería ingenuo creer que por «instinto» debe entenderse «sensaciones»? Desde luego, al organizar definitivamente el poema, sensaciones transformadas en valores estéticos.

El poeta, aunque necesariamente tiene que acoger ese inefable poder mágico, sea duende o inspiración, no debe rendirse totalmente a su embriaguez. La poesía, como el arte de torear, necesita también de una técnica para convertirse

---

[13] Giménez Caballero, *art. cit.*, pág. 6.
[14] Guillermo Díaz-Plaja, *ob. cit.*, pág. 17.

en un valor estético. La muy citada conferencia sobre la imagen en Góngora nos da la pauta para resolver un aparente conflicto. Afirma Lorca que la inspiración es un estado de recogimiento, de reposo y serenidad, no de dinamismo creador. Los momentos de fiebre no son los más propicios para la creación. Y, por lo demás,

> ...se vuelve de la inspiración como se vuelve de un país extranjero. El poema es la narración del viaje. La inspiración da la imagen, pero no el vestido. Y para vestirla, hay que observar ecuánimemente y sin apasionamiento peligroso la calidad y sonoridad de la palabra. (G, pág. 103).

La alegoría de la «cacería nocturna», referida a la operación de crear un poema, advierte los peligros y trampas que acechan al poeta que tiene que salir del bosque. No debe entregarse al entusiasmo momentáneo sino obrar con cautela ante las incitaciones de bellezas falsas, rechazando los espejismos e invenciones fáciles que le rodean en el momento de vestir sus versos [15].

Después de tan largo recorrido de citas textuales, siempre envueltas en un aire poético, estamos ahora en mejores condiciones para entender plenamente la famosa aseveración lorquiana que habría podido servirnos de epígrafe: «...si es verdad que soy poeta por la gracia de Dios —o del demonio—, también lo es que lo soy por la gracia de la técnica y del esfuerzo y de darme cuenta en absoluto de lo que

---

[15] Esta idea de «vestir» debió de haberle preocupado mucho. En una carta a Jorge Guillén escribe Lorca: «...El poema que no está vestido no es poema, como el mármol que no está labrado no es estatua. ...Yo me admiro cuando pienso que la emoción de los músicos (Bach) se apoya y está envuelta en una perfecta matemática... Así pienso de la poesía». Jorge Guillén, «Federico en persona», prólogo a *Obras completas*, Madrid, Aguilar, 1954, pág. 1v.

es un poema» (P., pág. 298) [16]. Por lo demás estamos de vuelta en la doble vertiente de la que partimos. Pero están fundidos ambos conceptos de poesía en una fórmula que concilia, sin contradicción ninguna, el estado alucinante de la inspiración con una consciente sensibilidad crítica. Como a Lope de Vega, una plenitud de recursos artísticos permite a García Lorca depurar sus emociones primarias, ordenarlas y convertirlas en valores estéticos mediante la selección. Es excusado decir que no intentamos lo imposible: descomponer —y así falsear el proceso unitario de la creación— señalando el momento en que termina la inspiración y comienza el arte.

García Lorca, pues, se esforzaba constantemente para llegar a comunicar lo más fielmente posible toda la emoción que su agudísima sensibilidad poética percibía en las cosas [17]. Quizá menos, es verdad, que sus compañeros de generación. Precisamente esa exigencia personal le impidió publicar mucho que no consideraba definitivo y explica, por lo demás, su conocida indolencia en ordenar libros para la imprenta [18]. Tal deseo de progresivo perfeccionamiento se tra-

---

[16] Transcribimos la admirable síntesis trazada por Díaz-Plaja que resume el alcance último de su declaración a Gerardo Diego. Dice textualmente: «...Advertencia doble para los que, de un lado, ven a García Lorca, como un simple e ingenuo poeta popular; y para los que, de otro, lo conceptúan como un preocupado constructor de laberintos» (*ob. cit.*, pág. 18).

[17] Arturo Berenguer Carisomo dice al respecto: «...Creo que hay en García Lorca... un lento trabajo de elaboración minuciosa, de selección de imágenes, de ajuste retórico... Creo más: creo que ese trabajo de minucia constructiva era en Lorca una necesidad orgánica de su eterno disconformismo, de su auténtico buscarse a sí propio que no significa picotear por medio en cientos de árboles, sino tener siempre sobre lo creado un permanente gesto de duda, de inquietud...» *Las máscaras de Federico García Lorca*, Buenos Aires, 1941, pág. 98.

[18] Ese aspecto de la personalidad de Lorca ha sido muy comentado. Tan sólo queremos copiar las siguientes palabras que aluden a

duce en una lenta y a veces trabajada elaboración de sus versos. De nuevo sus cartas a Jorge Guillén —en menor grado las que dirige a Jorge Zalamea y otros amigos— [19] confirman ese proceso de depuración y ofrecen interesantes testimonios sobre la gestación de ciertos poemas [20]. García Lorca, siempre preocupado por el timbre de su propia voz y la eternidad de su obra [21], no sólo rehuye lo meramente decorativo sino también la expresión fácil:

las pruebas de *Canciones*: «...Después de todo si intento publicar es por dar gusto a mis amigos y nada más. A mí no me interesa ver *muertos* definitivamente mis poemas... quiero decir publicados». «Cartas a Jorge Guillén di F. G. L.», *Inventario*, pág. 54.

[19] «Epistolario de García Lorca» (Cartas del poeta a Jorge Zalamea), *Revista de Indias*, I, núm. 5, marzo de 1937, págs. 23-25, y *Cartas a sus amigos* (Prólogo de Sebastián Gasch), Barcelona, Ediciones Cobalto, 1950.

[20] Es verdad que José Antonio Rubio, compañero de cuarto de Lorca en la Residencia, contó a Guillén que redactó de golpe la «Muerte de Antoñito el Camborio». Jorge Guillén, «Federico en persona», pág. lvi. Dentro del caso, quisiéramos recordar un texto del poeta mismo: «La hija directa de la imaginación es la metáfora, nacida a veces al golpe rápido de la intuición, alumbrada por la lenta angustia del presentimiento» (I, pág. 333).

[21] Un fragmento del prólogo de Francisco García Lorca a *III Tragedies of Federico García Lorca* (New Directions, 1947) resume admirablemente el continuo conflicto en su hermano y la preocupación que tenía por la perduración de su obra: «...He fought his own battle between artistic freedom and discipline with his conscience gravely concerned with the problem of the enduring quality of his work. This conflict between freedom and discipline on the one hand, between poetry and reality on the other —or between nature and art, to state it in traditional terms— he lived with such intensity that it would not be mere conjecture to say that it took on a dramatic aspect within the poet himself...» (pág. 20).

Por lo demás, las palabras de Lorca referidas a Góngora podrían igualmente hacerse extensivas a su propio caso: «...Y no buscaba la oscuridad. Hay que repetirlo. Huye de la expresión fácil, no por amor a lo culto, con ser un espíritu cultivadísimo; no por odio al vulgo espeso, con tenerlo en grado sumo, sino por una preocupación de andamiaje que haga la obra resistente al tiempo. Por una preocupación de eternidad» (G, pág. 113).

> La verdadera poesía... es amor, esfuerzo y renunciamiento...
> Cuando la poesía se llena de trompetas y colgaduras se convierte la academia en casa de trato... [22].

Precisamente a esas cualidades se deben sus repetidas censuras del romanticismo de escuela. Lorca insiste en la dignidad de la poesía y rechaza la mera ornamentación verbal, el tono ampuloso y la superficialidad sonora. Por otra parte, cuando le mandó a Guillén, en carta fechada el 8 de noviembre de 1926, un fragmento del «Romance de la Guardia Civil» dice que lo empezó hace dos años e indica en el margen como todavía provisionales ciertos versos famosos que pasaron íntegros al libro [23]. Más aún: García Lorca, en otra carta, refiere cómo ha tardado mes y medio en la composición del romance del «Gitanillo apaleado» y añade: «estoy satisfecho. El romance está fijo» [24]. Y, de hecho, tenía la costumbre de incluir en sus cartas versos inéditos, algunos de los cuales nunca llegaron a publicarse en versión definitiva. A base de esos textos y otros muchos que podrían citarse aquí, queda desterrada la errónea noción de un poeta popular y espontáneo. Decir que Lorca es consciente de su oficio y de la técnica y que se somete a una disciplina rigurosa, no implica, de ninguna manera, una negación del poder avasallador de su duende inspirador.

Como es bien sabido, la lengua se universaliza por los contenidos genéricos de las palabras. La labor poética, pues,

---

[22] Jorge Guillén, «Federico en persona», pág. liv. No hay en Lorca propiamente dicho un arte poético en verso. El poema que más se acerca a esa moda, tan cultivada por los simbolistas, es la «Oda a Salvador Dalí» (1926). Unos versos de esta poesía recuerdan las palabras que acabamos de citar de la carta a Guillén: «No es el Arte luz que nos ciega los ojos. / Es primero el amor, la amistad o la esgrima».

[23] *Ibid.*, págs. lvii-lviii.

[24] *Ibid.*, pág. lx.

consiste en anular esas limitaciones lógicas, arrancando nuevos sentidos y valores de intimidad de la palabra misma. Que sepamos, García Lorca no enfrenta detenidamente los problemas lingüísticos de la expresión y la ineludible impotencia de los vocablos para representar toda la rica y compleja experiencia afectiva del poeta. Sin embargo, esa preocupación fundamental en todo escritor constituye un fondo casi siempre presente en las notas introspectivas de Lorca sobre el arte. El lírico quiere penetrar el sentido oculto y misterioso de las cosas para luego objetivarlo en sus versos. Lorca confiesa que tal idea de perfecta comunicación no puede realizarse plenamente por la naturaleza misma del poema:

> ...Porque, al intentar expresar la verdad poética... tendrá [el poeta] necesariamente que valerse de sentimientos humanos, se valdrá de sensaciones que ha visto y oído, recurrirá a analogías plásticas que no tendrán un valor expresivo adecuado. Porque la imaginación sola no llega jamás a esas profundidades. (I, pág. 335).

En su conferencia sobre la *Teoría y juego del duende* afirma que precisamente esta lucha por la expresión en poesía asume «caracteres mortales» (D, pág. 152) y, con desesperación sincera, le escribe a Jorge Guillén en el momento de enviarle algunas poesías del año 1921: «Alguna vez puede que yo exprese los extraordinarios dibujos *reales* que sueño. Ahora me faltan muchas cosas. Estoy lejos»[25]. No sorprende tampoco que algunos versos del poeta aludan también a la incapacidad de todo artista para comunicar la emoción intacta que le rodea (por ej., «Encrucijada», *Libro de poemas*; «Primer aniversario», *Canciones*, etc.).

A pesar de no preocuparse mucho por la formulación de postulados abstractos sobre el arte, los cuales entorpecerían

---

[25] «Cartas a Jorge Guillén di F. G. L.», *Inventario*, pág. 55.

el fluir del proceso creador, pocos son los problemas esenciales de la poesía que García Lorca deja de examinar de una manera u otra. En más de una ocasión Lorca ha hablado despectivamente sobre la intromisión de la inteligencia en la poesía. Enemiga de la expresión lírica, nos engaña e impide captar la emoción pura (D, pág. 144). También Lorca gusta de emparentar el auténtico momento de creación con el estado inocente e ingenuo del niño, cuyo mundo poético está aún intacto sin las rectificaciones que imponen la lógica y la inteligencia [26]. Aunque no era jamás poeta popular, un rasgo característico de la lírica lorquiana es el saber unir en fusión genial elementos populares tradicionales con los más exquisitos procedimientos de la poesía novísima. Y, dentro del caso, al referirse precisamente a lo popular y lo culto en poesía, advierte lo fácil que es diferenciar la creación culta de lo genuinamente popular y explica el fracaso de los que han querido reproducir las esencias del pueblo en sus versos:

> Los poetas que hacen cantares populares enturbian las claras linfas del verdadero corazón; y ¡cómo se nota en las coplas el ritmo seguro y feo del hombre que sabe gramática! Se debe tomar del pueblo nada más que sus últimas esencias y algún que otro trino colorista, pero nunca querer imitar fielmente sus modulaciones inefables, porque no hacemos otra cosa que enturbiarlas. Sencillamente por educación [27].

---

[26] Todos recordarán sus palabras de «Las nanas infantiles»: «...Mucho más de lo que pensamos comprende el niño. Está dentro de un mundo poético inaccesible, donde ni la retórica, ni la alcahueta imaginación, ni la fantasía tienen entrada; ...Muy lejos de nosotros, el niño posee íntegra la fe creadora y no tiene aún la semilla de la razón destructora. Es inocente y, por lo tanto, sabio. Comprende mejor que nosotros la clave inefable de la sustancia poética.» «Las nanas infantiles», *Obras completas*, VII, pág. 129.

[27] «El cante jondo», Marie Laffranque, *art. cit.*, pág. 313. También sobre el costumbrismo falso, véase el discurso de García Lorca en el

Que Lorca sea un poeta difícil, nadie lo niega. Pero nada más lejos de la poesía intelectualizada y fría que el mundo mágico y sensorial de Lorca. No nos apoderaremos nunca de los últimos secretos de su obra por vías de la razón. Esa dificultad no responde, pues, al concepto sino más bien a la técnica imaginística del poeta que lucha para rescatar la emoción poética no claudicada por la lógica. Y el triunfo de la poesía —dice Lorca— consiste en que «...puede fugarse, evadirse, de las garras frías del razonamiento» (I, página 338)[28]. Así a lo largo de su obra García Lorca se empeña en no someterse a los dictados de la inteligencia[29].

---

banquete de *Gallo*, que resume los ideales de su revista recién fundada. *Ibid.*, págs. 342-345.

[28] Citado según la reseña de *El Sol*. También aquí se refiere a cómo el surrealista escapa por el sueño y agrega Lorca que en ese mundo «...se encuentran indudablemente normas poéticas de emoción verdadera. Pero esta evasión por medio del sueño o del subconsciente es, aunque muy pura, poco diáfana. Los latinos queremos perfiles y misterio visible. Forma y sensualidades» (pág. 338).

[29] En su libro sobre Lorca [*L'Univers poétique de Federico García Lorca*, Bordeaux, Editions Bière, 1952], J. L. Flecniakoska se propone un análisis del poeta según sus propios principios estéticos. Escoge como punto de partida las siguientes palabras referidas a Góngora: «Es un problema de comprensión... Góngora no viene a buscarnos como otros poetas para ponernos melancólicos sino que hay que perseguirlo razonablemente» (pág. 13). Al reseñar esta obra [*Hispanic Review*, XXI (1953), págs. 246-248], Gustavo Correa, autor de un libro sobre Lorca próximo a aparecer, señala con acierto que «...resulta aventurado el insistir en el postulado de la poesía razonable de Lorca» (pág. 246). Por lo demás, coincidimos con Correa cuando habla más adelante de «...una fórmula compuesta en que lo primario espontáneo y embriagador se halla organizado en producto final a través de una consciente selección certeramente alcanzada gracias a una depurada sensibilidad artística. Por lo demás, un desproporcionado énfasis en el aspecto de la técnica y de lo consciente puede desviarnos hacia un concepto meramente artificioso y malabarista de lo poético, esencialmente ajeno a Lorca...» (pág. 247).

Descartada la inteligencia como legítimo ingrediente lírico, García Lorca ha puntualizado la función y el alcance de la imaginación en poesía. Es, desde luego, un primer paso esencial en toda verdadera obra de arte y equivale en Lorca, según dijimos, al descubrimiento. Descubre pero no crea. Da atmósfera poética pero no auténtica poesía. Es un modo de penetrar en el misterio y la esencia de las cosas («La imaginación fija y da vida clara a fragmentos de la realidad invisible...», I, pág. 333); pero siempre necesita apoyarse sobre hechos reales. Nunca se deshacen los nexos con la realidad exterior [30]. No obstante estar limitada de esta manera, la imaginación puede transformar las cosas, depurarlas y dotarlas de nueva forma y sentido. Y su hija es la metáfora (I, pág. 333), cuya creación y papel en la poesía lorquiana ha sido tema predilecto de la crítica. Sin embargo, en la lucha entre realidad e imaginación vence aquélla por la pobreza de la facultad imaginativa, que no es capaz de reproducir la poesía total de la verdad real [31]. Hay, como ya sabemos, una manera de liberarse de esas limitaciones: la inspiración. Tan sólo así le es permitido al poeta evadirse del mundo. Y, dándose cuenta de la debilidad de su imaginación, el artista

---

[30] Leamos las palabras de Lorca mismo: «Pero la imaginación está limitada por la realidad: no se puede imaginar lo que no existe; necesita de objetos, paisajes, números, planetas y se hacen precisas las relaciones entre ellos dentro de la lógica más pura. No se puede saltar al abismo ni prescindir de los términos reales. La imaginación tiene horizontes, quiere dibujar y concretar todo lo que abarca» (I, pág. 333).

[31] Al apuntar el alcance de la imaginación a la vez hace notar su pobreza, diciendo: «...Pero se le escapan casi siempre las mejores aves y las más refulgentes luces... La imaginación es pobre y la imaginación poética mucho más. La realidad visible, los hechos del mundo y del cuerpo humano están mucho más llenos de matices, son más poéticos que lo que ella descubre... La verdad real vence a la imaginación en poesía, o sea la imaginación misma descubre su pobreza» (I, pág. 334).

tendrá que esperar y acoger la luz de la inspiración, conciliándola con el arte y la técnica [32].

Así como la imaginación poética necesariamente opera sobre bases reales, también la obra de arte misma no puede prescindir del apoyo en la realidad exterior [33]. Lorca crea sobre las cosas; las revitaliza; y nos da nuevas percepciones de ellas. Como ha observado acertadamente Ángel del Río, el poeta Lorca, siempre atento a las impresiones directas, recoge los estímulos inmediatos y concretos para luego reelaborarlos y, mediante su capacidad creadora, desrealizarlos [34]. No es nunca la función de la poesía lírica imitar y reproducir fielmente el mundo exterior, sino que la visión íntima del escritor enriquece y transforma los objetos reales para crear un nuevo mundo poético. En una carta a Jorge Guillén, patentiza Lorca esa necesidad estética, al mismo tiempo que rechaza con sentido aristocrático lo fácil y meramente pintoresco:

> ...La voz debe desligarse de las armonías de las cosas y *del concierto* de la naturaleza para fluir su sola nota. La poesía es otro mundo. Hay que cerrar las puertas por donde se escapa a los oídos bajos y a las lenguas desatadas. Hay que encerrarse

---

[32] Por otra parte, el poeta debe dominar la imaginación. Refiriéndose a la técnica gongorina, advierte Lorca la necesidad de refrenar la fantasía, limitándose y buscando la justa medida: «Como lleva la imaginación atada, la detiene cuando quiere y no se deja arrastrar por las oscuras fuerzas naturales de la ley de inercia, ni por los fugaces espejismos donde mueren los poetas incautos como mariposas en el farol...» (G., págs. 95-96).

[33] Sobre la realidad y su transmutación en esencia lírica, son interesantes las páginas que María Teresa Babín dedica al tema en su muy comprensivo libro sobre el poeta: *El mundo poético de Federico García Lorca*, San Juan de Puerto Rico, Biblioteca de autores puertorriqueños, 1954, págs. 69-79.

[34] Ángel del Río, *Federico García Lorca. Vida y obra*, Nueva York, Hispanic Institute, 1941, págs. 66-74.

con ella. Y allí dejar la voz divina y pobre, mientras cegamos el surtidor. El surtidor, no [35].

El poeta alude en otro lugar directamente al procedimiento de la transformación lírica que Góngora practica al recrear su propia realidad poética:

> Naturalmente, Góngora no crea sus imágenes sobre la misma naturaleza, sino que lleva el objeto, cosa o acto a la cámara oscura del cerebro, y de allí salen transformadas para dar el gran salto sobre el otro mundo con que se funden... (G, página 100).
>
> ...Intuye con claridad que la naturaleza que salió de las manos de Dios no es la naturaleza que debe vivir en los poemas, y ordena sus paisajes analizando sus componentes... (G, página 101).

Pero en seguida se nota que el poeta no prescinde del mundo real con cuyo contacto fueron plasmadas las imágenes.

No hay ningún problema de estética que preocupe más a los filósofos del arte que ése de realidad y poesía. Tan sólo procuraremos señalar aquí otros aspectos que tan debatida cuestión presenta en el credo artístico de Lorca y puntualizar más detenidamente cómo la resuelve en sus maneras de crear. Ya hemos visto que reconoce las limitaciones de la imaginación. No es capaz, pues, de captar toda la belleza del mundo exterior sobre el cual necesariamente opera la fantasía de un poeta. Y, como antes indicamos, García Lorca crea desde fuera hacia dentro. Parte del objeto real; se hace dueño de él en todos sus matices; y, por medio de su sensibilidad poética, lo recrea sorprendiendo nuevas notas invisibles en ese fragmento de la realidad pública. Para Lorca en 1928 la misión del poeta era «animar, en su exacto sen-

---

[35] Jorge Guillén, «Federico en persona», págs. liv-lv.

tido: dar alma» (I, pág. 333). Diez años antes el escritor
juvenil había esbozado en el prólogo a su primer libro *Impresiones y paisajes* (1918) la relación entre la realidad y la
visión subjetiva del creador. Se traduce en una especie de
proyección espiritual sobre las cosas mismas, cuya potencia-
lidad de poesía es infinita, y plantea un problema capital de
toda creación artística:

> ...la poesía existe en todas las cosas, en lo feo, en lo hermoso,
> en lo repugnante; lo difícil es saberlo descubrir, despertar los
> lagos profundos del alma... Hay que interpretar siempre es-
> canciando nuestra alma sobre las cosas, viendo un algo espiri-
> tual donde no existe, dando a las formas el encanto de nuestros
> sentimientos; es necesario ver por las plazas solitarias a las
> almas antiguas que pasaron por ellas; es imprescindible ser
> uno y ser mil para sentir las cosas en todos sus matices... [36].

En otra parte, refiriéndose al panteísmo de los poemas del
«cante jondo», señala cómo los objetos de la naturaleza toman parte en la acción lírica y sigue diciendo: «El andaluz
con un profundo sentido espiritual entrega a la naturaleza
todo su tesoro íntimo con la completa seguridad de que será
escuchado» [37]. Ha definido aquí esta íntima fusión del poeta
con el mundo natural que constituye un rasgo inconfundible
de su obra.

Una insistente predilección por la poetización de lo mi-
núsculo caracteriza la poesía de Lorca. Se deleita con ternura en los pequeños motivos naturales, infantiles, populares o tradicionales. Arranca de una realidad cualquiera (los
testimonios son frecuentes sobre las fuentes de ciertos poemas y obras de teatro); la ve en todos sus detalles y relacio-
nada con la realidad total de que es parte; y la eleva a cate-

---

[36] Citado según Díaz-Plaja, *ob. cit.*, pág. 80.
[37] «El cante jondo», Marie Laffranque, *art. cit.*, pág. 314.

goría universal y mítica. Por humildes y mínimas que sean
las cosas, todas son fuente de la más auténtica poesía y no
admiten jerarquía desde la perspectiva de un poeta que sabe
intuir valores líricos en ellas. Como Góngora sabía Lorca
recrearse con amor y grandeza en las cosas diminutas. El
texto que transcribimos es explícito y no necesita comentario:

> Para él [Góngora], una manzana es tan intensa como el mar,
> y una abeja tan sorprendente como un bosque. Se sitúa frente
> a la naturaleza con ojos penetrantes y admira la idéntica belle-
> za que tienen por igual todas las formas... le da lo mismo una
> manzana que un mar, porque sabe que la manzana en su mundo
> es tan infinita como el mar en el suyo. La vida de una manzana
> desde que es tenue flor hasta que, dorada, cae del árbol a la
> hierba, es tan misteriosa y tan grande como el ritmo periódico
> de las mareas. Y un poeta debe saber esto. La grandeza de una
> poesía no depende de la magnitud del tema, ni de sus senti-
> mientos. Se puede hacer un poema épico de la lucha que sos-
> tienen los leucocitos en el ramaje aprisionado de las venas, y se
> puede dar una inacabable impresión de infinito con la forma
> y olor de una rosa tan sólo (G, pág. 97).

Además de afirmar su fe en la trascendencia y belleza de lo
pequeño García Lorca da otro paso que nos interesa destacar
ahora. Cuando traza toda una estética del diminutivo y define su función como «la de limitar, ceñir, traer a la habita-
ción y poner en nuestra mano los objetos o ideas de gran
perspectiva», puntualiza hasta «la necesidad de limitar, de
domesticar los términos inmensos» [38]. Los textos que aluden
a ese afán de limitación intencionada, parecen corresponder
a un postulado riguroso de llegar a un conocimiento profundo no sólo del misterio de las cosas sino también de su
propia persona. («No queremos que el mundo sea tan gran-

---

[38] «Granada (Paraíso cerrado para muchos)», *Obras completas*, VII,
pág. 173.

de ni el mar tan hondo»)[39]. Es decir, quedarse dentro de
una órbita bien definida le permite expresar esencias sin
engañar con meras apariencias. Al describir el jardín del
poeta Soto de Rojas, ejemplo destacado de la tendencia
preciosista del arte granadino, la expresa aspiración intimista se matiza ahora de una nota de cautela ante la realidad:

> —No hay que tocar lo que está fuera de nuestras realidades
> y posibilidades. No hay que realizar los sueños. Dejemos a la
> naturaleza en paz; que los pájaros vuelen y las aguas corran.
> Hay que ceñirse y viajar en nuestro jardín. El vellocino de oro
> lo tenemos dentro del corazón. Seamos prudentes frente a lo
> desconocido[40].

Se ha dicho atinadamente que un rasgo fundamental de
la estética total de Lorca es la síntesis y fusión de varias
artes: poesía, música y pintura[41]. No nos concierne por el
momento estudiar la correspondencia e interpenetración de
lo lírico y lo dramático en la literatura lorquiana, ni hablar
de la formación musical del poeta. No obstante quedar un
poco fuera de nuestro propósito actual puntualizar la constante actividad del Lorca dibujante y teórico de la pintura[42],
quizá una mínima alusión al tema sirva para explicar su
actitud frente a la realidad. En su «Sketch de la pintura moderna» Lorca advierte la regeneración de la pintura a partir
de Cézanne y los cubistas, quienes reaccionaron con su afán
constructivo contra los impresionistas. En manos de éstos
la pintura agonizaba y la luz destruía las cosas. Sin embargo,
el cubismo representaba una disciplina fecunda que devolvía

---

[39] *Ibidem.*
[40] «Homenaje a Soto de Rojas» («El Jardín»), Marie Laffranque, *art. cit.*, pág. 331.
[41] Ángel del Río, *ob. cit.*, pág. 35.
[42] Al respecto son interesantes las cartas a Sebastián Gasch en *Cartas a sus amigos*, págs. 21-48.

a los objetos su forma y volumen necesarios [43]. Hay eco indudable de esas mismas ideas en su poema ya citado a Salvador Dalí. Su factura cubista nos parece indiscutible en el sentido de que esa estética parece inspirar ciertos conceptos allí expresados. Algunos versos aislados («Un deseo de formas y límites nos gana... / pero alabo tus ansias de eterno limitado... / Amas una materia definida y exacta... / tu amor a lo que tiene explicación posible...») y la siguiente estrofa parecen confirmar la dirección que vamos señalando:

> Alma higiénica, vives sobre mármoles nuevos.
> Huyes la oscura selva de formas increíbles.
> Tu fantasía llega donde llegan tus manos,
> y gozas el soneto del mar en tu ventana.

Entendemos, pues, por su amor a «lo cterno limitado» una disciplina más que asegura la captación de la esencia recóndita de las cosas dentro de nuestra órbita, viéndolas así desde varios ángulos y perspectivas. Con esas ideas de las proporciones rectas y de un orden misterioso entre los objetos reales funde Lorca un estudio de sus propios recursos expresivos. Creemos que en Lorca limitarse es un modo de conseguir una sinceridad y una pureza poética y de evitar a todo trance una retórica grandilocuente al estilo romántico. Equilibrio y concentración. Contener los vuelos imaginativos para comunicar la medida justa. Y como su querida ciudad de Granada, el poeta «...usa del diminutivo para recoger su imaginación, como recoge su cuerpo para evitar el vuelo excesivo y armonizar sobriamente sus arquitecturas interiores con las vivas arquitecturas de la ciudad» [44]. No es que sea limitado su mundo poético como piensan algunos.

---

[43] «Sketch de la pintura moderna», Marie Laffranque, *art. cit* págs. 340-341.
[44] «Granada (Paraíso cerrado para muchos)», págs. 173-174.

Puede que sean elementales los materiales que lo pueblan, pero el mejor Lorca sabe dar forma a las ondas universales que irradian de las cosas menores. Y repetimos con el poeta mismo que no es nunca el tema lo que confiere grandeza a un poema lírico.

Al concluir esta nota sobre la poética lorquiana, conviene explicar que tan sólo nos hemos referido incidentalmente a temas como la creación de metáforas, el papel de los sentidos, lo gitano y lo popular por haber sido éstos ya ampliamente estudiados por la crítica anterior. En cambio, hemos preferido precisar algunos rasgos menos comentados de su estética. Ante todo quisiéramos recalcar una vez más la posición crítica que adoptaba el poeta ante su propia obra. Aunque no le interesó ordenar sistemáticamente sus reflexiones sobre el arte que cultivaba hay en su prosa materiales suficientes para mostrar la seriedad con que abordaba su tarea. Pero el suyo no es de ninguna manera un cuerpo de doctrina fija e inmutable. Más que a una serie de postulados muertos y abstractos, que le hubieran endurecido el verso, sus meditaciones sobre los problemas de la creación de un poema corresponden a su propia experiencia de poeta lírico. Por otro lado, si insistimos en el esfuerzo y la técnica de García Lorca, le negamos precisamente su mayor triunfo. El del verso límpido y puro que expresa, sin el menor rastro de mecánica poética, la inefable emoción de los seres y las cosas [45].

(1958).

---

[45] Ya en prensa este trabajo, quisiéramos agregar que Marie Laffranque ha publicado últimamente otras dos valiosas recopilaciones de textos lorquianos también en el *Bulletin Hispanique* [vol. LVI, número 3, 1954, págs. 261-300 y vol. LVIII, núm. 3, 1956, págs. 301-343]. Unos pocos nos fueron conocidos de segunda mano (por ej., «Diálogos de un caricaturista salvaje»), los demás no. Otros no los pudimos consultar directamente por falta de datos bibliográficos completos.

Además la segunda edición de las *Obras completas* (Madrid, Aguilar, 1955) incorpora las prosas reproducidas por Marie Laffranque en 1953 y 1954, así como las cartas del poeta publicadas hasta la fecha. Con respecto a los nuevos textos, no parecen agregar mucho al tema limitado de nuestros artículos. Sin embargo, conviene notar de paso, que en una prosa Lorca niega lo popular de su arte (*Bulletin Hispanique*, 1956, pág. 320) y que en otras vuelve a ponerse de manifiesto cómo vacilaba tanto en entregar sus libros a la imprenta. Por último, cabe decir que cualquier estudio sobre la obra teatral de Lorca no puede dejar de tener en cuenta estas prosas porque ofrecen interesantes precisiones sobre la génesis, la intención y la elaboración de sus dramas. Creemos, por lo demás, que Maric Laffranque ha hecho una destacada contribución a la bibliografía lorquiana y a la difusión de sus prosas olvidadas.

NOTA FINAL DE 1972

Las investigaciones lorquianas de Marie Laffranque han sido reunidas ya en libro: *Les idées esthétiques de Federico García Lorca* (París, 1967). También Jorge Guillén ha publicado en libro aparte su *Federico en persona. Semblanza y epistolario* (Buenos Aires, 1959) y los mismos textos se encuentran en las *Obras completas* de García Lorca publicadas en sucesivas ediciones por la Editorial Aguilar y bajo la dirección de Arturo del Hoyo. Todos los textos de Lorca citados en el presente trabajo pueden verse ahora en las *Obras completas* (edición citada). El libro de Gustavo Correa, a que se refiere en la nota 29, se titula *La poesía mítica de Federico García Lorca* (Oregon, 1957). De la misma obra hay una segunda edición española (Madrid, Gredos, 1970).

Y finalmente hemos visto un nuevo texto lorquiano titulado «Razones de la poesía. Comentarios al *Romancero gitano*» [*Revista de Occidente*, 2.ª época, núm. 77, agosto de 1969, 129-137], que es útil para el estudio de la elaboración de sus romances; también hay que mencionar aquí los textos reunidos por Antonio Gallego Morell: *Cartas, Postales, Poemas y Dibujos* (Madrid, 1968).

NOTA BIBLIOGRÁFICA

TEMAS DEL CENTENARIO DE RUBÉN DARÍO

«Nueva luz sobre *Emelina*», *Atenea*, XLIV, núms. 415-416, enero-junio de 1967, págs. 381-404.

«*El oro de Mallorca*: breve comentario sobre la novela autobiográfica de Darío», *Revista Iberoamericana*, XXXIII, núm. 64, enero-diciembre de 1967, págs. 449-460.

«Releyendo *Prosas profanas*», *Insula*, XXII, núms. 248-249, julio-agosto de 1967, págs. 11-12.

SOBRE VALLE-INCLÁN

«*Flor de santidad*: novela poemática de Valle-Inclán», en *Homenaje a S. H. Eoff*, Madrid, 1970, págs. 137-171.

«El esperpento de *Los cuernos de don Friolera*», *Humanitas* (Nuevo León), V, 1964, págs. 309-322.

«Sobre *Luces de bohemia* y su realidad literaria», en *Ramón del Valle-Inclán. An Appraisal of his Life and Works*, Nueva York, 1968, páginas 601-611.

UNAS RELACIONES LITERARIAS

«Rubén Darío y Valle-Inclán: historia de una amistad literaria», *Revista Hispánica Moderna*, XXXIII, núms. 1-2, enero-abril de 1967, páginas 1-29.

«Algo más sobre Antonio Machado y Valle-Inclán», *Cuadernos Hispanoamericanos*, núm. 186, junio de 1965, págs. 557-564.

«Antonio Machado y Rubén Darío», *Sin nombre*, II, núm. 2, octubre-diciembre de 1971, págs. 36-47.

DOS TEMAS HISPANOAMERICANOS

«Naturaleza y metáfora en algunos poemas de José Martí», ponencia leída en el Symposium Martiano, Universidad de Yale, primavera de 1970.

«El arte y el artista en algunas novelas del modernismo», *Revista Hispánica Moderna*, XXXIV, núms. 3-4, julio-octubre de 1968, páginas 757-775.

SOBRE DOS POETAS ESPAÑOLES

«*La tierra de Alvargonzález*: verso y prosa», *Nueva Revista de Filología Hispánica*, IX, núm. 2, 1955, págs. 129-148.

«Sobre la poética de García Lorca», *Revista Hispánica Moderna*, XXIV, núm. 1, enero de 1958, págs. 36-48.

ÍNDICE GENERAL

Págs.

BIBLIOTECA ROMÁNICA HISPÁNICA

Dirigida por: DÁMASO ALONSO